A E
& I

La pirámide inmortal

Autores Españoles e Iberoamericanos

Javier Sierra

La pirámide inmortal
El secreto egipcio de Napoleón

Obra editada en colaboración con Editorial Planeta – España

Diseño de la colección: © Compañía

Fotografías de interior: © José Gabriel Astudillo / © David Rumsey Historical
Map Collection / © Colección Particular / © Wagner & Debes, Leipzig

© 2002, Javier Sierra, Picatrix, S.L., 2014
www.javiersierra.com
© 2014, Editorial Planeta, S.A. – Barcelona, España

Derechos reservados

© 2014, Editorial Planeta Mexicana, S.A. de C.V.
Bajo el sello editorial PLANETA M.R.
Avenida Presidente Masarik núm. 111, 2o. piso
Colonia Chapultepec Morales
C.P. 11570, México, D.F.
www.editorialplaneta.com.mx

Primera edición impresa en España: agosto de 2014
ISBN: 978-84-08-13144-1

Primera edición impresa en México: octubre de 2014
ISBN: 978-607-07-2435-0

Impreso en los talleres de Litográfica Ingramex, S.A. de C.V.
Centeno núm. 162-1, colonia Granjas Esmeralda, México, D.F.
Impreso en México – Printed in Mexico

A Antonio Ribera Jordà (1920-2001), que desde la otra orilla aprecia mejor que nadie el valor de esta aventura.

Y a Eva Pastor, que ha sabido hacerla suya.

UN APUNTE HISTÓRICO NECESARIO

—

Al atardecer del primero de julio de 1798, treinta y seis mil soldados franceses, algo más de dos mil oficiales y unas trescientas mujeres, entre esposas de militares y prostitutas embarcadas con discreción en una de las flotas de guerra más grande jamás armada, pusieron pie en las playas egipcias de Alejandría, Rosetta y Damieta. Salvo una reducidísima élite militar nadie sabía a ciencia cierta qué esperaba su país de ellos en la otra orilla del Mediterráneo.

Superados los primeros inconvenientes, en veinte días parte de esos efectivos se habían hecho ya con el control del delta del Nilo y descendían rumbo a El Cairo. Allí se dieron de bruces con las impresionantes pirámides de Giza, y a unos pocos kilómetros de ellas derrotaron a las primeras hordas de combatientes mamelucos en una batalla memorable.

Se ponía fin así a tres siglos de ocupación otomana de Egipto y se iniciaba una nueva era política en la región.

El hombre que dirigió tan colosal como desconocida conquista fue un prometedor general de origen corso llamado Napoleón Bonaparte. Con la complicidad del ministro de Asuntos Exteriores y del cónsul francés en la capital norteafricana, su plan consistía en neutralizar la próspera ruta comercial que los ingleses tenían abierta con Asia a través de ese territorio. Bonaparte, no obstante, pronto sufriría su primer revés. Mientras avanzaba tierra adentro, el almirante británico Horacio Nelson localizó y hundió su flota frente a las costas de Abukir. Ocurrió el 1 de agosto de aquel año. El choque le causó más de mil setecientas bajas y lo dejó aislado y sin suministros en un territorio tan hostil como extraño.

Durante los siguientes catorce meses Bonaparte hizo caso omiso de su desgracia y llevó adelante acciones que fueron mucho más allá de lo bélico. Entre ellas, la fundación de un instituto para estudiar el misterioso pasado egipcio, en el que puso a trabajar a más de un centenar de sabios. Les ordenó que exprimiesen el jugo de una ciencia olvidada con la que él estaba fascinado desde niño. Solo esa acción confirmaba la existencia de una «agenda secreta» a la que, a la postre, debemos los cimientos de la moderna egiptología.

Pero su obsesión por controlar aquella región del planeta no se detuvo en los viejos monumentos. En poco tiempo Bonaparte se adentró también en Tierra Santa. Fue como si pretendiera emular las hazañas de los primeros cruzados. Al modo de un templario del siglo XIII atravesó Palestina de sur a norte hasta que el 14 de abril de 1799, contra la voluntad de cuantos lo acompañaban, pernoctó en un pueblo cercano al lago Tiberiades llamado Nazaret.

Jamás explicó por qué.

Aquella campaña en los Santos Lugares también terminó en fracaso. Consciente de que su carrera se hundía si continuaban los errores, se concentró en dar un golpe de efecto que lo redimiera ante el Directorio de París. Asedió Jaffa, la conquistó a sangre y fuego, pero fue incapaz de hacerse con San Juan de Acre, truncando así su sueño de llegar a las puertas de Constantinopla, tal vez después a la India, y emular de este modo las conquistas de su admirado Alejandro Magno.

Fue entonces cuando sus problemas se agravaron de verdad.

A su regreso a El Cairo descubrió que más de quince mil otomanos apoyados por los ingleses habían desembarcado de nuevo en Abukir dispuestos a expulsarlo de una vez por todas del país. Pero el 25 de julio de 1799, justo donde Nelson lo había humillado un año antes, sus tropas cambiarían el signo de la campaña derrotando a los mamelucos y exorcizando en parte los agravios de los británicos.

Embriagado por una victoria tan simbólica, Napoleón Bonaparte puso al fin rumbo a la ciudad de las pirámides, adonde llegó triunfal el 11 de agosto. Justo entonces tuvo lugar el episodio que reconstruye este relato: mientras ultimaba en secreto su regreso a Francia, el general decidió pasar una noche en un lugar tan poco recomendable como el interior de la Gran Pirámide de Giza.

Por supuesto, tampoco explicó nunca por qué, ni dio detalles sobre lo que le ocurrió en aquellas horas. Sus biógrafos, de hecho, nunca encontraron sentido a aquella incursión. Pero tras permanecer la madrugada del 12 al 13 de agosto de 1799 a solas en el vientre del mayor monumento levantado en el mundo antiguo, Napoleón Bonaparte ya no volvió a ser el mismo hombre que antes. Su suerte cambió. Su destino se enderezó.

Esta novela explica por qué.

Mapa del antiguo Egipto

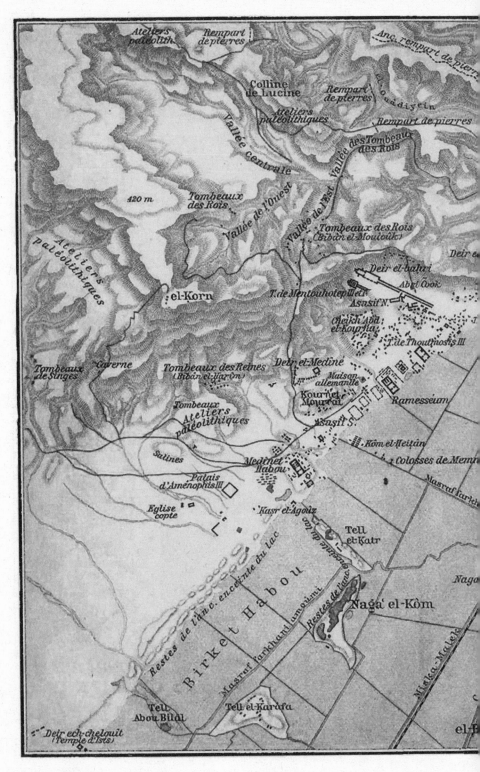

Mapa de la antigua Tebas, con los templos de Luxor y Karnak
en la orilla este del Nilo

THÈBES

1 : 50.000

Kilomètre

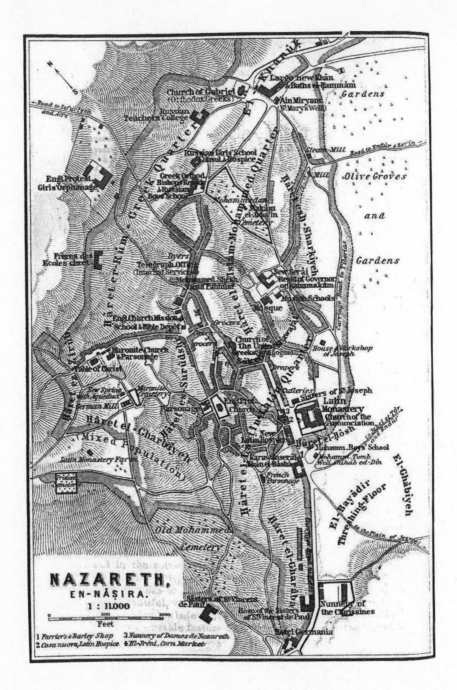

Plano de Nazaret

LA PIRÁMIDE INMORTAL

—

Muchos de los acontecimientos que se describen en estas páginas se ajustan a lo que los libros de Historia nos enseñan de ellos. Están ambientados en sus fechas exactas y el trasfondo ha sido documentado con rigor. Los nombres de la mayoría de los militares implicados, de sus enemigos, las descripciones de lugares como el Templo de Luxor o ciertas pirámides en suelo europeo, incluso las referencias bibliográficas, los mitos, cuentos, dioses o ritos que salpican esta novela tampoco son fruto de mi imaginación.

En cuanto a la «pirámide inmortal» del dios Toth, todavía no se ha encontrado.

1

Gran Pirámide, meseta de Giza.
12 de agosto de 1799

«¡Atrapado...!».

El pulso del soldado se aceleró, golpeando sus sienes con la fuerza de una maza.

Todo se precipitó al extinguirse su última antorcha.

Su cuerpo, hasta entonces firme, se desplomó como si las garras de un enorme dragón hubieran tirado de él hacia el centro de la Tierra. El golpe lo dejó consciente pero desorientado. No acertaba a comprender qué o quién lo había agredido. No le dolía nada. No se había roto ningún hueso. No parecía herido. Pero por alguna razón sus piernas habían dejado de sostenerlo. ¿Qué podría haber derribado a un hombre de su naturaleza, fuerte y testarudo, en el centro de una habitación vacía?

¿Una crisis de ansiedad? —tragó saliva.

¿La picadura de un insecto?

¿Lo habrían envenenado tal vez?

Antes de encontrar una respuesta aceptable, las pupilas del extranjero se dilataron por completo. Con horror acababa de descubrir que no eran solo las piernas las que no le respondían; también estaba perdiendo el control sobre los movimientos del cuello y sobre los dedos de sus manos.

De poco sirvió que aquel joven de casi treinta años, sano hasta hacía un minuto, aumentara el ritmo de su respiración y tratara de sacudirse, desesperado. Ni tampoco que, tendido de espaldas contra el suelo, paleteara el aire con los brazos. Estos también languidecían a un ritmo preocupante como si todo en él, salvo el pánico, fuera a apagarse de un momento a otro.

—¿Qué me pasa? —gritó con la mirada clavada en ninguna parte, haciendo un esfuerzo sobrehumano—. ¡Sáquenme de aquí!

Entonces, la voz también se le apagó. Y convencido de que iba a morir, parpadeó por última vez.

Aquella repentina parálisis lo dejó inerte en el suelo durante un tiempo difícil de precisar. La sala en la que se encontraba, un recinto de paredes, enlosado y techumbre de granito rojo, pulido, de unos diez metros de largo por cinco de lado, se había diluido por completo en las tinieblas. El humo de su antorcha terminó por desaparecer de su nariz y los que hasta entonces habían sido los únicos signos vitales del lugar —una pareja de murciélagos chillones colgados del techo y algún que otro grillo— enmudecieron como si ellos también se confabularan con la oscuridad.

Pronto el soldado no sintió siquiera la dureza del suelo. Su espalda encontró acomodo en el piso y al poco su pecho dejó de agitársele de forma compulsiva. Allí tendido, incapaz de reaccionar, su mente arrinconó por su cuenta los méritos militares y la misión que lo habían llevado a semejante situación.

«¡Santo Dios!», de golpe lo vio todo claro. «¡Me estoy muriendo!».

El joven no tardó en comprender que su parálisis no se debía solo a causas ajenas. Fuera lo que fuese lo que lo había derribado, el miedo estaba impidiéndole recuperar el control de la situación. Debía romper la inercia de los acontecimientos. Había sido entrenado para mantener la mente fría ante las peores situaciones... y esa, sin duda, era la más horrible que podía imaginar. Así que, en un costoso ejercicio de lucidez, decidió alejar su mente del miedo y concentrarla solo en aquello que le diera fuerzas.

Lo primero que le vino a la memoria fueron imágenes de su infancia. Mediterráneo. Pinos al borde del mar. Casas encaladas. Cuestas interminables. Córcega. Un tiempo en el que bajaba a diario a jugar a la playa con sus hermanos, soñando con embarcarse en alguno de los grandes buques que recalaban en Ajaccio. ¡Ya entonces sabía que iba a cruzar los mares! Enseguida salieron a su rescate nuevas sensaciones. Sus años de academia en París. Sus primeros flirteos a orillas del Sena. Sus sueños de grandeza. Y sus lecturas de héroes del mundo clásico. Pero nada fue tan fuerte como remembrar los brazos de Leticia, su madre... «Te llamarán Napoleón, *Neapollon*, el Nuevo Apolo... Recuérdalo siempre que estés en peligro, hijo mío, porque estás llamado a resplandecer. A vencerlos a todos».

¿Resplandecer?

¿Vencer?

El soldado quiso llorar. Había escuchado en alguna parte que el recuerdo de tu madre te visita siempre justo antes de entregar el alma. Pero sus ojos tampoco lo obedecieron.

El ciudadano Napoleón Bonaparte —o lo que quedaba de él— se había quedado definitivamente solo en aquel lance, aislado bajo toneladas de piedra, a oscuras, sin un maldito mapa que marcara su camino de salida, sin yesca de repuesto ni agua, alimento... o iniciativa.

«¿Cómo he sido tan torpe?».

Si hubiera podido, se habría golpeado con sus propios puños.

«¿Cómo yo, bregado en tantas emboscadas, he olvidado tomar precauciones?».

«¿Cómo me he dejado convencer para quedarme aquí,

en el vientre del edificio más antiguo de la Tierra, solo, sin mis hombres?».

Esos reproches pasaron por su mente en un suspiro. Como si su identidad tuviera prisa por diluirse en el caudal de emociones desatado por aquella caída. Pero paralizado y todo, cuando estaba a punto de cerrar los párpados para entregarse al sueño eterno, el extranjero tuvo un último destello de lucidez.

Oyó algo.

Un grito lejano.

Apenas un susurro.

«¡Providencia!».

Fue como si esa palabra se iluminara en lo más profundo de su mente. Aunque su irrupción fue fugaz, Bonaparte reconoció al punto su origen. Conocía muy bien ese tono. Lo había oído de labios de otra mujer excepcional. Una criatura de una belleza sin parangón, con los ojos aguamarina más extraordinarios que había contemplado jamás. Que esa imagen casi celestial acudiera en su rescate en lo que creía era ya su último momento le dio un brío inesperado.

«¡Providencia!», se repitió.

Y un torrente de vocablos pronunciados por aquella misma voz femenina —fuerte y sensual a un tiempo— lo embriagó por completo.

«¡Destino!».

«¡Fuerza mayor!».

«¡Karma!».

«¡Plan Supremo!».

La euforia ya no lo abandonó.

«¡Designio!».

«¡Futuro!». Recitó de memoria.

El comandante en jefe de las fuerzas de ocupación francesas en Egipto se aferró entonces, con una determinación poco común, a lo único que —comprendió al fin— podría sacarlo de allí: confiar.

«¡Eso es!», se alborozó.

Debía recuperar la fe. Su providencial confianza en la victoria, como cuando el año anterior atravesó los Alpes y conquistó Italia. Su esperanza en ese destino brillante que su madre ya creía escrito en alguna parte y que la última mujer que se cruzó en su vida acababa de ratificarle resurgiendo de los pliegues de su memoria. La certeza, en definitiva, de que su existencia no podía extinguirse a solo tres días de cumplir los treinta años.

«Estoy llamado a resplandecer», se recordó.

Más animado, dictó entonces algunas órdenes rápidas y sencillas a su cuerpo. Primero intentó mover los dedos de los pies dentro de sus botas; lo logró. Luego apretó los dientes con fuerza y se aclaró la garganta con toses cortas y secas. Y espoleado por esos pequeños avances, consiguió al fin articular uno de sus brazos.

Por desgracia, sus progresos se detuvieron ahí. Su concentración se vino abajo, los recuerdos de aquellas poderosas mujeres se esfumaron, y cuando comprobó que todavía era incapaz de levantarse se desesperó.

Seguía vivo, esa era la buena noticia, pero ahora el miedo volvía a atenazarle.

«¿Y si no tengo destino?».

«¿Y si...? ¿Y si todo acabase aquí?».

Entonces llegó el frío.

La temperatura de la sala se desplomó de repente aumentando todavía más la rigidez de su cuerpo. En realidad, era incomprensible que algo así estuviera sucediendo. Se encontraba recostado dentro de la Gran Pirámide de Egipto, a las puertas del Sáhara, en pleno mes de agosto, con los calores más severos del año. Aunque ya era de noche y las temperaturas habían bajado, era imposible que ese descenso se dejara notar dentro de una mole como la Gran Pirámide. El soldado estaba atrapado a unos cincuenta metros sobre el nivel de la meseta, separado del exterior por una pared de al menos otros sesenta metros de grosor. De hecho, nunca, ni pernoctando al raso, había sentido un desplome parecido de calor. Era como si la atmósfera de aquella habitación se hubiera densificado, dando paso a una maraña de alfileres de hielo dolorosos de respirar.

Bonaparte supo entonces —con una certeza irracional pero absoluta— que algo crucial estaba a punto de sucederle.

Durante los segundos siguientes ni siquiera parpadeó. No pudo.

Y, al fin, tras otro tiempo difícil de precisar, sus pupilas creyeron distinguir una sutil conmoción en las tinieblas.

Era absurdo y lo sabía.

Había decidido quedarse encerrado en aquel lugar por voluntad propia. Le habían convencido para enfrentarse a una prueba de valor que, si lograba vencer, multiplicaría exponencialmente su reputación ante unas tropas que no habían conocido más que dificultades desde que desembarcaran en Egipto. Estaba seguro, pues, de que nadie —ni francés, ni turco, ni egipcio— se habría atrevido a desafiar sus órdenes y ascender las incómodas galerías que había dejado atrás para venir en su ayuda.

¿Pero entonces?

«¡No estoy solo!». El pensamiento casi hizo brincar el cuerpo inerte de Bonaparte. «¡Hay alguien ahí!».

Descompuesto pero en guardia, hizo acopio de sus últimas fuerzas. Necesitaba someter la voluntad de su cuerpo. Y con el corazón en la boca, apretando los dientes que ya había conseguido domeñar, logró que su cabeza cayera a un lado.

«¡Resplandeceré!».

Bonaparte, satisfecho, forzó entonces la mirada hacia donde intuía que había quedado la entrada a su tumba. «¡Dios!...».

Al principio no supo interpretar lo que veían sus ojos. No era posible que una nube de polvo del exterior hubiera llegado tan adentro. En la pirámide no existen las corrientes de aire. Pero aquello no era lo que parecía. Una nube en suspensión, con una fosforescencia que recordaba a la luz de la luna, se había instalado a poca distancia de sus mejillas. No era lo bastante potente para iluminar nada a su alrededor, pero gravitaba como anclada en medio de la nada.

Bonaparte la observó con detenimiento, embelesado. Y al poco tuvo la certeza de que *aquello* era solo el aviso de algo más importante. Y es que, al fondo de la sala, muy por detrás de esa claridad que tenía frente al rostro, se habían dibujado las siluetas de dos personas.

No le fue fácil reconocerlas.

Estas, como la nube, parecían hechas de una sustancia etérea. Emitían un imperceptible fulgor verde. No se movían ni parecían mostrar interés alguno por el hombre que estaba tumbado en medio de la sala. Debían de ser el producto de una fuerte alucinación, pero eran tan corpóreas que durante un instante Bonaparte luchó por levantarse y echar a correr hacia ellas.

—¿Quiénes... sois? —tartamudeó, frustrado, desde el suelo.

Nadie respondió.

¿Se estaba volviendo loco?

Y Napoleón Bonaparte, demudado, hizo entonces lo único que su cuerpo le permitió: inspiró aire en un vano intento por poner de nuevo su mente en blanco y volver a los recuerdos que le habían fortalecido. Tal y como había aprendido meses atrás en Nazaret, cerró los ojos y vació sus pulmones. Lo hizo una, dos, hasta tres veces. Pero fue inútil. Ni por un instante pudo sacudirse la idea de que acababa de ser enterrado vivo. Y lo peor: que alguien vigilaba de cerca su agonía.

Fue entonces cuando el muy respetado general Napoleón Bonaparte, señor de Egipto, comandante en jefe de las tropas de ocupación francesas, se derrumbó.

2

¿Soñaba?

¿Había muerto ya?

El extranjero se desperezó sobre el enlosado de la llamada Cámara del Rey con la sensación de haber regresado de un largo sueño. Nada más abrir los ojos y enfrentarse de nuevo a las tinieblas supo que las cosas habían cambiado. ¡Podía moverse! ¡Sus músculos lo obedecían! ¡Podía gritar! Y aún mejor, ¡podía ponerse en pie!

Con todo, había algo que seguía allí: esa extraña sensación de no ser el único que estaba dentro de la Gran Pirámide.

—¡Aquí me tenéis...! —gritó, apartándose el cabello del rostro en un gesto sencillo pero lleno de significado para él—. ¡No os temo! ¡Manifestaos si os atrevéis!

Sin embargo, el vientre del monumento solo le devolvió el eco de sus palabras.

A tientas palpó entonces las paredes de la estancia en busca de la pequeña abertura que había cruzado al entrar. El hedor a excrementos de murciélago que lo había recibido horas antes se había instalado de nuevo en su garganta, confirmándole que estaba de regreso en el mundo de los vivos.

Se alegró.

Pero ¿dónde estaban los misteriosos visitantes de brillo verduzco que había visto? ¿Dónde la voz femenina que había acudido en su ayuda?

Y la niebla plateada a ras de suelo, ¿adónde había ido a parar?

¿Cómo iba a explicar a nadie lo que acababa de ver?

Mientras buscaba un punto de apoyo, se cruzó por su mente una idea absurda tras otra. ¿Y si todo lo que acababa de experimentar formaba parte de la prueba a la que había aceptado someterse? ¿Y si su soledad, su parálisis, incluso su visión, fueran una suerte de ejercicio urdido por los hombres que lo habían guiado hasta allí? Es más, ¿y si todo fuera una trampa para hacerlo dudar de su sano juicio?

Bonaparte hizo memoria: Elías Buqtur, el hábil intérprete copto que le había servido de cicerone desde su desembarco en el país hacía justo un año, era quien lo había llevado a las lindes del desierto con la promesa de revelarle algo extraordinario allí dentro. Ambos habían hablado muchas veces de las pirámides y de sus secretos. Aquellos monumentos capaces de hacer sombra a la mismísima catedral de Notre Dame eran todo un desafío para una mente como la suya. En Egipto se decía que eran tumbas y, sin embargo, en ninguna nadie había sido capaz de encontrar un solo enterramiento. Decían también que guardaban tesoros inimaginables, pero todas se hallaron vacías. Buqtur le explicó que era un error muy extendido considerar que su secreto consistía en algo tangible, material.

De haber algo en su interior era de naturaleza espiritual, le dijo.

—¿En serio? ¿No hay oro en las pirámides? ¿Debo creerte? —preguntó al copto.

—Decididlo vos —respondió él con una sonrisa.

Justo aquel 12 de agosto el Nilo acababa de desbordarse esparciendo su limo por los campos del Delta. Puntual a su cita, la llegada de la inundación anual anunciaba otra temporada de buenas cosechas. Los egipcios estaban de fiesta. Celebraban la generosidad de la madre Naturaleza. Era el momento perfecto para acercarse a la zona de las pirámides en busca de esos secretos invisibles sin llamar la atención.

—¿Sabéis qué dicen de la Gran Pirámide los viejos de Giza, señor?

La mirada astuta y profunda de Elías Buqtur sabía cómo atrapar la atención de Bonaparte.

—Dímelo tú.

—Que quien la domine dominará el universo.

Pues bien: eso, el poder, fue exactamente lo que lo había llevado hasta allí.

Ahora empezaba a recordarlo todo.

Con su fina inteligencia y sus ademanes casi europeos, Elías —un hombre de su edad, algo orondo y con barba cuidada, como de jeque adinerado— lo había convencido de que su asistencia al rito de la pirámide era fundamental.

—Pero nadie debe saber que venís —lo previno.

—¡Eso es imposible! —protestó Bonaparte—. No puedo atravesar El Cairo sin mi escolta. Sería demasiado peligroso.

—Entonces, disponed del cortejo más discreto que podáis, señor. El general Kléber se ha ofrecido a protegeros con un puñado de hombres que no llamen demasiado la atención.

—¿Temes algo, Elías?

—Temo que haya fuerzas que quieran interponerse entre la pirámide y vos.

—Eso no pasará si llevo a la guardia conmigo.

—Atendedme bien, señor —lo atajó—: si una vez llegados a la Gran Pirámide vuestras tropas no os dejan a solas en su interior, podéis estar seguros de que la pirámide no os revelará su secreto. No os hablará. Y eso será tan malo como que esas fuerzas nos descubran.

Napoleón no discutió. Y el comandante en jefe de las tropas de ocupación francesas, insólito en él, se fio de aquel hombre.

Ahora sus dudas eran otras: ¿cómo había podido saber Buqtur que iba a ver algo —o a alguien— dentro del viejo monumento? ¿Cabía la posibilidad de que lo hubiera drogado, dejado a merced de sus visiones, y conspirado para someterlo a una farsa, todo con la intención de doblegar su voluntad? ¿Pretendía su intérprete inculcarle miedo a él, al libertador de Egipto?

Sacudió la cabeza.

Aún estaba confundido.

En sus recuerdos no encontraba prueba alguna para defender una idea como esa. La puesta en escena de la que creía haber sido víctima era demasiado compleja. Demasiado irreal. La realidad había sido mucho más simple. Escoltados por un pequeño grupo de hombres armados y cuatro pollinos cargados de víveres y mantas, Buqtur y él atravesaron horas antes, en una gran barcaza, la aldea de Nazlet-el-Sammam rumbo a la Gran Pirámide. No hubo ocasión para comer o beber veneno alguno. De hecho, después de remontar la depresión en la que descansa la Esfinge, se habían dirigido a caballo hacia su objetivo sin ver tampoco a nadie que pudiera hacerle sospechar. Como cada atardecer, el astro rey tiñó de oro viejo las ruinas milenarias, haciéndolas hermosas a la vista. Y basta.

—Señor —le anunció Buqtur en un francés exquisito, en cuanto lo condujo a la cámara en la que ahora barruntaba todo aquello—: antes de que la pirámide os revele su lección, sabed que deberéis vaciar aquí vuestra alma.

—¿Y eso qué significa?

—Enseguida lo sabréis. —Sonrió—. Es un proceso que se logra con dolor. ¿Resistiréis?

—Lo haré —asintió Bonaparte.

—¿En soledad?

—No tengo miedo.

Elías lo abrazó.

—Esta prueba siempre ha transcurrido así, señor. Es la ley. Así la vencieron César o Alejandro el macedonio. Y ambos, como bien sabéis, llegaron a convertirse en señores de Egipto. Hoy también vos os enfrentaréis a ella si anheláis compartir ese honor con ellos y gobernar nuestra tierra.

Fue así, sin más, que el general aceptó quedarse a merced de la pirámide.

«¿Cómo he podido ser tan temerario?», se reprendía ahora.

Recordaba muy bien la última mirada de Buqtur. Estaba llena de un temor ancestral y supersticioso. Quizá el mismo que había llevado a los mamelucos derrotados por sus tropas a bautizarlo como «Bunabart el diabólico». Los muy torpes se lo imaginaban como una especie de *djinn* poderoso, de espíritu maléfico provisto de uñas largas y afiladas con las que destripaba a sus adversarios, capaz incluso de petrificarlos con la mirada.

Bonaparte no ignoraba lo generoso que había sido el destino con él, poniéndole en el sendero de la familia de Elías. Si lo que le había dicho era cierto, su clan llevaba generaciones conduciendo a los iniciados hasta las entrañas del Templo de Saurid, que era como los cairotas llamaban a la Gran Pirámide. Pero Buqtur, más providencialista aún que su nuevo señor, sí daba gracias a Dios en voz alta por aquel encuentro. A fin de cuentas, ninguno de sus antepasados había guiado a la Gran Pirámide a un candidato de rasgos tan poderosos como aquel.

—¿Y dónde me esperarás, Elías? —lo increpó Bonaparte al ver que su intérprete emprendía el camino de salida del monumento.

—Afuera, señor.

—¿Vos también, Jean-Baptiste? —interrogó a continuación mirando al general Kléber bajo la inestable luz de su antorcha. Él y tres dragones de la infantería francesa armados lo habían acompañado también hasta aquella sala.

—Solo si así lo ordenáis, señor.

Bonaparte se acarició el mentón.

—Está bien, idos —dijo.

Cuando la camisola negra del guía y la última casaca azul se perdieron por la galería que les había conducido hasta allí, dedicó el tiempo que le regaló su última antorcha para situarse. Fue pasado ese respiro, tal vez una hora más tarde, cuando aquella pesadilla se desató.

Bonaparte se estremeció al recordarlo.

Fue como si las puertas de la pirámide se hubieran cerrado de golpe tras él y para siempre.

La oscuridad cubrió el recinto sin miramiento.

La entrada al lugar, los murciélagos, los grillos, así como el gran cofre de granito que presidía la estancia se sumergieron en una noche repentina y densa.

Y todo quedó cubierto por el mismo espeso velo negro que ahora lo envolvía.

De hecho, solo la portezuela de acceso al recinto y el enorme arcón de piedra que descansaba al fondo de la sala habían quedado grabados en su retina. Este último era un tanque asombroso, tallado en una sola pieza de granito, pulido como un espejo, y lo suficientemente holgado como para recibir a un hombre en su interior.

¿Era allí donde debía vaciar su alma?

¿A oscuras?

¿Sería en ese cofre donde se determinaría su «peso»?

Y en ese caso, ¿cómo?

—No temáis. La pirámide os guiará, señor —le había advertido Elías Buqtur—. Dejaos llevar por el sagrado poder que nos legaron los antiguos señores de Egipto. No os resistáis. No tratéis de comprender. Aceptad lo que os llegue. Con eso bastará.

La idea le inquietó.

Nunca antes se había dejado llevar solo por el instinto. Ni siquiera sabía si sería capaz de suspender su juicio y participar en lo que, sin duda, parecía una etapa más en la «prueba de la pirámide» a la que se había dejado llevar. Pero el general ya no tenía nada que perder.

Y decidido, extendió sus manos en busca del tacto liso y gélido del granito.

Tras localizar el perfil del tanque justo donde lo recordaba, se encaramó a uno de sus extremos y se tumbó cuan largo era en su interior. Estaba dispuesto a aguardar a que los acontecimientos se sucedieran sin su injerencia y a resolver aquella embarazosa situación por la más pasiva de las vías.

«¿Qué quiso decir Elías con que vaciara aquí mi alma para dejármela pesar?», se preguntó mientras apoyaba su espalda contra el fondo del tanque.

Respiró hondo.

Lo hizo una, dos, tres veces.

Puso la mente en blanco.

Estiró piernas y brazos hasta lograr acomodarlos y olvidarse de ellos.

Y cerró los ojos.

Fue entonces cuando Napoleón Bonaparte hizo un descubrimiento terrible: aquel ataúd tenía exactamente sus medidas.

3

Luxor, setenta y dos horas antes

—¡Por las barbas del profeta! ¿Qué hacéis ahí parados, imbéciles?

El temible vozarrón de Omar Zalim restalló en la cargada atmósfera del café de Yusuf como si fuera un látigo. El lugar estaba a rebosar.

—¡Vamos! —insistió subido a una mesa, ondeando sus brazos en dirección a un grupo de bandejas llenas de frutas y guisos especiados—. ¡Reíd! ¡Comed todos! ¡Fumad! ¡Hoy tengo una cita importante!

Sus hombres se cruzaron miradas, atónitos. Hacía mucho que aquellos *fellahin* no lo veían así de espléndido. Sin venir a cuento, aquella tarde el mayor de los Zalim los había sacado de las remotas tumbas en las que los tenía rastrillando y los había llevado a comer y beber al mejor local de la ciudad. Aquella actitud era tan nueva como sorprendente para la mayoría de los campesinos a sueldo del señor de la ciudad. Sabían que Omar estaba lejos de ser un líder complaciente. Más bien al contrario. Había construido su reputación sobre el miedo; un temor que enraizaba en su poderoso aspecto físico —era un gigante de músculos torneados y piel escarificada—, y en las extendidas supersticiones entorno a su estirpe. Hijo, nieto y bisnieto de un clan de antiguos hechiceros, Omar era el único en todo Luxor que se atrevía a entrar en los enterramientos de los viejos faraones y saquearlos sin temor a los espíritus. Pero también era una suerte de líder espiritual. De guía del sendero oscuro. A menudo decía que salir indemne de los inframundos tallados en roca de la orilla oeste requería del dominio del Maat. Todo el funcionamiento del universo, según él, estaba resumido en esa milenaria palabra egipcia: *equilibrio*. Cuando estaba de buenas, no tardaba en predicar que no puede haber vida sin muerte. O noche sin día. O primavera sin invierno. Y que si él robaba el ajuar a un difunto, su dominio del Maat lo obligaba a emplear una parte de los beneficios en salvar de la muerte a algún enfermo. O que si tomaba la decisión de ayudar a un amigo, también debía aprestarse a dar muerte a un enemigo. Sus actos podían parecer siniestros a los que no lo trataban, pero obedecían a un particular y milenario sentido de la justicia.

Así pues, si Omar había decidido esa tarde convocar una fiesta para celebrar una cita, sin duda tenía que tratarse de algo importante. De una nueva expresión de ese misterioso concepto que manejaba a su antojo.

El caso es que, a sabiendas de esa fe, por primera vez desde que las tropas del general Desaix tomaran los accesos a las zonas arqueológicas y empezaran a echar a perder su negocio, los sucios y temibles hombres que tenía bajo sus órdenes se dejaron conducir al jolgorio.

—¡Ya está! ¡Ya sé qué te pasa, Omar! —gritó uno de ellos desde el fondo del café, mientras aspiraba el humo de una pipa cargada de hachís. En su mirada había una nada disimulada lascivia—. ¡Te espera una mujer! —Soltó una carcajada.

—¡Pues debe de ser una diosa! —coreó un segundo.

Y un tercero, aún más animado:

—Sí. ¡Es eso! ¡Fijaos en él! ¡Se le ve tan impaciente!

La concurrencia prorrumpió en una sonora risotada.

El líder, lejos de ofenderse, sonrió llevándose un puñado de uvas a la boca.

La noche no podía empezar mejor.

Una sobredosis de vulgaridad precedería a la descarga de elevación que todo su ser presentía que estaba a punto de llegar. «Practicar la equidad, equilibrar los opuestos, es el único modo de mantener el control del universo», se dijo.

Eso era Maat.

Unos pasos por detrás de aquella algarabía, Yusuf, el posadero, no se dio cuenta de que, parapetadas al otro lado de unas cortinas de cuerda, dos muchachas se habían asomado atraídas por el ruido. Una era la frágil y hermosa Nadia ben Rashid, la flor de aquel tugurio, a quien todos llamaban *la Perfecta*. La otra, una jovencita algo menor que ella, de unos quince años y mirada inocente, era su prima Fátima. Ambas llevaban un tiempo sirviendo como bailarinas a Yusuf, aunque tenían claro que solo estaban allí en préstamo. En realidad, como casi todo lo que tenía algún valor en Luxor, también ellas eran propiedad de Omar.

—¿Qué pasa hoy? —susurró Fátima, temerosa de que las descubrieran fisgoneando.

—No lo sé —le respondió la Perfecta en el mismo tono, tratando de sobreponerse al murmullo y al grupo de panderos que dudaban si arrancar con la música o no, pero que llenaban la atmósfera de tum tum arrítmicos—. Omar parece muy animado.

—Eso es bueno...

—¿Tú crees?

—Sí. Míralo —dijo señalando hacia la mesa sobre la que se había encaramado—. Está pletórico.

—Tú, por si acaso, no lo pierdas de vista. Ayer parecía hundido, pero ahora...

—Tal vez ha recibido noticias. Buenas noticias desde El Cairo.

—Lo que es bueno para él suele ser malo para nosotras...

Nadia dijo aquello muy seria, sin quitar los ojos del fondo del local.

—¿Tú crees que...? —La alegría de Fátima se ensombreció de golpe—. ¿Crees que deberíamos dar la alarma? ¿Que hoy es el día?

La Perfecta se encogió de hombros sin saber qué decir. Conocía lo bastante bien a su amo como para no juzgar sus actos antes de tiempo. Con él nadie podía permitirse tomar una decisión precipitada.

Entonces, otro de aquellos gritos las sorprendió.

—¡Dinos, Omar! ¡Ja, ja, ja! ¿Qué cita es esa? ¿Quizá te has decidido a desflorar a Nadia de una vez?

—¡La chica se te va a echar a perder! —gritó otro—. ¡Y sería una pena!

Algunos aplaudieron.

—¡Eso, eso!

—¿Cómo puedes esperar tanto? —insistió un cuarto hombre desde el otro extremo del café—. ¡Si ya es toda una mujer!

—Si tú no te atreves, nosotros podríamos ayudarte... —Nuevas risas.

La Perfecta, en su escondite, amagó un escalofrío apretando con miedo la mano de su compañera. Fátima la compadeció. Su prima y ella llevaban semanas hablando justo de aquello.

—¿Los oyes? —susurró.

—No les hagas caso, Nadia. Se les va toda la fuerza por la boca.

—¡Ojalá hubiera nacido varón...! —se lamentó.

Fátima calló. Sabía que no iba a convencerla de lo contrario. En los dos últimos años su prima se había convertido en una criatura hermosa. La naturaleza la había bendecido con una silueta proporcionada y unas piernas largas y bonitas, dejando atrás a la niña flacucha y desgarbada que fue. Su hermosura era la misma de la que presumían las diosas de las paredes de los templos. Tenía su mismo aplomo; transmitía la misma sensación de dulzura y soberanía. Pero para Nadia esos cambios se habían convertido en una pesadilla. No se quitaba de la cabeza qué habría sido de su existencia si en vez de un rostro suave tuviera una barba hirsuta cubriéndole el mentón. Sería una persona libre que podría moverse a su antojo, leer y escribir cuanto quisiera; alguien verdaderamente útil a su familia. Y no como ahora, que llevaba ya nueve años al servicio de un extraño como Yusuf, obligada a aceptar que otros dirigieran su sino y sintiendo cómo con cada temporada que pasaba se le hacía más difícil soportar a su «distinguida» clientela.

Omar era un caso aparte. Cuando la llevaron a Luxor siendo una huérfana más bien enfermiza, no hubo quien la protegiera salvo él. Aquel ser siniestro se empeñó en enseñarle que el baile era el modo más directo de alcanzar el Maat. Decía que los mismísimos dioses confiaron esa disciplina a las primeras egipcias, mujeres dotadas de una sensibilidad que él veía en sus ojos, e insistía en que practicarla ante sus incultos subordinados era un acto que confería orden al cosmos.

«Baila y encontrarás tu esencia. Danza y serás Maat», le prometió.

Con todo y con eso, Nadia sentía un odio profundo por él. Intuía que aquel gigante temible, de mandíbula cuadrada y cicatrices por todo el cuerpo, había tenido mucho que ver con la desgracia que la había confinado allí. Y aunque siempre la había tratado con respeto, tenía la impresión de que la reservaba para algo que no iba a complacerla. Pocas cosas parecían preocupar tanto a su amo como que todo varón que la veía se quedara prendado de ella. Sus ojitos de niña asustada habían dado paso a otros grandes, de un profundo azul, que miraban desde un rostro delicado, de contornos perfectos y pómulos altos enmarcados por una melena oscura que le llegaba casi a la cintura. Pero esa rara belleza era una amenaza constante para su seguridad. Nadia era consciente de que los hombres la deseaban. Que empezaban a merodearla. Y también sabía que ninguna de las mujeres que servían en el local de Yusuf saldría jamás en su defensa. «Esta niña es intocable —les advirtió Omar Zalim cuando la incorporó a su propiedad nueve años atrás—. Sabed que guardo un alto destino para ella». ¡Para qué dijo aquello! Desde entonces todas confundían su cabeza erguida, su espalda recta y su actitud siempre vigilante con un falso orgullo. Por eso empezaron a llamarla la Perfecta. Pero ella no era así. Dios la había hecho más hermosa de lo que hubiera deseado, y su belleza la hacía reservada. Era sensible y soñadora, inteligente y capaz, aunque esos dones —se lamentaba ahora— no parecía que fueran a servirle de mucho.

—¿Nadia?

Los ojos negros de Omar destellaron al repetir el nombre que sus *fellahin* habían pronunciado, sacándola de sus cavilaciones. La vena de la sien izquierda de su amo se había hinchado y le palpitaba.

—¿Cómo os atrevéis a nombrar a Nadia, vosotros, escoria?

Despacio, tiró hacia arriba de su galabeya para no tropezarse y se apeó de la mesa sobre la que se había encaramado. Sus hombres callaron y durante unos segundos que parecieron eternos permanecieron inmóviles.

—Ya sabéis lo que os tengo dicho de ella, ¿verdad?

Omar dijo aquello acariciando la daga que llevaba en el faldellín.

Más silencio.

Entonces, con los pies en el suelo, el gigante sonrió de oreja a oreja.

—¡Si es que sois unos animales! —Rio—. ¿Pero de verdad creéis que si quisiera poseer a alguna de mis mujeres os llamaría para que lo vieseis?

Un suspiro de alivio recorrió el local como una bocanada de aire fresco. Desde su posición, las muchachas también lo percibieron.

—¡Ale, ale! —jaleó él, recuperando al instante el espíritu de Maat que los había llevado allí—. ¡Venga! ¡Disfrutad del banquete!

Pasteles de carne y platos de humus empezaron a pasar de mano en mano. El local se llenó de aromas sabrosos. Pero cuando el grupo parecía otra vez tranquilo, una nueva voz estuvo a punto de arruinarlo todo:

—¿No crees que llevas demasiado tiempo consintiendo a esa chica, Omar? —lo increpó uno que, sin duda, había aspirado más hachís del necesario. Era un hombre entrado en años, que se balanceaba sobre un bastón a punto de quebrarse—. ¡Si hasta le has enseñado francés!

El líder dio un manotazo en el aire.

—No, Ibrahim... Mi alegría esta noche no tiene nada que ver con las mujeres —atajó al *fellah,* sin intención de enfadarse—. Dentro de un rato, amigos, en el templo, voy a tener una reunión con los extranjeros que han estado haciéndonos la vida imposible. Una reunión que lo cambiará todo.

Un rictus de perplejidad se dibujó entonces en el rostro de su interlocutor.

—¡Ah! No te extrañes, Ibrahim —añadió complacido de suministrar tantas sorpresas a sus hombres—. Todos sabéis que las tropas francesas están entorpeciendo nuestro acceso a las viejas tumbas. Llevan meses vigilando los caminos al Valle de los Reyes y confiscándonos los frutos de nuestro duro trabajo. —Un murmullo de asentimiento recorrió el local—. ¿Cuánto oro hemos perdido? ¿Cuántas joyas? ¡Decidme!

—¡Muchas! —respondieron varias voces.

—Pues bien, sabed que esas rondas de los invasores no obedecen a una cuestión defensiva, ni militar. La orden de bloquearnos las tumbas viene de su más alto mando.

—¿Del sultán Bunabart? ¿Estás seguro?

Ibrahim pronunció su nombre con la lengua pastosa. En sus labios sonó ridículo, pero no lo era el profundo temor que se había dibujado en sus ojos. Igual que tantos como él en Egipto, aquel pobre *fellah* creía que Napoleón Bonaparte era una suerte de genio del inframundo enviado al país para purgarlo de sus muchos pecados.

—¡Bonaparte no es un dios! —lo increpó Omar, contagiado de lo que a Nadia le pareció un súbito destello de preocupación. Aunque enseguida, más suave, añadió—: Pero busca serlo a toda costa.

—¿Qué... qué quieres decir, Omar?

—Yo no hablo por hablar, viejo. Sé que el invasor ha enviado por todo el país un ejército sin armas, un batallón de sabios con órdenes expresas para que copien y descifren para él las inscripciones de nuestras ruinas. Busca algo. ¡Y sé exactamente qué es!

Fátima y Nadia se miraron extrañadas. Ibrahim, y con él todos los que estaban en el café, aguardaron a que el líder se explicara.

—No nos equivoquemos —prosiguió—. Bonaparte no es un militar como los demás. No es como los otomanos. Se ha traído a ese regimiento de estudiosos para exprimir los viejos secretos de nuestros dioses... Y esta noche, Ibrahim, pondré a dos de esos sabios en la pista de lo que anhelan. Eso sí —sonrió enigmático—: a cambio de algo que nos hará muy grandes.

—Maat, ¿no?

Omar asintió.

—¡Ah, hablan de los franceses! —Al otro lado de las cortinas que separaban el café de las habitaciones de Yusuf, Fátima dio un codazo cómplice a la Perfecta—. ¿Sabes qué dicen las otras chicas de ellos?

—¿Qué? —susurró Nadia.

—¡Que son unos amantes maravillosos!

—¡Fátima! —la reconvino—. ¡Eres muy pequeña para pensar en esas cosas!

Nadia echó entonces un nuevo vistazo a donde estaba Omar, entre avergonzada por el comentario de su prima y sorprendida por lo que acababa de escuchar a su amo. Nunca había visto al oscuro Zalim mostrar preocupación por nada y ese fugaz instante de debilidad la había fascinado.

—¡Que sí, que sí, Nadia! —insistió Fátima—. ¡Deberías oír lo que cuentan las mayores!

—Ahora no... —Chistó sin despegar la vista del local, tratando de no perder palabra de lo que seguían hablando allí. «¿Teme Omar a los franceses?».

—Pues tú te lo pierdes. Las que han estado con ellos dicen que son amables. Tiernos incluso. Nunca han visto a hombres que se preocuparan más por darles placer que por el suyo propio. Hablan de amor mientras te acarician. ¡Hasta dicen que en su país las mujeres pueden elegir al hombre con quien quieren estar!

—¿En serio?

La Perfecta bajó la guardia por un instante.

—¡Desde luego que sí! ¿No lo crees?

—Yo...

Un profundo suspiro salió entonces del pecho de Nadia. No quería desanimar a su prima. No se atrevía a decirle que las mujeres de Yusuf no les permitirían jamás arrimarse a los invasores. Nunca las dejarían ver de cerca a uno de aquellos soldados.

—¿Y sabes qué dicen de Bonaparte? —insistió.

—No...

—Que el señor de todos estos es joven, guapo y de modales atrevidos. ¿Te imaginas si tú y yo conociéramos a alguien así? —El rostro de Fátima se iluminó.

Nadia sacudió la cabeza. Había oído muchos comentarios sobre el general jefe de los invasores en el café de Yusuf. Casi todos hablaban de su arrogancia, de sus maneras despóticas y de sus mentiras, pero era cierto que no pocos hablaban también de un guerrero de aspecto atractivo, astuto, una suerte de nuevo César, muy inteligente y tocado por la baraka.

—¡Ten cuidado, Omar Zalim! —una nueva salida de tono del viejo Ibrahim la arrancó de sus cavilaciones. El anciano estaba a dos palmos del rostro de Omar, levantando los brazos y haciendo aspavientos—. Sea lo que sea lo que vayas a darles, ¡te lo arrebatarán! ¡No te darán nada a cambio! Ellos no saben nada de leyes egipcias... Son bárbaros. Bestias, como todos los extranjeros.

Omar clavó entonces sus ojos en él.

—¿De veras crees eso, Ibrahim? —dijo.

El tono con el que pronunció aquello se oscureció. Era fastidio. Y aquello levantó una ola de inquietud en la sala.

—¡Tienen armas terribles, Omar! —clamó el anciano, como si su interlocutor no las hubiera visto con sus propios ojos—. ¡Cañones! ¡Mosquetes! Son un ejército poderoso. Han vencido a los mamelucos. ¿Por qué habrían de negociar nada contigo? Te pueden quitar lo que quieran, sin más. Incluso la vida.

—Lo dudo... —negó enigmático.

—¿Entonces? ¿Qué vas a ofrecerles tú que no puedan quitarte?

—Oh, Ibrahim, Ibrahim... —Le palmeó la cara—. Contra lo que pensáis los pobres de espíritu, lo más valioso que tiene un ser humano no son sus posesiones, sino sus conocimientos. En los lugares en los que han estado esos sabios hay textos que yo sé leer y ellos no.

—¿Lugares? ¿Qué lugares? ¡Egipto está lleno de inscripciones antiguas!

—La tumba de Amenhotep, por ejemplo —lo atajó.

El viejo *fellah* dio un respingo. Fátima y Nadia, a pocos pasos de allí, también.

—¿La tumba del Valle de los Monos? —interrogó con gesto de sorpresa—. ¿La del último faraón que conoció la inmortalidad?

Omar asintió.

—Hace unos días, dos constructores de puentes, Jean-Baptiste Prosper Jollois, de veintitrés años, y Édouard de Villiers, de diecinueve, dieron con ella por azar.

—¿Los... conoces?

—Conocer el nombre y las señas de tu enemigo, Ibrahim, es el primer paso para dominarlo. Simplemente, hago averiguaciones.

—¿Y qué han descubierto en esa morada de los millones de años?

—Fueron muy imprudentes, amigo. Penetraron en su interior, empezaron a copiar sus dibujos, se maravillaron con sus paredes, y buscando a un intérprete local que los ayudara a descifrarlas... han terminado por cerrar una cita conmigo. —Sonrió con malicia—. Será esta noche. En el templo de Luxor.

Ibrahim no fue el único que se descompuso al oír aquello. Ocultas tras las cortinas, Fátima y Nadia habían enmudecido por completo. Únicamente cuatro palabras fueron necesarias para obrar ese efecto en ellas:

«¡La tumba de Amenhotep!».

—¿Y...? ¿Qué vas a hacer? ¿Les vas a revelar el secreto de ese lugar? —la pregunta de Ibrahim sonó temblorosa. Omar Zalim era una fuerza de la naturaleza impredecible.

—¡Solo si me dan lo que espero! —bramó.

—Maat, supongo —concluyó por segunda vez.

—Exacto.

4

—¡Dios mío! ¿Has oído eso?

El rostro sereno de Nadia se había descompuesto al escuchar los planes de su amo.

«¡Omar ha profanado la tumba de Amenhotep!».

—El momento ha llegado, Fátima —bisbiseó sin poder soltar las cortinas. Y una certeza surgida de lo más profundo de su ser se adueñó de la Perfecta—. Debes ir en busca de los nuestros. ¡Enseguida!

La joven comprendió al momento que su prima hablaba muy en serio. Y una intensa desazón le abrazó el estómago.

—¿A Edfú? —murmuró, sabiendo exactamente lo que se requería de ella.

Nadia asintió.

—Toma un caballo río arriba. Sigue siempre la orilla. No te perderás.

Por suerte, Fátima sabía exactamente lo que debía hacer. De algún modo también había sido entrenada para ello. Ambas muchachas llevaban años intercambiándose cartas en secreto con los únicos parientes vivos que les quedaban en aquel remoto poblado del sur de Egipto, a unos cien kilómetros de allí. Habían mantenido una correspondencia escasa pero siempre alentadora con ellos. Sus familiares —los últimos hombres libres del clan de los Ben Rashid— alimentaron la esperanza de su rescate y, con discreción, les habían dado cuanto habían podido. Comida, dinero, ropa... Lo preciso para que su cautiverio fuera lo más llevadero posible. Aunque aquella ayuda nunca fue gratis. A cambio las jóvenes habían sido instruidas para dar la alarma el día en el que su nuevo señor cruzara el umbral de cierto lugar de la orilla oeste. La tumba del gran Amenhotep. Su más noble antepasado. El primer eslabón de una cadena familiar que tenía ya más de tres mil años. Ellas eran, pues, una especie de «caballos de Troya» instalados en la casa de su peor enemigo, un saqueador de tumbas sediento de tesoros y conocimiento, y adiestradas para reaccionar ante esa precisa circunstancia.

«Es de vital importancia que nos alertéis de esa profanación, si se produce —insistían aquellas notas una y otra vez—. Si lo hacéis, todos nuestros sacrificios, los vuestros, habrán valido la pena. Os darán la libertad».

—¿Y tú, Nadia? ¿Qué vas a hacer?

La vocecita de Fátima sonó más preocupada que nunca. La Perfecta se apartó de las cortinas y, mientras meditaba su respuesta, comenzó a rebuscar en un viejo arcón de ropa algo que dar a su prima para el viaje. El cuartucho en el que pasaban las horas esperando a que Yusuf las llamara para bailar la oprimía como si fuera una celda de castigo.

—Seguiré a Omar hasta el templo —sentenció.

—¿Qué? ¡No puedes hacer eso!

—No tengo elección, Fátima. No alcanzarás Edfú hasta el amanecer, y cuando nuestra familia llegue aquí querrá saber qué le ha contado Omar a los franceses.

—Pero ¡la ciudad está llena de controles! ¡Hay toque de queda! Si los franceses te detienen, Omar sabrá que lo has estado espiando.

—Correré ese riesgo. ¡Tú vete!

Los controles eran, en realidad, la menor de las preocupaciones de la Perfecta. Desde que las tropas del general Desaix desembarcaran ocho meses atrás en la antigua Tebas, se había familiarizado con ellos. Casi siempre eran pequeños retenes cuya misión consistía en proteger —ahora sabía por qué— los convoyes de civiles como Jollois y De Villiers, enviados para la exploración del Valle de los Reyes y las ruinas cercanas. No obstante, su presencia apenas lograba cubrir los caminos principales. Los extranjeros eran torpes en el control de los laberínticos callejones de Luxor y con un poco de suerte alcanzaría las ruinas del templo sin contratiempos... Salvo, claro, que Omar Zalim —un hombre de un instinto fino como pocos— intuyera que lo seguían.

Un desagradable estertor las sacó de aquellas cavilaciones.

Procedía del café.

Enseguida supieron que algo malo estaba pasando y Nadia corrió a asomarse de nuevo.

Lo que vio le dejó sin habla.

Al fondo del local, justo donde había visto a Omar por última vez, el cuerpo de Ibrahim yacía sobre el suelo. Un pequeño semicírculo de hombres lo contemplaban como pasmarotes, sin atreverse a socorrerlo. El anciano se había derrumbado sobre una bandeja de alimentos y su cuerpo formaba un ángulo irreal. Tenía las manos agarradas a la garganta y el rostro —que desde su posición era difícil de distinguir— parecía amoratado. El extraño gorjeo que emitía era agónico y causó una impresión terrible en la muchacha.

Omar se había dirigido a la puerta de entrada y desde allí lo descubrió lanzando una última mirada, intensa, a quien hasta hace un instante había estado hablando con él.

—¡Por favor, Omar! ¡Suéltame! —suplicaba aquel hombre entre espasmos.

A Nadia le costó comprender.

Ibrahim tenía los ojos desorbitados y la cara se le oscurecía por momentos.

—¿Qué pasa? ¿Qué ves? —inquirió Fátima mientras terminaba de atar a toda prisa el hatillo con ropa de abrigo y algo de comida con el que pensaba salir hacia Edfú.

En ese instante, Omar hizo un giro brusco con la cabeza y, en el acto, como si los uniera una cuerda invisible que atravesara los cuatro metros que separaban a ambos hombres, el cuello de Ibrahim crujió.

—Esta noche voy a hablar de vida —susurró Omar, satisfecho al ver el cuerpo de Ibrahim roto, con la vena de su sien izquierda más dilatada que nunca—. Por eso el orden cósmico reclama una muerte. La tuya.

Y levantando los ojos, ahora encendidos por alguna clase de fuerza interior desconocida, fue a cruzarlos con los de Nadia, que lo miraba aturdida detrás de las cortinas.

—Esto es Maat. A todos nos afecta —sentenció.

La Perfecta casi se cayó de espaldas al sentir el impacto de aquella mirada. Por un instante creyó que el poderoso gesto de su amo le había helado el corazón.

—¡Vete, Fátima! —reaccionó desde el suelo, horrorizada—. ¡Rápido!

Y su prima, sin pensárselo, desapareció rumbo a las caballerizas del eunuco Yusuf.

Sí. Las habían entrenado justo para ese momento.

5

Nadia tardó en recuperarse de la impresión. Aunque no era la primera vez que era testigo de un acto de magia de Omar Zalim, lo que acababa de suceder la dejó incapaz de sostenerse en pie durante un buen rato.

¡Su amo había matado a un hombre sin siquiera tocarlo!

¡Y la había descubierto espiándolo!

La muchacha, sola en su cuartucho, tembló de pies a cabeza. Aquel «a todos nos afecta» se le había clavado en el alma. Su respiración era entrecortada y sentía cómo el corazón desbocado le golpeaba el pecho. «Cálmate», se ordenó. Sabía que su estado no estaba provocado tanto por el miedo como por la fuerza sobrenatural de aquellos ojos. Le dolía la frente.

«¡Cálmate!».

Cuando por fin logró recuperar el dominio sobre sí misma, bebió un buen sorbo de agua, se frotó las sienes, tragó aire y se arrastró de nuevo hasta la puerta desde donde lo había visto todo. Por suerte, allí ya no había ni rastro de Omar. Solo quedaban sus *fellahin*, que se afanaban como autómatas en recoger el local y empaquetaban el cuerpo de su compañero en un fardo para llevárselo lo más lejos posible.

La Perfecta comprendió que su amo debía de estar ya en el Templo de Luxor, así que, haciendo acopio de toda su voluntad, se puso en pie, se enfundó su chilaba de algodón y su *hiyab* y se aprestó a seguirlo.

El golpe de aire fresco que recibió al poner los pies en la calle le sentó de maravilla.

La noche era tibia. Sin viento. Una gran luna llena rielaba sobre un Nilo oscuro iluminando con serena nitidez el perfil de la orilla occidental.

Con el corazón golpeándole fuerte el pecho, Nadia se detuvo un instante en medio del camino. Miró a todas partes tratando de discernir alguna silueta amenazadora, y cuando estuvo segura de que la zona estaba vacía apretó el paso alejándose de las luces del café de Yusuf.

Sintió un curioso alivio al hacer aquello.

Durante un fugaz instante se sintió sola.

Hacía mucho que no tenía una sensación como esa. Nadie la vigilaba. Nadie la esperaba. Estaba en medio de la nada. Bajo una bóveda tachonada de estrellas. Bien consigo misma. Sin compañía.

Libre.

«Es solo un espejismo», se reprochó bajando la cabeza.

No le costó mucho alcanzar el perímetro del templo. Abandonado desde hacía generaciones, ahogado por palmeras y arbustos que emergían por todas partes, sus muros exteriores se le antojaron una barrera fácil de vencer. Colosos y columnas estaban enterrados en arena hasta la mitad confiriendo al conjunto un aspecto inofensivo. Sin embargo, debía tener cuidado. La claridad de la noche invitaba al error. En un par de ocasiones calculó mal sus pasos y terminó rasguñándose los tobillos. Nada grave. Lo justo para obligarla a extremar la precaución y percatarse de que lo que de verdad la intimidaba de aquel lugar era lo que tenía de invisible: su silencio.

En efecto. Nadia atravesó a paso ligero aquel mutismo

sagrado hasta situarse cerca de su cabecera. Allí no había un alma ni se oía nada.

Comparado con las cercanas ruinas de Tebas, que en su época albergaron a más de setenta mil sacerdotes y fueron la «ciudad santa» más grande y bulliciosa del mundo antiguo, el Templo de Luxor era una miniatura. La Perfecta acababa de darse cuenta de que, pese a que pretendía sorprender a su amo, sus dimensiones no le iban a dar ninguna ventaja. No le importó. En su interior, por alguna razón, se sentía a gusto; incluso segura. Luxor —o Ipet Resyt, que es como lo llaman los árabes— era un lugar acogedor. Tanto que, sin darse cuenta, al atravesar lo poco que quedaba en pie de su sala hipóstila, una intensa fragancia a dama de noche la arrastró a sensaciones de otra época.

¡Adoraba ese lugar!

Su familia la llevaba allí desde que era solo una niña. Por eso se lo conocía al dedillo. Había traveseado entre sus piedras e incluso pernoctado al raso al cobijo de sus columnas, como aquella vez que el clan tuvo que presentarse ante los ulemas para declarar en un juicio de infame memoria. Sí. Eso también lo recordaba. La vergüenza de ver en el banquillo a sus padres y a su abuelo acusados de practicar el culto de los antiguos dioses. El islam llevaba siglos ganando terreno a la vieja religión egipcia y, para desgracia de los suyos, los nuevos musulmanes se habían ocupado de desenmascarar sus prácticas. Fueron esos guardianes de la ortodoxia —con sede en la mezquita levantada dentro de aquellas mismas ruinas— los que los obligaron a abjurar de su fe en público. Los que, a la postre, los empujaron al desastre y los hicieron abominar de su sacerdocio milenario.

La Perfecta reprimió un lamento.

Gabriel, su ilustre abuelo, le había advertido que aunque el templo llevara siglos a merced de terremotos y expoliadores, sin las ceremonias que alimentaban a las estatuas sagradas, su desastrada apariencia no debía llevarla a engaño. Aquel lugar estaba vivo y en perfecto uso. Daba igual que los musulmanes lo hubiesen profanado.

Su abuelo no dijo aquello en sentido figurado, sino real.

—Las piedras respiran, palpitan —le susurraba con cariño—. Pon tu oreja sobre ellas, pequeña, y las oirás.

Asombrada, Nadia apoyaba su cabecita aquí y allá para notar los latidos inconfundibles de sus relieves... ¡y los escuchaba!

La última vez que el abuelo la acompañó hasta allí la tenía especialmente viva en su memoria. Fue la noche anterior a su muerte.

¡Qué recuerdos!

Algo debía de barruntar el gran sacerdote sobre su destino porque en aquella ocasión condujo a su nieta a una sala estrecha, a un lado del sanctasanctórum ordenado construir por el legendario Alejandro Magno, y la hizo sentar frente a una pulcra escena grabada a cincel en la base de un muro enorme.

—Fíjate bien en estos relieves, pequeña —le dijo muy serio mientras prendía una gran lámpara de aceite—. En ellos se conserva la sabiduría que hizo tan poderosos a nuestros antepasados.

—¿Tú puedes entender estos jeroglíficos, abuelo?

—Pues claro —sonrió—. Y veo en ellos a tus antepasadas. Mira. ¿Ves esa mujer tallada ahí arriba?

El abuelo señalaba un perfil delicado que había sido cincelado sobre una de las columnas. Era la diosa Isis. Erguida. Cubierta por un hermoso vestido de lino que le llegaba hasta los pies.

—¡Tú eres como ella!

Entonces Gabriel suspiró.

—Estas paredes protegen un gran secreto —dijo.

—¡Adoro los secretos! —aplaudió la muchacha.

—Pero este es peligroso, mi pequeña. Se trata de uno que ningún hombre ha sabido manejar desde los tiempos de los grandes constructores. Uno, hija mía, que se perdió cuando Egipto cayó en manos de sus primeros invasores, hace ya siglos. Lo triste —suspiró— es que no hay humano sobre la tierra que no lo ambicione.

—¿Todos... lo quieren? —su vocecita se inquietó.

Gabriel asintió.

—¿Y sabes qué? Los dioses se imaginaron que los humanos querríamos hacernos con él en cuanto supiésemos de su existencia, así que decidieron dispersarlo. No bastaría, pues, con que un humano lo encontrara; también habría de entenderlo y saber ponerlo en práctica. Y aquí, en esta pared, es donde se cuenta quién lo tuvo por última vez y cómo lo usó. ¡Es una de las partes del secreto!

Los recuerdos se amontonaban en la mente de la Perfecta llenando su corazón de nostalgia y dolor. Su abuelo estaba muerto. Ya nadie había vuelto a hablarle así de las viejas piedras. Su partida y la de sus padres solo le habían traído desventura. Por eso ahora, tan cerca de esos bajorrelieves casi borrados por el tiempo, la memoria fluía a borbotones. El abuelo, por cierto, le enseñó que «su pared» únicamente podía verse al caer el día, cuando se colocaba una linterna a sus pies. Estaba hecha de relieves tan poco profundos que la luz del Sol los hacía invisibles. Él llamaba a ese efecto «el velo de Isis».

«Pero... ¿Omar sabe también eso?».

Aquel pensamiento devolvió a Nadia a la realidad.

Y con razón. Unos metros más allá, el brillo de unas luces la puso en guardia.

«¡Linternas!».

Si su sentido de la orientación no le fallaba, las luces salían precisamente de la sala velada.

«¡Está en la pared del abuelo!».

Gabriel llamaba a aquel rincón del templo *mammisi* o habitación del nacimiento. Sus paredes, altas como una casa de cuatro plantas, estaban cubiertas de escenas en las que hombres y dioses practicaban alguna clase de oscuro ritual.

«¿Omar lo sabe?».

El corazón volvió a acelerársele.

Nadia era capaz de recordar todos aquellos diseños con claridad: examinados uno detrás de otro, de arriba abajo, de izquierda a derecha, parecían contar el proceso de gestación y educación de un príncipe. En cada escena un dios distinto se ocupaba de una actividad: Jnum, el de la cabeza de morueco, modelaba en arcilla dos imágenes idénticas de niño, una de Amenhotep III y otra de su ka o doble astral. En otra, Isis impartía su bendición en el bloque contiguo, mientras que Amón y Jnum parecían deliberar sobre el futuro del niño una fila más abajo. Más allá, Sobek, el dios cocodrilo, tomaba de nuevo al niño humano y...

Una voz cercana interrumpió sus cavilaciones.

—El príncipe que veis aquí —oyó como si fuera el viento quien hablara— es el mismo que ordenó que esculpieran los dos colosos de piedra que flanquean la entrada al Valle de los Reyes...

Por un momento, a Nadia le pareció estar escuchando las explicaciones de su abuelo («recuerda bien el nombre de ese varón, querida niña. Amenhotep. Significa *El dios Amón está satisfecho*. Nuestro destino está unido al suyo»).

Se estremeció.

Intrigada, cuidando de no hacer ruido, se acercó hasta el *mammisi*. Como una gata, se descolgó por el muro oeste del recinto y rodeó la habitación por la parte de atrás hasta dar con un hueco en la dañada mampostería que conocía muy bien. Si la memoria no le fallaba, desde ahí podría echar un vistazo a lo que había al otro lado sin ser descubierta.

... O eso esperaba.

La Perfecta contuvo la respiración.

Un chasquido, tal vez un traspié, retumbó cerca de donde estaba. Fue entonces cuando el vozarrón de Omar tronó inconfundible detrás del tabique.

Enseguida los vio.

Dentro del *mammisi* tres hombres conversaban frente a uno de sus relieves. El más corpulento era su amo; los otros dos, aunque enfundados en el uniforme azul de las tropas de Bonaparte, parecían poca cosa a su lado. Uno era un muchacho enclenque, de piel muy blanca, perilla mal recortada y unas entradas prominentes que se cubría con el cabello mal peinado hacia delante. No sería mucho mayor que ella. El otro, algo más atractivo, cargaba sin embargo con una nariz grande y puntiaguda que le llamó la atención. El pobre se frotaba todo el rato los ojos. Los tres estaban de espaldas a ella y no perdían de vista la insólita escena que el recinto les brindaba: una divinidad masculina con la piel pintada de un desvaído color azul que sostenía la mano de una reina. Ambas figuras habían sido representadas sobre un diván. Y justo debajo, otras dos diosas parecían sujetar la escena con una delicadeza exquisita.

—¿Y qué, señores? Encontraron la tumba, ¿no es cierto? —preguntó Omar mientras depositaba su farol en el suelo, justo en el punto que le había enseñado su abuelo.

Los jóvenes asintieron, mudos de asombro ante la belleza que se desplegaba ante ellos.

—¿Y vieron el cartucho real? ¿El dibujo con el nombre del faraón? —insistió.

—Sí... Era justo como ese de ahí —respondió el de la perilla, que resultó llamarse Jean-Baptiste Prosper Jollois. «Llamadme Prosper», dijo. Su francés, desde luego, era exquisito. Mucho mejor que el que hablaba Omar.

—Perfecto, Prosper. —Sonrió este satisfecho—. Todo ha ocurrido en plena inundación de Hapi.* Vuestro descubrimiento viene cargado de buenos augurios, señores...

La luz de los faroles colocados sobre el pavimento de la sala hacía que los perfiles de los dioses proyectaran sus sombras con eficacia, desvelando su mayestática presencia.

Nadia se estremeció.

—Decidme —Omar Zalim prosiguió su interrogatorio ajeno a los ojos que lo observaban—: ¿Saben ya de quién se trata? ¿Han averiguado quién fue el rey que se enterró allí?

En esta ocasión ninguno de los dos contestó.

—Es Amenhotep III —les aclaró él.

—¿Amenho... qué?

Nadia sonrió. Todos los extranjeros eran torpes pronunciando los nombres antiguos.

—¡Oh, vamos! ¿No sabéis nada de mis reyes? —lamentó su amo entre risotadas—. Fue un faraón poderosísimo. Hijo de Mutemuia, la más hermosa de las reinas nubias, y del dios Amón. Su divina unión solo se representó en este muro que ahora contempláis. ¡La tenéis delante! ¡Miradla!

Los ojos de los franceses brillaban como si estuvieran sumidos en alguna clase de trance.

—¿Po... podéis leer en estas paredes, señor?

Su anfitrión hinchó el pecho con orgullo. Nadia no logró verle bien la cara, pero intuyó el destello de sus dientes blancos y afilados asomándose a su habitual mueca de superioridad.

* Dios egipcio del Nilo.

—¿Y qué más podéis decirnos? —los franceses lo apremiaron admirados.

—Que vuestro largo viaje ha merecido la pena, caballeros. Aquí se encuentran cifrados algunos de los más grandes secretos de la humanidad.

El hechicero los miró codicioso.

—Yo podría descifrároslos —añadió—. Pero toda revelación tiene un precio que habéis de estar dispuestos a pagar...

—Lo que sea, Omar —se apresuró a responder el francés que tenía más cerca, el de la nariz enorme, que se llamaba Édouard de Villiers y parecía llevar el mando—. Bonaparte pagará con generosidad vuestros servicios si le proporcionáis lo que busca.

—He oído hablar de la magnificencia de vuestro general.

—Y sin duda sabréis que desea estudiar las grandezas de vuestro pueblo recuperando para Europa cuantos textos antiguos, tratados, monumentos o saberes encuentre. Por eso ha fundado el Instituto de Egipto en El Cairo y nos ha enviado al Alto Egipto.

—Sabio es, sin duda —admitió Omar ante la retahíla de Prosper—. Que Alá lo proteja.

No acabó de invocar a su Dios cuando Omar hizo algo extraño. Dio un respingo y se revolvió de repente, clavando su mirada en la oscuridad que se abría a sus espaldas. Fue un movimiento brusco, violento, que sobresaltó a los franceses.

—¿Qué... qué ocurre? —dijo Prosper echando mano al sable.

El egipcio mantuvo su rostro fijo en las tinieblas, sin articular palabra. Nadia había tenido el tiempo justo de parapetarse tras el muro e impedir que el brillo de sus ojos la delatara.

Omar bufó, incapaz de confirmar su instinto.

—Nada... —dijo al fin—. Me habré equivocado.

—¿Nada?

—No. Prosigamos, señores. Estamos solos.

Paralizada por el terror, Nadia se llevó la mano al pecho, sofocando su respiración alterada. ¡Había estado a punto de descubrirla!

Cuando reunió fuerzas para asomarse de nuevo, su amo había retomado el diálogo con los extranjeros.

—En verdad, sois afortunados —continuó Omar con toda confianza—. La caverna del Valle de los Monos en la que habéis estado estos días fue el lugar del descanso eterno del faraón Amenhotep, el más grande soberano que ha conocido Egipto. Fue él quien ordenó que se edificara este templo, y a él se deben algunas de las construcciones más fabulosas que habéis visto...

El hechicero se frotó entonces los ojos, como si quisiera apartar así la extraña sensación que acababa de tener. Pero ya no volvió a girarse hacia el escondite de Nadia.

—Amenhotep fue un hombre predestinado. Único. Casi un dios. De hecho, solo quienes podemos leer los símbolos sagrados sabemos que su llegada al mundo estuvo rodeada de prodigios.

—¿Prodigios? —Los franceses se encogieron de hombros—. ¿A qué llamáis prodigios, Omar?

—¡Oh! —sonrió—. Observad con cuidado este relieve y lo comprenderéis de inmediato.

—Aquí se cuenta todo —prosiguió Omar—. Si os fijáis, a nuestra derecha se encuentra el dios Amón en forma humana. Está acariciando las manos de la reina Mutemuia, la madre de Amenhotep. Este no ha sido engendrado aún..., pero está a punto de serlo.

—No... No os entendemos. ¿Dónde está el prodigio?

El escarificado tomó una de las linternas que había

La reina Mutemuia y el dios Amón. Templo de Luxor

colocado bajo la escena y la aproximó a la pared. Al instante, nuevas sombras dieron relieve a los grabados.

—Fijaos mejor, señores. Acercaos. Amón es el dios al que los antiguos egipcios llamaban *el oculto*. Es la primera vez en la Historia de Egipto en la que aparece representado con cuerpo de varón. Lo veis, ¿verdad?

Los franceses asintieron.

Aquella imagen había sido cincelada con esmero. Su musculatura se adivinaba incluso por debajo del vestido de lino que lo cubría.

—Observad cómo introduce su semilla en el cuerpo de la reina, una humana, con solo tocarle la palma de su mano —continuó Omar—. ¿No es de una delicadeza extraordinaria? Ni Cyrano de Bergerac habría descrito de manera más elegante una escena como esta...

Los franceses asintieron, sorprendidos por aquella mención.

—Mirad cómo las diosas Selkit (la que tiene un escorpión en la cabeza) y Neith (la que luce unas flechas) impiden que la pareja toque el suelo. Lo que está sucediendo frente a vosotros, señores, pertenece a los dominios del espíritu; no a los de la carne. ¡Es una escena de amor sublime! ¡Una imagen de la unión entre un dios y una hembra de nuestra especie! ¿No os parece suficiente prodigio?

Uno de los muchachos se acercó entonces a la pared y la tocó con las yemas de sus dedos.

—Es cierto. ¡Qué hermosa es! —susurró.

—Es aún más bella que las escenas del templo de Dendera, Édouard —añadió su compañero.

—Lo importante aquí no es su perfección, señores —los interrumpió el hechicero, apartando la lámpara y haciendo desaparecer la mitad del relieve—. Lo que debéis comprender es su mensaje. Una mujer humana quedó encinta de un dios, y de ella nació un rey sabio y de larga vida... ¡Amenhotep!

Prosper se llevó las manos a su perilla:

—¿No querrá hacernos creer ahora que a esa reina le pasó lo mismo que a nuestra Virgen María, verdad?

Omar hizo un ademán pícaro.

—Vosotros lo habéis dicho. No yo...

—Decidnos, Omar: ¿Qué antigüedad tiene esta pared?

—Hummm... —Gesticuló—. Es al menos trece siglos más antigua que vuestra Miriam.

El hechicero entornó entonces los ojos. Parecía buscar las palabras adecuadas para proseguir. Nadia lo observó con interés.

—Hay algo más que sé que no os complacerá —prosiguió él—. Fijaos en el color de Amón. ¿Llegáis a distinguirlo?

—Por todos los diablos, ¡tiene la piel azul...! —murmuró con asombro Édouard de Villiers—. ¿Qué significa?

—Es el color del cielo, señores. Vuestra idea de una realeza de sangre azul procede de aquí. Los reyes son hijos de dioses del cielo, como este. Amón otorgó un hijo de sangre azul a esta plebeya llamada Mutemuia. Nuestra nobleza, todas las noblezas, proceden de los hijos bastardos que los dioses dieron a las humanas...

—¡Eso son supersticiones, Omar!

—¿Lo veis? —rio.

El joven Prosper dejó en el suelo los aperos de dibujo que llevaba con él y se levantó para hacer más enérgica su protesta. Su compañero lo secundó con idéntica pasión.

—En Francia hace tiempo que cortamos la cabeza a los que creían que la sangre azul corría por sus venas. ¿Y sabéis lo que descubrimos, Omar? Que la tenían roja. ¡Roja! ¿Lo entendéis? ¡Todos somos iguales! ¡Idénticos!

—Todos no, monsieur... —replicó clavando su mirada oscura en su interlocutor. Y sin quitarle ojo, prosiguió—:

Incluso vos admitiríais en privado que vuestro general Bonaparte es un hombre diferente al resto, una criatura tocada por el destino. ¡Todos los franceses lo decís!

—Está bien, *touché*, Omar. Pero lo decimos en sentido figurado. Es... bueno. Es poesía.

—Y poética es la sangre azul, monsieur. La poesía es la herramienta que inventaron los antiguos para decirnos que ciertas personas procedían de una familia especial, diferente. Tal vez de raigambre divina.

—¡Regresáis a los mitos!

—¿Y acaso es también un mito que todo Egipto sepa que el fin último que persigue Bonaparte en nuestra tierra sea alcanzar la gloria de los faraones?

—¿Gloria? —ironizó ahora De Villiers, restregándose de nuevo los ojos por culpa de la maldita oftalmia que había contraído cruzando el desierto—. ¿Qué gloria, Omar? Todo en este país está en ruinas...

—La verdadera gloria es algo que no se crea ni se destruye. Es lo eterno, monsieur. Y eso es lo que vuestro líder desea obtener de nuestra tierra. ¡Quiere ser él mismo eterno! ¡Inmortal!

Sus palabras atronaron la sala despertando a un grupo de murciélagos que revoloteó sobre ellos. La luz de los faroles también se sacudió.

—¡Tonterías! —protestaron los franceses—. ¡No sabemos de qué habláis! Bonaparte está interesado en la ciencia de vuestros antepasados, no en sus supercherías.

—Entonces, señores, os diré algo de él que veo ignoráis... —replicó con voz de serpiente—. Mientras recorréis todo Egipto con vuestras carpetas de dibujo bajo el brazo, vuestro general ha seguido por su cuenta los pasos del profeta Jesús en nuestro país. No es un hombre religioso y lo sabéis. Pero desde esta primavera lleva tratando de averiguar qué fue lo que Él aprendió aquí.

—¿*Él?* ¿Os referís a Jesús? ¿A Jesús de Nazaret?

—En efecto —siseó.

—Imposible.

—La Biblia no es el libro de cabecera de nuestro general. ¡Ni tampoco el de unos científicos como nosotros! —negó Édouard de Villiers con orgullo.

—¡Despertad, amigos! Yo sé lo que vuestro líder quiere de Egipto. Lo que os ofrezco es que seáis quienes se lo llevéis. Si de verdad queréis rendirle un buen servicio a vuestro general, habladle de mí, de lo mucho que puedo contarle. Él os recompensará.

—Mucho me temo que el general Bonaparte no está aquí para escucharos —lamentó Prosper—. Desde esta semana se encuentra en El Cairo.

—¿En serio? —Un brillo casi siniestro destelló en los ojos de Omar al oír aquello—. Excelente. Entonces llevadme ante él.

Nadia vio cómo los franceses sacudían incrédulos sus cabezas.

—En el ejército sabemos muy poco de religión, Omar —murmuraron como tratando de disuadirlo de una idea tan peregrina—. Y, por desgracia, todo esto que nos contáis es pura teología...

—¿Teología? ¡Se trata de la ciencia de los faraones, señores!

—La ciencia no es eso —protestó Prosper.

—La ciencia es la herramienta que busca la sabiduría —replicó Omar—. Es la verdad que se construye con la información. Y yo os aseguro que a Bonaparte le complacerá saber lo mucho que tienen en común la historia de Amenhotep y la de Jesús.

—Quizá no sean más que coincidencias. Muchos mitos se parecen.

—¡Extranjeros testarudos! —alzó entonces sus brazos—.

Os sorprendería saber la de cosas que comparten Egipto y el cristianismo. Ambas tradiciones creen en el mismo infierno para los pecadores, ¡y hasta veneran la cruz!

—¿La cruz?

—Amenhotep la tenía en tan gran estima que mandó tallarla mil veces en sus templos... ¡y hasta en su tumba!

El joven Édouard se acercó a Omar con palabras suaves:

—Calmaos. Aunque no somos teólogos, podemos escucharos. Nos interesa lo que dicen estas paredes.

Pero Prosper no le concedió esa tregua:

—Un momento. Entonces, ¿qué sugerís, Omar? —preguntó—. ¿Que acaso nuestro general ha tomado Egipto para encontrar la fuente de esa sangre azul? ¡Eso son bobadas!

La mirada del escarificado se enturbió, clavándose sobre la del francés:

—No me hagáis perder más el tiempo, señores. ¡Llevadme ante vuestro general y se lo contaré todo en persona! ¡Entonces valoraréis mis palabras!

Nadia, todavía agazapada tras un pequeño muro de piedra, palideció. De pronto comprendió que debía salir de allí. Aquellos hombres estaban a punto de levantarse y la única salida del *mammisi* se abría a pocos metros de su escondite. Si Omar pasaba junto a ella la descubriría. Estaba segura. Pero ¿qué debía hacer? ¿Ponerse a salvo en otro rincón del templo hasta que llegaran sus familiares de Edfú? ¿Regresar al café como si no hubiera visto nada? ¿O era mejor huir de la ciudad cuanto antes?

La respuesta, encarnada en la ágil sombra de un *djinn* que deambulaba en el cercano patio del gran Ramsés, estaba a punto de ofrecérsele.

El templo de Luxor —Nadia debía saberlo ya— no deja jamás una duda sin satisfacer.

Nunca.

6

Gran Pirámide, meseta de Giza

¿Tienen memoria las piedras? ¿Y discernimiento? Y en caso afirmativo, ¿podrían llegar a comunicarse con los humanos?

«Debo estar perdiendo el juicio».

El lamento de Napoleón Bonaparte, recostado aún en el sarcófago de granito de la Cámara del Rey de la Gran Pirámide, se lo tragó la tiniebla. El general ya había dejado de luchar por salir de allí y trataba de concentrar sus escasas fuerzas en la extraña orden de «vaciar su alma» que había recibido de su intérprete. Pero en vez de alcanzar lo que creía que iba a ser un estado progresivo de ensimismamiento, una tranquilidad de espíritu que le permitiera afrontar la prueba, su cabeza estalló en imágenes y sensaciones de una extraordinaria viveza.

«¿Qué quieres decirme, pirámide?».

El hecho de dirigirse al lugar como si fuera una criatura inteligente ni siquiera le sorprendió.

«¡Habla de una vez!».

Bonaparte llevaba más de una hora tendido en aquel ataúd de piedra. Su conciencia no recibía ya señales de sus músculos ni se quejaba por la frialdad del receptáculo. Su identidad, así de simple, estaba en otra parte. O aún mejor, en otro tiempo. De hecho, que todo lo que su ser era capaz de procesar mirara a un momento concreto de su campaña egipcia lo tenía impresionado. Lo único que lograba visualizar eran imágenes de cuatro meses atrás. Como si su memoria, tozuda, hubiera decidido prescindir del presente y acampara en los recuerdos de la pasada primavera.

«¡Habla, pirámide! ¡Te escucho!».

Era como si, de algún modo, fuera voluntad del lugar servirle de espejo. Pero tampoco era exactamente su reflejo lo que recibía. Sentía que ecos de hechos conectados con él, con su destino, le eran mostrados por algo o alguien que parecía disponer de un conocimiento supremo de todo.

«¿Se vacía así el alma?».

Bonaparte no supo resistirse. Y aunque al principio interpretó que aquel caudal de sensaciones no era sino una reacción fisiológica al silencio y la oscuridad, enseguida desestimó esa idea. Aquellas imágenes tenían fecha, hora, incluso lugar, y daban la impresión de ser inmutables, como si hubieran sido extraídas de un libro donde nadie pudiera alterarlas. Sabido es que la memoria humana no se comporta de ese modo. Pero sí. Aquello, sin duda, eran páginas de su vida que una voluntad superior estaba poniendo ante los ojos de su mente.

Y Bonaparte, claro, se puso en guardia.

«¿Puede una vieja pirámide causar semejante efecto sobre un ser humano?».

Ya se lo había advertido Buqtur: era inútil resistirse al monumento. Este lo guiaría por donde quisiera.

Y él no lo creyó... hasta que empezó a ver aquello.

Un enjuto personaje con el uniforme de oficial francés, vestido con pantalón de punto y chaqueta de paño azul con bolsillos abiertos, levita del mismo color y charreteras bordadas con una franja de hilos de oro y seda, merodeaba alrededor de una mesa llena de mapas. El hombre gesticulaba para hacerse entender por otros dos oficiales que estaban en posición de firmes tras él.

—Jamás tomaremos Acre si no logramos hacer salir al enemigo de sus murallas... —lo oyó quejarse.

Los oficiales que tenía enfrente, dos generales de división, permanecieron en silencio.

—¿No lo comprendéis? —los increpó—. ¡Las brechas abiertas por nuestra artillería no son suficientes!

Había algo que le resultaba familiar en aquel individuo. Su modo de caminar, su mentón poderoso, sus pómulos sobresalientes, su genio... Tardó, pero cuando al fin Bonaparte lo identificó, le invadió un extraño gozo: en realidad conocía muy bien a aquel sujeto.

Era él.

¡Estaba viéndose a sí mismo!

Aquello le causó una impresión extraordinaria. De repente intuyó que podría contemplar su vida casi como lo haría Dios. O como si estuviera muerto y su vida se le mostrara para poder juzgar las bondades de su alma.

«¿... Muerto?».

El funesto pensamiento lo enervó.

«¡Estoy vivo!», se recordó.

«Me han llevado a la Gran Pirámide a superar una prueba de valor.

»Debo vaciar mi alma...

»Vaciarme.

»Eso es todo».

Por un momento Bonaparte tuvo la impresión de estar en el interior de una matriz. Un vientre húmedo en el que la piedra había dado paso a una membrana carnosa y acogedora. Y algo más calmado, el general permaneció quieto, entregado a lo que tuviera que pasar.

De algún modo, era como si la propia pirámide hubiera decidido hablarle a su modo. Como si lo invitara a revivir la primavera anterior.

¿Por qué no dejarse llevar?

7

Nazaret, primavera de 1799

Ya estaba allí. Ahora podía verlo todo. ¡Todo!

El general Jean-Baptiste Kléber acababa de dar la orden a sus hombres de detenerse y recuperar fuerzas. Bonaparte podía distinguir la escena con claridad. De repente comprendió que su mente lo había arrastrado a la noche del sábado 13 de abril, justo cuando sus ejércitos estaban a las puertas de Nazaret. Pero ahora también era consciente de que el instinto estaba advirtiendo a Kléber que su enemigo lo observaba a corta distancia y que no tardaría en atacar.

«¿Qué clase de hechizo es este?», se preguntó.

Bonaparte sabía que él no había estado con su general favorito en esa precisa jornada y, sin embargo, la imagen de sus tropas surgía inequívoca desde lo más profundo de su ser. Los vio devorar sus escasas provisiones de galletas y agua y maldecirlo por haberlos enviado a una muerte tan atroz como la que dispensa el desierto. De repente, fue capaz de sentir la angustia de Kléber. Su miedo. E incluso su profunda frustración por no haberlo podido reclutar para el club de oficiales masones al que pertenecía. Quizá por eso Kléber se creía tan solo en su desgracia. Bonaparte —el hombre del que dependía su destino— no era «de los suyos». No daría su vida por un miembro de su fraternidad. Desanimado, su orgulloso lugarteniente había estado vigilando las nubes de polvo que se levantaban en las colinas cercanas, convencido de que procedían de patrullas mamelucas que lo vigilaban de cerca. Presentía lo peor. Había caído en una trampa.

Sus adversarios eran gentes aclimatadas a aquel entorno hostil, hombres huidizos y poco marciales, difíciles de interceptar para un ejército formal como el francés. Y Kléber sospechaba, además, que entre ellos estaba el hombre que buscaba su ruina; un personaje feroz, obsesivo, un viejo depredador al que todos llamaban *el Carnicero* y cuya sola mención causaba pavor en sus filas.

Pronto recibió la confirmación que temía. A unos kilómetros al sur, cerca del monte Tabor, se había instalado una marea de cuarenta mil turcos. Más de la mitad eran jinetes bien armados. Sus fuerzas multiplicaban por ocho las suyas. Disponían de pólvora y munición suficientes, así como de una masa ingente de campesinos provistos de palos y aperos de labranza afilados, sedientos de botín. El general Kléber hizo entonces exactamente lo que Bonaparte hubiera esperado de él. Evaluó sus posibilidades, omitió los detalles que hubieran desmoralizado a su tropa y decidió jugárselo todo a la única baza que podía jugar: el factor sorpresa.

Esa jornada dividió sus cinco mil efectivos en tres partes iguales. A la izquierda de la marcha situó a la septuagésima quinta semibrigada del general Verdier y con ella formó un cuadrado de soldados dentro del cual dispuso a los científicos que iban con ellos y a las provisiones, y ordenó al general Junot que acomodara la misma geometría en el flanco derecho de su marcha.

—Si queremos vencer, debemos alcanzar el grueso de las tropas enemigas antes del amanecer —les advirtió al iniciar su marcha—. Esos bárbaros no imaginan que podamos atacarlos esta misma noche y eso los desorientará.

En las horas que siguieron, mientras fusileros y jinetes

avanzaban bajo la luz de la luna, sus observadores le trajeron una noticia preocupante tras otra. La peor fue la confirmación de que el pachá Ahmed en persona estaba al frente del ejército enemigo, rabioso, impaciente de lanzarse contra ellos. «A ese pachá, señor, todos lo llaman *Djezzar* —le informaron—. Y *Djezzar* significa carnicero».

Para complicar todavía más las cosas, aquel ejército tenía una reputación pésima: formaban una masa desorganizada y cruel, nunca aceptaban una rendición, y si en alguna campaña capturaban prisioneros, terminaban vejándolos hasta matarlos. Los relatos sobre la suerte que había corrido la pequeña comunidad cristiana de Beirut años atrás circulaban como el vino entre los franceses. Decían que el Carnicero mandó emparedarlos vivos a todos dejando únicamente visibles sus cabezas. Hombres, ancianos, mujeres y niños libaneses agonizaron hasta morir en medio de terribles calambres, deshidratados y hambrientos, solo para divertirlo. Y en eso fue magnánimo. Lo acostumbrado era que sus hombres violaran y mutilaran a los cautivos antes de cortarles la cabeza. Rara vez indultaba a alguno y nunca por piedad. Lo hacía a sabiendas de que, una vez de regreso entre los suyos, desmoralizaría a sus enemigos. Sin ir más lejos, un muchacho de Lyon liberado días atrás cerca de Nazaret, con los brazos cortados y un solo ojo, contó cómo había sido sodomizado por sus carceleros y obligado a presenciar la ejecución de sus camaradas. A toda su unidad —explicó— la ataron de pies y manos entre sus propios caballos y la despedazaron.

Cuánto despreciaba Kléber esa clase de historias. «¡Son propaganda!», lamentaba. Él era un militar de carrera. Un técnico de la guerra. Un estratega. Por eso prefería concentrarse en sus cálculos. El último, por cierto, acababa de arrojarle un resultado descorazonador: en esa batalla, sus tropas iban a tocar a diecisiete mamelucos por hombre.

Abrumado, aquella noche se reafirmó en una de las decisiones más difíciles de su carrera. Jean-Baptiste Kléber ordenó la reagrupación de sus tropas y se preparó para atacar a los ejércitos de Damasco por sorpresa. Pero alrededor de la hora bruja, antes de comenzar la marcha hacia el monte Tabor, llamó a su mariscal y le confió un sobre lacrado que debía hacer llegar al general Bonaparte. Su jinete tendría que recorrer los inciertos cincuenta kilómetros que los separaban de Acre y entregar en mano aquella misiva. La carta iba acompañada de un presente que al jefe de la guardia —cuando lo recibió— le hizo arquear las cejas de estupefacción.

Pero órdenes eran órdenes.

Gran Pirámide, meseta de Giza

Bonaparte —¡extraño privilegio!— había contemplado aquella escena como si estuviera sucediendo de nuevo. Ahora le sorprendía no haber vuelto a pensar en el jinete de Kléber ni en aquel regalo. Pero, en cambio, echado cuan largo era en el sarcófago de piedra de la Gran Pirámide, sentía admiración por el fenómeno que estaba experimentando. La voluntad que le había concedido el permiso de verlo todo, de olerlo y sentirlo con una claridad que ni siquiera tuvo en vida, debía ser muy poderosa. Con atributos que iban mucho más allá de lo humano.

Pese al tiempo que llevaba inmóvil, Bonaparte se sentía realmente bien. Fuerte. Pletórico. Consciente de que muy pocos hombres habían gozado de la clase de visión que se le estaba brindando.

Y, hambriento de nuevas dádivas, se entregó a aquella sensación.

«¡Sigue hablándome, pirámide!».

Acre, primavera de 1799

Paul Battista, un joven dragón de veintidós años con ojos de búho, entró en la tienda de Napoleón Bonaparte escoltado por el capitán de la guardia. Era el hombre que le habían enviado desde el frente del monte Tabor. Estaba sudoroso y agotado, y aunque a duras penas podía tenerse en pie se le veía ansioso por cumplir con sus órdenes...

—Señor —se excusó el oficial al cuadrarse frente a Bonaparte—. Este soldado acaba de llegar. Trae un mensaje urgente del general Kléber para vos.

El pobre Battista dio un paso al frente. Jamás había visto al comandante en jefe de las fuerzas de ocupación francesas. Y en aquellas circunstancias Bonaparte debió de parecerle un héroe de la *Ilíada.* Su barba sin afeitar, su camisa abierta hasta el plexo solar y cierto aire de ausencia en su gesto completaban el retrato de su líder. No era mayor que él, pero aquella juventud, pensó, acogía a un alma muy vieja.

—Gracias, capitán —respondió a su oficial—. Dejadnos solos.

—Mi señor... —murmuró el dragón mientras le tendía el sobre que custodiaba—. Es un mensaje cifrado.

—Ya lo veo, soldado. Kléber cifra todos sus mensajes al puesto de mando y, por lo general, son muy escuetos. Decidme, ¿cómo está él? ¿Y nuestras tropas?

Un ligero temblor sacudió la mano del joven antes de soltar el sobre.

—¿No respondéis? —insistió Bonaparte.

El muchacho tragó saliva.

—La situación es delicada, señor. Nuestro enemigo es muy numeroso. El general Kléber ha dicho que nos espera una batalla desigual. ¡Son diecisiete contra uno, señor! —dijo angustiado.

El general ni se inmutó.

—¿Se han iniciado ya los combates?

—No cuando yo partí. —Volvió a tragar saliva—. Pero quizá hoy, al amanecer...

—¿Y tienen miedo nuestras fuerzas?

El soldado bajó la mirada. No era fácil responder a una pregunta como aquella a Napoleón Bonaparte.

—Entiendo... —se adelantó él—. Habéis cumplido bien vuestra misión, soldado. Que os den algo de comer y os enseñen dónde descansar.

—A sus órdenes.

—¡Ah! Al salir, decidle al oficial que os ha acompañado que deseo ver al general Bon de inmediato.

—Sí, señor.

La partida del joven dragón dejó meditabundo durante un buen rato a Bonaparte. No era una buena noticia que Kléber se sintiera inferior a Djezzar, pero lo era menos que no hubiera podido distraer el miedo en su tropa. ¿No habían demostrado ya su superioridad estratégica sobre los mamelucos? ¿Acaso no los habían humillado en la batalla de las pirámides, hacía casi un año, gracias a su artillería ligera? Bonaparte chascó la lengua. Si era miedo lo que iba a encontrar en el mensaje de Kléber, no iba a gustarle nada. Aunque ¿qué otra razón lo habría llevado a enviarle una misiva por el conducto de máxima urgencia?

Pensativo, acarició el sobre no sin antes echar un vistazo a la cesta de mimbre que lo acompañaba. Su contenido le resultó... peculiar: tres huevos blancos de gallina, cocidos, descansaban sobre un lecho de juncos frescos.

«Kléber —recordó con fastidio— adora los acertijos».

Lo que protegía el sobre resultó ser no menos enigmático. Un naipe. Un as de una baraja que no conocía, que mostraba una figura de inspiración egipcia. No lo acompañaba ni una maldita línea. Nada. Cosas del celo encriptador de su general.

El naipe en cuestión presentaba los bordes desgastados por un uso frecuente y mostraba la efigie de un faraón que levantaba su capa con el brazo izquierdo. Si se miraba con detenimiento, tras ella podía verse flamear un pequeño candil. Una inscripción grabada a sus pies decía en perfecto francés:

IX. *Le lampe voilée*

«La lámpara velada».

En ese instante el general Louis André Bon entró en la tienda. Sus cien kilos de humanidad se tensaron marciales al saludar a su superior. Por toda respuesta Bonaparte le tendió aquella carta.

El inmenso oficial, puesto al corriente del extraño envío del general Kléber desde el desierto, la observó sin saber qué decir.

—¿Y bien? ¿Entendéis algo de esto, general Bon?

Este se encogió de hombros. Bonaparte prosiguió:

—La obsesión de Kléber por la seguridad de sus mensajes me hace perder un tiempo precioso. Ya lo conocéis.

—*Verbum vincet*, señor...

Bonaparte lo detuvo.

—«La palabra vence». Exacto. Es el lema de nuestros criptógrafos. Pero en este mensaje no hay palabras, Bon.

—¿Entonces...?

—¡Oh! ¡Kléber lo ha hecho otras veces! ¿Sabíais que en Francia llegó a rapar al cero a uno de sus hombres, un sordomudo, escribió sobre su cabeza un fragmento de la *Historia* de Heródoto, y dejó que le creciera el pelo antes de enviármelo para poner a prueba mi ingenio? ¡Le encanta esconder sus mensajes!

—¿Y por qué habéis mandado llamarme, señor?

—General Bon: este mensaje me supera. No parece que vaya a ser fácil descifrar esa maldita carta —se lamentó—. Aquí solo hay un naipe y unos huevos. ¡Nada más!

—Pues no veo cómo puedo yo ayudaros en esto, mi señor... —vaciló, devolviéndole aquella extraña cartulina.

—¡Vamos, Bon! Conocéis tan bien como yo a Kléber. Compartisteis estudios en la academia. Sois masón como él. Pertenecéis a su mismo Taller y sabéis mejor que nadie de su gusto por los símbolos. Por eso os he mandado venir. Quizá haya algo en ese mensaje que para un *frater* de vuestra sagacidad resulte obvio y que a mí se me haya pasado por alto.

—No os burléis de mí, señor... —protestó—. Todo el mundo sabe que despreciáis a los masones.

—¡No me burlo, Bon! Me urge vuestro consejo.

Aquella repentina necesidad de Napoleón Bonaparte le insufló cierta seguridad.

—Estoy a vuestras órdenes, señor... Veamos. ¿Puedo ver de nuevo esa carta?

—Claro.

Bon deslizó entonces la pequeña tarjeta entre sus dedos regordetes, como si sus yemas pudieran ver lo que los ojos no alcanzaban a mostrarle.

—Es un arcano de tarot —sentenció.

—¿De tarot? —Bonaparte arqueó las cejas—. ¿Una baraja de adivinación? ¿Estáis seguro? Nunca he visto un tarot así.

—Kléber los adora, creedme.

Louis André Bon susurró su última frase sin levantar la mirada de aquella imagen.

—¿Sabéis? —añadió—. Durante nuestra travesía hacia Egipto, Kléber y yo pasamos algún tiempo en la cubierta del L'Orient* conversando sobre infinidad de temas. Uno de sus preferidos fue el de las diferentes clases de tarots que existen. Vuestro general es todo un experto. ¡Y debe de ser cliente de la mitad de las brujas de París!

—Ya... —Bonaparte se tensó—. ¿Y os habló alguna vez de un tarot como ese? ¿Egipcio?

Bon se rascó la barbilla.

—Sí, señor. Es el que utilizamos en nuestro Taller para comunicarnos. Aunque en realidad es de diseño francés.

—¿De veras? ¿Y por qué me envía una de esas cartas a mí, si no soy uno de sus «hermanos»?

—Vos no. Sois tozudo y, por desgracia, nunca habéis aceptado su invitación. Pero casi todos los generales de vuestro Estado Mayor sí lo son. —Sonrió.

—Está bien... —Resopló impaciente—. Entonces, si este es uno de vuestros juegos, decidme de una vez qué diablos significa esta carta.

Bon se quedó un instante más como hipnotizado por el dibujo del naipe.

* Se refiere al barco insignia de la flota napoleónica que desembarcó en Egipto en julio de 1798.

—No es tan fácil, señor... —susurró al fin, mirando la cesta de los huevos de reojo—. Los símbolos varían de significado según el contexto en el que se empleen. Y aunque os parezca extraño, quizá no sea conveniente adentrarse por vericuetos esotéricos para resolver este. Antes que masones somos militares. Y esto es un mensaje de guerra encriptado, señor. El naipe tiene que ser la clave para descifrarlo.

—¡Hacedlo entonces!

—El código ha de ser simple —ignoró su apremio—. Creo, señor, que si Kléber os lo ha enviado es porque literalmente os invita a levantar alguna clase de velo. ¿Lo veis? Como hace el faraón del naipe. Quizá si supiéramos a qué se refiere esa metáfora, entonces...

—¡No tenemos tiempo para juegos de masones, Bon! —lo atajó Bonaparte.

—Calmaos, por favor. Si Kléber os envía un mensaje así y sabe que no leéis jeroglíficos ni pertenecéis a su Taller, la solución debe de ser mucho más sencilla...

Bonaparte se tragó su mal genio.

—Bien. Entonces, ¿qué proponéis? —rezongó.

Bon levantó entonces *Le lampe voilée* para que él también pudiera verla en detalle.

—Veamos si seguís mi argumento, señor: el hombre de la carta parece un anciano...

—Por la barba, sí.

—Y los ancianos son el símbolo universal de la sabiduría, ¿no es cierto?

—Continuad.

—Este sujeta una linterna que oculta con su manto en señal de discreción... Y además, la carta presenta dos símbolos astrológicos clarísimos grabados en la parte superior del dibujo.

—¿Símbolos astrológicos?

Bonaparte, esta vez sí, se acercó al naipe.

—En efecto, señor. Uno es el signo de Leo, ¿lo veis?, el quinto del zodiaco, y es sin duda una clara alusión a vuecencia y vuestro signo natal. El otro corresponde a Júpiter, el dios de las virtudes del juicio y de la voluntad. Otro símbolo que se os ajusta como un guante, si me lo permitís.

—¿Y a dónde nos conduce esto, Bon?

El orondo oficial no prestó atención a la nueva queja de Bonaparte, que le daba ya la espalda. De repente Bon, que perlaba ya de sudor su frente, había visto algo.

—Señor... ¡Fijaos!

Bonaparte se giró en seco al detectar alborozo en su llamada. Bon había tenido una iluminación brusca.

—¿Y si esto, señor, no fuera sino una especie de libro de instrucciones... para descifrar *eso*? —dijo señalando la cesta de huevos.

Bonaparte sacudió la cabeza sin comprender. Su interlocutor no se desalentó. Al contrario. Su voz se excitó aún más:

—¿Y si lo que debe hacer vuecencia fuera tan sencillo como acercar la luz a la capa? ¿Y si esta carta y ese regalo tuvieran que relacionarse exactamente como dicen los elementos del naipe?

La insinuación de Bon iluminó el rostro de Bonaparte de golpe.

—¡Pues claro! —aplaudió—. ¡Sois un genio!

Y abalanzándose sobre la cesta, ordenó a Bon que le acercara una lámpara con la que mirar los huevos al trasluz.

—¡Daos prisa!

La auscultación fue muy rápida.

Los dos primeros no le llamaron la atención.

Sus cáscaras blancas y perfectas dejaban intuir la masa compacta de la clara solidificada sin mostrar nada de particular.

El último, sin embargo, resultó diferente. Dejaba entrever una serie de manchas oscuras, pequeñas y rectas, que parecían dispuestas en hileras.

—¡Qué astuto es Kléber! —bramó Bonaparte—. ¡Aquí está el mensaje!

Napoleón peló impaciente el huevo, poniendo al descubierto el truco. Sobre la clara hervida, grabado con total nitidez, apareció un agónico ultimátum:

«No hay elección, general Bonaparte —pudieron leer sorprendidos de lo ingenuo del ardid—. Al amanecer atacaremos al pachá de Damasco. Si no enviáis tropas de refuerzo, confiaremos en Dios para que nos asista en la batalla».

Hubo un instante de silencio. Después, Bonaparte buscó los pequeños ojos de Bon. Pero este, sin saber qué decir, apenas acertó a balbucear algo relativo a la antigua solución de tinta, alumbre y vinagre que permite a una frase escrita sobre la cáscara de un huevo penetrar hasta la albúmina y grabarse en ella. «Afuera no deja marcas», añadió como si en ese momento importara algo su explicación.

—¿No os dais cuenta de lo que dice este mensaje? —lo atajó Bonaparte sin haber escuchado una palabra de Bon—. ¡Es un suicidio! ¡Kléber va a matarse!

Y por primera vez, «el invencible» sintió algo parecido al miedo.

Si los turcos segaban la vida del altivo Jean-Baptiste, sabía que se evaporarían sus posibilidades de culminar su invasión de Egipto. A cuarenta mil mamelucos embravecidos por una victoria así no habría quien los detuviera.

La cuestión era: ¿debía abandonar el asedio de Acre para socorrer a su general? ¿Le quedaba, acaso, otra alternativa?

10

Dudó. Vaya si dudó.

Ahora, tumbado en la habitación más elevada de la Gran Pirámide, Bonaparte lo veía todo mucho más claro que entonces.

Había estado desde el inicio de la primavera ante los muros de Acre, empecinado en culminar con éxito el sitio a la ciudad. De algún modo se sentía el vengador elegido por la Providencia para restaurar a los europeos la plaza que otro sultán egipcio les había arrebatado en 1291. Elías Buqtur, su intérprete, lo convenció de ello durante un paseo nocturno por el perímetro de trincheras francesas. Bonaparte lo mandó llamar al poco de haber resuelto el acertijo de Kléber. Creía que un rato de charla con su asistente le despejaría la cabeza y le ayudaría a tomar la decisión correcta.

—Reconocedlo de una vez. ¡Estáis en esta tierra sagrada por mandato divino! ¡Estabais predestinado para esta misión! —le espetó Elías en cuanto se puso al corriente de la situación, mientras miraban sus impenetrables murallas plateadas bajo la luz de una espléndida luna llena.

—Pero yo no creo en tu Dios, Elías.

—Mi Dios no es diferente del vuestro, mi señor. Solo hay uno y es de todos —añadió—. Aunque esa no es la cuestión. ¿Es que no os dais cuenta aún de dónde estamos y lo que hacéis aquí?

La voluminosa silueta del copto se balanceó ufana. La fresca brisa de las playas cercanas y el silencio del campo de batalla a esas horas habían creado una atmósfera propicia para las confidencias.

—Hace quinientos años, señor, exactamente en un mes de abril como este, eran los musulmanes los que estaban asediando Acre. Nosotros, los cristianos, nos refugiábamos dentro de esas paredes, muertos de miedo.

—¿Nosotros, dices? —ironizó Bonaparte.

—Sí. Acre era la gran fortaleza de los templarios en Tierra Santa, señor. Había muchos soldados franceses como los vuestros ahí dentro... Su derrota supuso el fin de la presencia de los caballeros templarios y de su misión.

—¡Qué sabrás tú de la misión de los templarios! —terció Bonaparte.

Su lamento hizo que la sonrisa del copto resplandeciera en la oscuridad.

—Quizá más de lo que imagináis, señor. Sé, sin ir más lejos, que aquella misión tuvo dos caras —su tono destilaba de repente una autosuficiencia que le sorprendió—. Una pública, la que todo el mundo conoce, que consistió en proteger los caminos de los peregrinos desde Europa a Jerusalén. Pero hubo otra oculta, que sin duda no se os escapa, general.

—Prosigue —lo animó—. Me diviertes. Capaz eres de enseñarme algo nuevo...

—Oh, no lo creo, señor. Desde hace casi dos mil años todos los occidentales que venís a estas tierras lo hacéis en pos de Jesús de Nazaret, de su sangre, de sus reliquias; en definitiva, de respuesta a la pregunta de cómo hizo él para vencer a la muerte y resucitar...

—¿De veras piensas que los templarios buscaban eso?

Buqtur se acarició la perilla con su mano derecha, mirando de reojo a Bonaparte.

—Vos, supongo, creéis que se instalaron aquí para buscar reliquias como el grial, la corona de espinas o el santo sudario...

—¿Y no es cierto?

—La realidad, señor, es mucho más sencilla. Pensadlo. Esas reliquias remiten simbólicamente a la sangre de Cristo. Son iconos que nos hablan de ella. Que nos recuerdan su derramamiento. Y esa sangre, a su vez, nos remite a la estirpe de la que nació Jesús. ¿Por qué creéis si no que los templarios dieron tanta importancia a la Virgen María, cuando antes nadie la veneraba siquiera? ¿Acaso no fue el ideólogo del temple, san Bernardo de Claraval, quien acuñó el término de *Nuestra Señora* e impulsó la construcción de catedrales en toda Europa para honrarla? Aquello no fue una ocurrencia. Formaba parte de un plan. Por eso los templarios de Bernardo recibieron el encargo de venir hasta aquí. Tenían que encontrar y proteger lo que quedara de esa sangre.

—Y aquí, en Acre, levantaron su último bastión —murmuró Bonaparte.

—Exacto, señor. El que pronto recuperaréis.

Un turbio pensamiento se cruzó entonces por su cabeza. Bonaparte ya no estaba tan seguro de eso.

—Respóndeme a una cosa, Elías.

—Lo que deseéis, señor.

—¿Encontraron los templarios lo que buscaban?

Buqtur suspiró:

—Tuvieron ayuda.

—¿De veras? —Aunque no era esa la respuesta que esperaba, Bonaparte arqueó sus cejas expectante—. ¿De quién?

—De los sabios azules.

—No los he oído nombrar jamás.

—Y no os culpo por ello, señor. Llevan una existencia

muy discreta. Viven cerca del monte Tabor y, según la tradición, fue a ellos a quienes se confió el secreto de la sangre mitad divina, mitad humana de Cristo.

—¿El Tabor?

—Sí.

—Ahí es donde está ahora el general Kléber... —lamentó—. Y dime, ¿son poderosos esos sabios azules?

—Más de lo que imagináis.

—¿Y por qué eligieron un lugar tan apartado como el Tabor para instalarse?

—Es muy sencillo, señor. Ese monte se encuentra a medio camino entre Jerusalén y Egipto. Y estos sabios saben que la sangre de Dios, la que permite regresar de la muerte, llegó a la Tierra en los remotos tiempos del dios Osiris. Buscaron un lugar que fuera sagrado para ambos pueblos, y lo encontraron en el Tabor.

Bonaparte arqueó las cejas. De repente ya no le parecía tan mala idea acercarse a ese lugar...

—No pongáis esa cara, señor —dijo, ignorando lo que Bonaparte barruntaba—. Las coincidencias entre la religión cristiana y la egipcia son numerosas. Osiris y Jesús nacieron un 25 de diciembre, ambos bajo el signo de una nueva estrella. Los dos murieron traicionados por los suyos, resucitaron de la muerte en tres días y hasta tuvieron la cruz como símbolo.

—¿Y crees que se habrán aliado con Djezzar?

La pregunta de Bonaparte lo descolocó.

—¿Los sabios azules? ¿Aliados del Carnicero? ¡Eso es imposible! —reaccionó Buqtur—. Ellos odian a los musulmanes, y en especial a los turcos. Hace quinientos años ayudaron al gran maestre del Temple en Acre a resistir su asedio. A fin de cuentas, por cuanto os he dicho, prefieren entenderse con quienes admiten la resurrección de la carne que con esos bárbaros.

—Pero incluso con su ayuda los templarios fracasaron —apostilló Bonaparte.

—¡No, señor! Los templarios comprendieron que la derrota era su destino. Los sabios azules dicen que su maestre, Guillaume de Beaujeau, no merecía ser salvado. De hecho, todavía aguardan a que un gran guerrero de Occidente regrese al Tabor y los aparte de los infieles. Alguien, en fin, que se alíe con ellos, que crea en la resurrección y que admire el poder de su sangre.

Los ojos del general chispearon animados.

—¿Crees... crees que ayudarían a alguien como yo?

Buqtur asintió levemente.

—Puedo intentar que os reciban, señor.

—¡Hazlo, pues!

No hubieron terminado de decir aquello cuando el coronel Jacotin —su jefe de cartógrafos— se acercó a ellos a la carrera reclamando la presencia inmediata de Bonaparte en la tienda del Estado Mayor. Sus generales habían aprovechado aquel receso para discutir las probabilidades que tendrían de tomar Acre si dividían sus fuerzas e iban al rescate de Kléber. Ya tenían una opinión. Y Pierre Jacotin necesitaba compartirla con él cuanto antes.

—Lo cierto, general, es que no nos queda mejor opción. Debemos partir en su ayuda de inmediato.

Jacotin no era el único que pensaba así. Aunque toda la cadena de mando sabía que si descuidaban el acoso de Acre su conquista se haría imposible hasta el otoño siguiente, también reconocían que si perdían a Kléber, lo perderían todo.

—Generales: Kléber no conoce el suelo que pisa. No dispone siquiera de mapas del monte Tabor o de sus alrededores, y puede caer en una emboscada en cualquier momento —Jacotin terminó de exponer ante sus superiores aquel pronóstico.

Bonaparte lo miró con displicencia. Lo hacía siempre que alguien se dirigía a él con noticias que le desagradaban. Estaba tentado a creer que el Carnicero en persona había diseñado ese contratiempo para forzarlo a dejar el sitio.

A su lado, Bon no ocultaba su completo acuerdo con el cartógrafo.

—Ya hemos perdido demasiados hombres en esta campaña, señor —lamentó—. No podemos dejar morir a otros tres mil. Sería el fin de nuestra misión.

—¿Y qué sugerís, querido Bon? —preguntó ácido.

—Que partamos en su ayuda de inmediato.

Bonaparte se quedó meditabundo.

«Qué ironía —pensó—. ¿No fue el Tabor donde Jesús se transfiguró ante los suyos, convirtiéndose definitivamente en el líder de la cristiandad? ¿No fue allí donde vio a los profetas y le confirmaron su gloriosa misión?». Y así, con la extraña sensación de que ese nuevo requiebro del destino iba a traerle también a él importantes cambios, tomó su decisión.

Aquella madrugada Bonaparte despertó al grueso de sus tropas, movilizó la división de Bon, dispuso que ocho cañones de doce libras lo acompañaran y dio instrucciones para que la totalidad de su caballería lo escoltara hasta Djbel-el-Dahy, el valle en el que con casi toda certeza debía de haberse refugiado su querido general.

Su instinto estuvo más fino que nunca.

Cuando lo encontró, Kléber había fracasado en su intento por sorprender al Carnicero. Sus paupérrimas cartas de la región habían retardado a sus tropas. Kléber alcanzó el campamento de sus enemigos a las seis de la mañana, con el sol sobre el horizonte, y no a las dos como pretendía. Y a esa hora una marea de mamelucos, *agas*, jeques, beduinos y *fellahin* armados hasta los dientes estaban ya prestos para acabar con ellos.

«¡Va a ser como partir sandías!», gritaron al descubrirlos.

La primera visión que Bonaparte tuvo de su general fue dantesca. Sus tropas llevaban horas parapetadas en formaciones de defensa y resistían a golpe de artillería los sucesivos asaltos de los jinetes de Djezzar. Estos, en su furia, saltaban por encima de las bayonetas francesas como si les divirtiera jugar con aquellos hombres. Los mamelucos aullaban como perros, sin importarles lo más mínimo caer tras las filas enemigas y ser pasados a cuchillo. No era fácil imaginar cuántos soldados había perdido Kléber resistiendo en esas condiciones, pero a juzgar por el aspecto de sus tropas no les quedaba ya ni aliento ni demasiada munición para continuar.

—¿Cuáles son vuestras órdenes, señor?

Uno de los capitanes de artillería de la división de Bon se había acercado al montículo desde el que Bonaparte observaba el espectáculo.

—Lo primero, oficial, que todos sepan que estamos aquí... —dijo sin despegar su mirada del catalejo.

—Dispararemos una salva de aviso enseguida, señor.

—¡Nada de avisos, capitán! Tirad a matar. ¿No ve que están diezmando a nuestros hombres?

Él no podía ver nada a ojo desnudo, pero asintió:

—Así se hará, señor. ¿Y luego?

—¿Distinguís aquellas tiendas, al oeste de nuestra posición?

El hombre frunció los ojos tratando de distinguir el punto que le indicaba su superior.

—Sí, las veo —dijo en cuanto divisó una pequeña mancha multicolor semioculta tras unas matas de trigo salvaje.

—Buscad al capitán Pascal, de la caballería del general Bon, y decidle que quiero que les prenda fuego.

El silencio del capitán hizo que Bonaparte apartara el catalejo del rostro.

—¡Es el campamento enemigo! —le aclaró con desgana—. Cumplid las órdenes. ¡Ya!

Lo siguiente que hizo Bonaparte en aquella jornada fue dividir a sus hombres en dos contingentes separados por unos ochocientos metros. Preparó su maniobra con celeridad y al cabo de veinte minutos la punta de sus columnas se dejó ver por los flancos de la colina que los protegía, sumiendo a los hombres de Djezzar en el desconcierto. Sus chillidos cesaron de golpe. Casi todos enmudecieron al escuchar los primeros cañonazos. Y su algarabía de hienas hambrientas pronto fue reemplazada por el alborozo de las tropas de Kléber. «¡El *pequeño cabo*** ha venido a salvarnos!», corearon.

Ni que decir tiene que la suerte de la batalla cambió a partir de ese momento.

Los mosquetes de ambos bandos no tardaron en atronar el valle. Enseguida se vio cuál de las fuerzas enfrentadas estaba más preparada para aquella clase de combate. Mientras los otomanos disparaban cada uno cuando podía, los disparos de las fuerzas de Kléber y las de Napoleón se sincronizaron en tandas que barrían filas enteras del adversario. Sin embargo, el verdadero punto de inflexión se produjo cuando al cabo de una hora de tiroteo una densa columna de humo se levantó al oeste del campo de batalla.

Fue como si, al verla, la furia animal de los hombres de Djezzar se consumiera de repente.

Los jinetes turcos que hasta hacía un instante se preparaban para el asalto definitivo a Kléber comenzaron a

* Así llamaban jocosamente a Napoleón los soldados de su expedición.

merodear sin saber muy bien qué hacer. Se les veía nerviosos. Inseguros.

¡Su campamento estaba en llamas!

¡Ardía la casa de Djezzar!

Y la duda sobre las verdaderas dimensiones del ejército francés sofocó su coraje.

A partir de ese requiebro los turcos lo perdieron todo: trescientos camellos de botín de guerra, más de mil tiendas incendiadas, depósitos de pólvora y agua hechos añicos por la artillería gala y unos quinientos prisioneros capturados en menos de dos horas desarmaron al pachá Ahmed, que ordenó la retirada inmediata.

El triunfo francés fue total. Durante las dos jornadas siguientes, cientos de cadáveres mutilados, vestidos con sus magníficas sedas de Damasco y sus pertenencias de oro y marfil cosidas a ellas, aparecieron junto a pozos, puentes, las orillas del Jordán y casi cualquier rincón del valle de Jezreel.

Jezreel —lo sabría después Bonaparte— significa 'Dios siembra'. Y, efectivamente, algo había sembrado en ese lugar.

La muerte.

11

Poco después del mediodía de aquel histórico 15 de abril, Napoleón Bonaparte tomó una decisión que iba a pasar desapercibida a sus generales pero que, de algún modo, era la única que explicaba por qué su cuerpo yacía ahora en el interior de la Gran Pirámide.

En la vida, todas nuestras elecciones están conectadas entre sí. Son ellas las que conforman la sutil tela de araña en la que habitamos. Tomar el camino de la izquierda o el de la derecha no es indiferente. Sin embargo, nuestra inteligencia es tan limitada que solo relaciona acciones y reacciones que se encadenan en un corto período de tiempo. Si compramos un cuchillo por la mañana y a media tarde nos cortamos con él, es probable que nos reprochemos el haberlo adquirido. Pero si ese mismo filo sirve para segar una vida humana cuatro meses más tarde, es improbable que sintamos remordimiento alguno. Lo habitual es que nuestra memoria haya olvidado el origen del arma y pase por alto la infinita secuencia de decisiones tomada entre su compra y su fatal servicio.

Pues bien, lo que Bonaparte estaba descubriendo dentro del sarcófago eran los eslabones de la cadena de su vida. A su modo, la pirámide le estaba hablando. Le contaba en imágenes cómo lo que hizo justo después de ganar a las tropas de Djezzar cerca del monte Tabor iba a condicionar, sin quererlo, todo su destino.

Y es que, si no hubiera dado instrucciones a su mariscal de campo para acercarse a la vecina Nazaret en lugar de regresar a Acre para continuar con el sitio de la ciudad, jamás habría terminado con sus huesos en la Gran Pirámide.

La culpa, de nuevo, la tuvo Elías Buqtur, su fiel intérprete copto. Fue él, con el rostro pálido y los ojos húmedos, quien se acercó a Bonaparte al final de la batalla del Tabor y lo empujó a su suerte.

Le temblaban las manos.

—¿Te han herido, Elías? —se preocupó Bonaparte.

—No... No, señor.

Buqtur palpó entonces los bolsillos de su blusón negro y extrajo de uno de ellos un papel que le tendió como buenamente pudo. Parecía un mensaje. Una carta.

—Es para vos.

Bonaparte lo miró sorprendido.

—Pero está escrita en árabe... —lamentó al desplegarla.

—La ha traído un mensajero durante los combates. Sus hombres me la dieron para que la tradujera.

—¿Y bien...?

—Procede de los ermitaños de las montañas, señor.

El general mudó de expresión.

—¿De los sabios azules?

Buqtur asintió.

—¿Y qué dicen? —lo apremió.

—Desean veros, señor. Aceptan hablar con vos. Nos esperan junto al pozo de Miriam, en Nazaret. Hoy.

Bonaparte expresó curiosidad.

—Dime, Elías, ¿cómo los has encontrado?

—Eso es aún más extraño, señor. —Un nuevo escalofrío le hizo temblar de arriba abajo—. Son ellos los que nos han encontrado. No yo.

—Pareces preocupado, Elías. ¿Es que temes algo?

El copto se recompuso como pudo.

—Solo temo por la salvación de mi alma, señor.

—Me refiero a esa carta. ¿Crees que pueda ser una trampa?

Elías bajó la mirada al papel que sostenía entre sus manos. Pareció tomarse un tiempo para calibrar su respuesta hasta que, al fin, respondió:

—No, señor. No estamos ante esa clase de hombres.

—Entonces, ¿por qué estás tan serio?

—Porque intuyo que va a ser una reunión importante para vos. No es muy común que el viejo de las Colinas Sagradas reciba a un extranjero. ¡No ocurre desde el tiempo de los templarios!

—Haces bien en advertirme —dijo complacido—. ¿Crees que le habrá impresionado nuestra victoria?

—Los sabios del desierto nunca juzgan por un solo acto, señor. Observan el tiempo que sea necesario, meditan toda una vida si es preciso y actúan únicamente cuando saben que ha llegado la hora de hacerlo.

—En ese caso, mi buen Elías, ese ermitaño habrá apreciado ya que el destino está de mi parte. Que tengo la estrella del triunfo conmigo. Que Egipto debe colocarse bajo mi protección... y la de Francia.

—Tal vez...

—Entonces no los hagamos esperar, ¿te parece?

12

Aquella mañana, mientras Buqtur se aprestaba a organizar el convoy para acercarse a Nazaret, sucedió otra cosa fuera de lo común. Bonaparte pronto se olvidó de ello. No le dio importancia. Pero en ese momento el pequeño incidente le causó una fuerte impresión.

Aquel 15 de abril había madrugado mucho para rescatar al general Kléber y a eso de las once de la mañana, cuando la batalla ya estaba bajo control y tenía a su traductor ocupándose de los preparativos para su cita con los misteriosos sabios azules, decidió buscar un sitio en el que poder echarse una cabezada. Se alejó discretamente del puesto de mando y al poco, cerca del cauce seco de una torrentera, dio justo con lo que necesitaba. Era una cueva de boca ancha, no demasiado profunda, por la que circulaba una agradable corriente de aire y en la que encontró la oportunidad para descansar unos minutos. Tras comprobar que nadie lo había seguido y que el único acceso a aquel rincón estaba bloqueado por sus tropas, Bonaparte se quitó las botas de montar y se recostó sobre su casaca.

El sueño lo venció enseguida. La mente del soldado había encontrado refugio en una imagen a la que recurría siempre que buscaba relajarse: las termas de Pietrapola. Su evocación no le había fallado nunca. Se trataba de un pequeño paraíso más allá de las montañas del oeste de Córcega. Un laberinto de fuentes termales, baños romanos y balnearios en el que sus hermanos y él habían pasado algunos de los mejores veranos de su infancia. Le bastaba evocar aquellas aguas sulfurosas para revivir la embriagadora sensación de protección y desahogo que asociaba a sus mejores años.

Desde entonces, Bonaparte seguía un ritual para dormir que nunca le fallaba. Se imaginaba descendiendo las escaleras de piedra de una de las piscinas romanas del balneario. Las bajaba poco a poco, notando cómo su cuerpo iba sumergiéndose en aquellas aguas serenas y cálidas. Por lo general, antes de que tocaran su garganta, ya se había dormido.

Pero los sueños son caprichosos y en aquella ocasión le tenían preparada una pequeña sorpresa.

De repente tuvo la certeza de que no estaba solo. Un suave perfume de flor de loto, embriagador y meloso como ninguno que hubiera olido antes, había devorado la pestilencia a azufre de aquellas aguas. Alguien había entrado en su santuario y lo observaba ahora desde cierta distancia.

Intimidado —estaba desnudo—, giró sobre sí mismo y descubrió que, en efecto, una muchacha joven estaba de pie al borde de la piscina.

—Vengo a curar tus heridas —dijo.

Aquella mujer era realmente hermosa. Estaba cubierta solo por una fina toga de lino que dejó caer en el suelo justo antes de sumergirse a su lado. Bonaparte se quedó atónito ante su determinación. Era como si la joven no hubiera estado más segura en su vida de lo que debía hacer. La perfección de aquel cuerpo y su audacia lo abrumaron. Incapaz de moverse, vio cómo se acercaba a él, se colocaba a su espalda y extendía sus dedos sobre su maltrecha columna. El tacto de sus yemas lo electrizó. Su pulso comenzó a saltar desbocado. De repente sintió cómo empezaba a dibujar todas y cada una de sus heridas de guerra al tiempo que una sensación de placer y alivio se adueñaba de todo su cuerpo.

—¿Quién eres? —le preguntó.

Silencio.

—¿De dónde vienes?

Ella se tomó un tiempo para responder.

—Soy Isis —dijo al fin, redoblando la intensidad de la fragancia que emanaba—. Siempre he estado aquí.

Aturdido, Bonaparte reunió la escasa voluntad que aún retenía y se volvió hacia ella. La joven sofocó entonces un gemido, como si le hubiese sorprendido su reacción. «¿Es humana?», se preguntó él. Tuvo entonces ocasión de fijarse mejor en el rostro de su visitante. Todo en su óvalo era pura perfección. Su nariz redonda y pequeña, sus labios dulces y entreabiertos, y sus ojos del color de las playas aguamarinas del Mediterráneo se le grabaron a fuego en su memoria. Cuando iba a tocar sus cabellos oscuros, lisos como las dunas de Egipto, ella lo detuvo.

—He venido para avisarte —advirtió.

—¿Avisarme? —Él se encogió de hombros—. Pensé que querías sanarme.

Pero la mujer apenas reaccionó.

—Sí. Avisarte. Napoleón Bonaparte —declamó—: solo el amor habrá de salvarte.

13

Nazaret apareció en el horizonte a primera hora de la tarde. Bonaparte, todavía impresionado por el extraño sueño del que acababa de despertar, interrogó con la mirada a Elías Buqtur.

—Sí, señor —asintió este, sacándole de dudas—. ¡Es la ciudad de Jesús!

Desde el viejo camino de Acre pudo distinguir sin dificultad los tres sectores en los que estaba dividido aquel asentamiento. El musulmán, con las callejuelas cubiertas de toldos a rayas para evitar el calor, quedaba en el lado occidental de la urbe. El barrio cristiano, en el centro, despuntaba sobre los demás gracias al campanario de ladrillo de la iglesia franciscana de la Anunciación. Y un poco más allá se adivinaba el sector ortodoxo, el más oriental, cuajado de cúpulas de escasa altura, todas encaladas con esmero. El pozo de Miriam marcaba el único punto de convergencia de estos barrios.

—¡Sed bienvenido a la capital de la antigua Galilea, señor! —dijo el copto ceremonioso.

—Pensé que sería más grande, la verdad...

Bonaparte parecía algo decepcionado. Desmontó de su caballo y extendió el catalejo que llevaba siempre encima para verla mejor.

—Hubo un tiempo en que fue mayor, general.

—Pues ahora está mermada. ¿Cuántas almas viven ahí?

—Unas tres mil.

—Y dime, Elías, ¿alguien sabe con certeza dónde estuvo la casa de Jesús?

El copto miró al «invencible Bunabart» extrañado. Llevaba un año sin separarse de él y todavía no estaba seguro de si le interesaban o no las cuestiones religiosas. El caso es que trazó un vago círculo en el aire con el dedo, señalando otra zona de la ciudad.

—Se cree que estuvo detrás del barrio cristiano, señor. Por allí. Pero no hay nada seguro. Han pasado dieciocho siglos.

Custodiados por una veintena de soldados, los dos hombres entraron al poco en sus calles. Les sorprendió verlas vacías. Todos los pueblos en los que habían entrado antes, incluso en pleno fragor de los combates, estaban atestados de mujeres y niños, de gallinas y cabezas de ganado. Por lo general, las aldeas de Oriente Medio eran ruidosas y malolientes. Los puestos de venta de verduras y mercancías estaban por todas partes. Había ratas y basura, y los excrementos se arrojaban a la vía pública desde las ventanas. Pero, por alguna razón —y esta no podía ser otra que el miedo a Djezzar y a los franceses—, los postigos de Nazaret estaban echados, no había humo saliendo de las casas ni olía a comida.

Estaban solos.

Cuando alcanzaron el pozo de Miriam una exploración rápida confirmó las primeras impresiones del grupo: allí no había nada que temer. Ninguna de las casuchas de adobe que rodeaban esa plaza tenía altura suficiente para garantizar un buen ángulo de tiro a un improbable francotirador otomano. Por otra parte, ninguno de aquellos tejados de caña resistiría el peso de un hombre. Y las primeras inspecciones tampoco encontraron armas o soldados de Djezzar.

La escolta, pues, tomó posiciones con facilidad y se preparó para recibir a los anfitriones del general.

Su espera fue breve.

Como si hubiesen aguardado a que se instalaran, justo en el momento en el que fue plantado el último mosquetón unas siluetas surgieron de la nada, perfilándose sobre el horizonte. Caminaban a paso lento, rumbo al punto de encuentro. Venían del este. Parecían dos varones de aspecto beduino, desarmados, vestidos con galabeyas de algodón y con el rostro parcialmente cubierto bajo turbantes azules. Delgados y de elevada estatura, marchaban a buen ritmo, portando cada uno un hatillo de color azafrán al costado.

—Que nadie dispare —ordenó el capitán de la guardia—. Dejadles paso.

Al aproximarse al primer control de dragones, el que iba por delante levantó un brazo en actitud de saludo. Elías Buqtur los reconoció.

—¡Son ellos, señor! —susurró complacido—. Ya están aquí.

Los visitantes caminaron hasta el centro de la plaza, vigilados a cierta distancia por los soldados. Bonaparte había dispuesto que solo los recibirían Elías y él, sin armas a la vista para no intimidarlos. Pero aquellos hombres no parecían asustadizos. De hecho, se adentraron hasta el borde mismo del pozo sin titubear y, dirigiendo sus pasos hacia ellos, se detuvieron únicamente cuando los tuvieron al alcance de la mano.

—Dios esté con vos, gran Bunabart, Sultán de Occidente... —saludó el primero de ellos, ceremonioso, en perfecto árabe.

Bonaparte inclinó la cabeza en señal de reverencia, pasando por alto que también aquellos ermitaños deformaran su nombre.

El hombre que había hablado resultó ser un anciano de rasgos semitas. La edad no había curvado su espalda. Al contrario. Parecía más alto aún que su acompañante. Su rostro sembrado de arrugas enmarcaba un mentón prominente y una larga barba nevada le confería un aspecto venerable, de santón. El general supo de inmediato que se encontraba ante un individuo fuera de lo común. Su mirada azul clara le impresionó de veras. Por un momento la confundió con los ojos de la mujer que acababa de ver en sueños, pero desestimó aquella idea de inmediato. Bonaparte se había caído literalmente dentro de aquellas pupilas, comprendiendo en el acto por qué todos los llamaban *sabios azules*.

«¡Esa mirada atraviesa los siglos!», pensó.

En todo el tiempo que llevaba en Egipto no había visto a ningún beduino como aquel. Su piel curtida, otrora blanca como la suya, realzaba aún más ese rictus capaz de desnudar un alma.

Entonces, al fin, el anciano volvió a hablar. Tenía una voz grave. Y sus palabras, aunque incomprensibles cuando emergían de su garganta, transmitían paz. Bonaparte no lograba salir de su asombro. Aquellos gestos, lentos y llenos de majestuosidad, dejaban entrever una pureza de espíritu antigua, ancestral, que contrastaba con la sangre y el polvo que aún teñían su propio uniforme.

—Vuestro triunfo sobre Djezzar ha confirmado nuestras esperanzas —tradujo Elías las palabras del viejo ermitaño—. Vos sois, sin duda, aquel a quien esperábamos.

Bonaparte tuvo que sacudir la cabeza para recuperar la atención.

—Ya, pero...

—No lo dudéis —lo interrumpió—. Sois el enviado que restaurará el tesoro de conocimiento que fue arrebatado al pueblo de Egipto hace tanto. Vos, Bunabart, habéis sido elegido para tan alta misión.

Aquello no le sonó mal, pero aun así protestó:

—Maestro, Elías no me ha hablado de que cuidarais de ningún tesoro...

El general buscó la mirada de su intérprete.

—... Por otro lado —prosiguió—, si no conozco la clase de tesoro que buscáis, difícilmente podré ayudaros a restituirlo.

—Tenéis escrito vuestro destino. Sabréis dar con él —murmuró el anciano—. Pero recordad algo: no todos los tesoros son tangibles. Algunos son invisibles. De naturaleza espiritual.

Bonaparte receló.

—No sé si eso me interesa, maestro. Solo soy un militar. No un místico.

Los dos beduinos se miraron estupefactos.

—Decidnos, señor, ¿sois vos el verdadero Bunabart? —preguntaron—. ¿El mismo que derrotó a los mamelucos frente a las pirámides de Giza? ¿Aquel que, además de cañones, trajo también con él sabios, libros y máquinas para imprimirlos, con la promesa de traernos los avances de Occidente?

Él asintió.

—Pues si lo sois, señor, un tesoro de conocimiento no puede seros ajeno —murmuró el joven asistente del maestro, irrumpiendo en la conversación—. Sobre todo si se refiere a algo por lo que sabemos sentís una honda preocupación...

Bonaparte se fijó en aquel muchacho. Era un chico lampiño, más o menos de su altura, con los mismos e increíbles ojos azules del viejo pero con unos pómulos prominentes que parecían haber sido cincelados en mármol. Su belleza, en cierto modo, le recordó al «ángel de la sonrisa» de la catedral de Amiens.

—¿De veras?

El *ángel* asintió.

—Lo afirmáis como si pudierais leer mi mente.

—Quizá la mente no, pero sí vuestra alma —terció él.

—¿Y, según vos, cuál es esa preocupación?

—¡Vuestra obsesión por vencer a la muerte! —El joven hizo entonces una breve pausa—. ¿O acaso vais a negárnoslo?

Bonaparte se quedó estupefacto.

—Oh. No os extrañe nuestra certeza, señor —añadió entonces con cierto descaro—. Huir de la muerte es un deseo inherente a la naturaleza humana. Cuando César se hizo con el control de Egipto y se sintió el dueño de este mundo, comenzó a obsesionarse por el otro. Eso es muy... nuestro.

—Pero habláis de obsesión.

—Todo hombre se pregunta por su sino, pero solo unos pocos dan pasos para burlarlo. Vos lo habéis hecho viniendo a Egipto, mandando a vuestros sabios a hacer preguntas sobre el saber de los antiguos faraones, y eso os hace diferente.

El general se sintió algo intimidado por aquellas palabras. No estaba acostumbrado a que nadie interpretara sus pensamientos más profundos. Y aún menos que lo hiciera con aquella claridad, sin artificios ni ceremonias de ninguna clase.

—Y decidme —intervino, mirando muy serio a sus anfitriones—, ¿sabéis si va servirme de algo esa... obsesión?

—La noticia que os traemos es que podemos ayudaros a superar el obstáculo de la muerte para siempre, Sultán de Occidente —retomó la palabra el anciano.

—Temer a la muerte no es malo en sí mismo —añadió el *ángel de la sonrisa*—. Además, es signo de inteligencia preocuparse por hallarle remedio ahora que la juventud corre por vuestras venas. De hecho, no habríais podido elegir mejor momento y lugar para empezar a buscar. Esta es la tierra donde vida y muerte conviven más armónicas. Donde el limo fértil del Nilo y el desierto más estéril se tocan a diario. Habéis venido hasta aquí, lo sabemos, en busca del secreto de la vida eterna... Y estáis más cerca de él de lo que creéis.

Bonaparte sacudió la cabeza, interrumpiéndolos:

—¡Claro que busco la vida eterna! ¿Qué hombre en su sano juicio no buscaría ese secreto? En eso no soy diferente a los demás...

—Querido Bunabart: no tenéis por qué excusaros —las palabras de aquel joven de mirada penetrante y voz meliflua retumbaron en la plaza vacía—. Si estamos aquí es porque nuestra misión consiste en ayudar a quien busca con sinceridad.

Los ojos del general destellaron de asombro.

—¿Me... ayudaréis? —murmuró.

—¿Y para qué, si no, creéis que hemos venido a veros?

En ese momento Elías invitó a los beduinos y al general a que se sentaran en el interior de una amplia choza que la escolta había habilitado para ellos. Bonaparte, impresionado aún por lo que acababan de sugerirle, aguardó a que sus interlocutores se acomodaran y quisieran reanudar la conversación.

Una vez a cubierto, el anciano fue el primero en hablar. Dijo llamarse Balasán y tener ciento diez años. «La edad de cualquier hombre que sea sabio», acotó. Su discípulo Tagar, mucho más joven que él, se presentó también, dando a Bonaparte algunas nociones de su procedencia en la región montañosa del Tabor.

—Sabed que somos los guardianes de una vieja tradición —le explicó—. Os vigilamos desde que pusisteis pie en Egipto y hemos decidido que ha llegado el momento de hablaros con franqueza.

El tono de sus palabras había cambiado. De repente, ambos parecían complacidos de estar frente a él. Se susurraban frases que Elías no alcanzaba a traducir y se cruzaban miradas de asentimiento. Por eso, cuando por fin el anciano levantó una mano para pedir silencio, el tono de sus primeras frases recordó a Bonaparte el de los contadores de historias del desierto, dulce y didáctico a la vez. No se extrañó de que Balasán, confidente, se inclinara sobre él y dijera:

—Todo cuanto hemos de revelaros está relacionado en última instancia con la historia de un hombre que conocéis bien en vuestro país. Se llamó Yeshua. Su familia vivió y trabajó en este mismo suelo.

Bonaparte abrió los ojos:

—¿Os referís a Jesús? ¿A Jesús de Nazaret?

El anciano Balasán asintió, consciente del profundo efecto que habían causado sus palabras.

—Pero yo no soy creyente, maestro.

—Yeshua no solo es importante para quienes creen en él —le respondió—. También lo es para los egipcios. Casi todos reconocen en la historia de ese niño nacido de madre virgen, muerto y resucitado, el último eco de la milenaria historia de Isis, Osiris y Horus.

—¿Un eco? —El general se removió en su esterilla—. ¿Queréis decir que Jesús repitió algo que ya había ocurrido antes en Egipto?

—Si hoy tenéis a bien quedaros con nosotros os mostraremos que su capacidad para vencer a la muerte ya era conocida para los sacerdotes faraónicos. De hecho, Yeshua la aprendió de ellos. Lo dice la Biblia. De niño emigró a Egipto. Y lo que aprendió junto a las pirámides fue lo que más tarde devolvería a Lázaro y a él mismo de entre los muertos.

Después de traducir aquello, Elías Buqtur se inclinó

sobre Bonaparte y le murmuró algo que los beduinos fueron incapaces de escuchar. Este asintió con la cabeza varias veces, y tras tomarse un instante dijo:

—Está bien, venerable Balasán, me quedaré a escuchar vuestra historia. Pero solo si antes respondéis a una pregunta.

—Preguntad... —sonrió el anciano.

—Respondedme sí o no, maestro. Entonces, ¿también vos sabéis cómo hacer regresar a un hombre de la muerte?

14

Templo de Luxor.
Madrugada del 10 de agosto de 1799

A esas horas, el patio levantado por el gran Ramsés al norte del *mammisi* parecía vacío. El desorden era el amo del lugar. Ni una sola de sus grandes columnas papiriformes se erguía donde el faraón las había dispuesto treinta siglos atrás. El viejo equilibrio cósmico llevaba mucho tiempo roto. Maat parecía haberse rendido ante Isefet, el caos.

En noches de plata como aquella solo los zorros o los espíritus se atrevían a merodear por un lugar así, pero esa madrugada iba a ser diferente.

Un nuevo visitante, una sombra enfundada en una galabeya parda, sin turbante, avanzaba a grandes zancadas hacia la cabecera del recinto. Parecía un hombre alto, de espaldas anchas, y sabía exactamente adónde se dirigía.

La sombra dio dos pasos al este, cinco al norte, rodeó lo poco que quedaba de la sala hipóstila y apretó la marcha hacia su objetivo. Cuando quiso frenar, estaba a tan solo una brazada de él.

Fue entonces cuando demostró de lo que era capaz.

De un brinco venció el pequeño terraplén que tenía delante mientras alargaba uno de sus poderosos brazos y rodeaba por detrás el cuello de Nadia. Aún le sobró tiempo para cubrirle la boca y arrastrarla hacia atrás de un zarpazo.

—¡Silencio! —entre susurros, la orden que salió de sus labios fue imperante—. Soy Alí. No temas.

A la Perfecta se le heló la sangre.

«¿Tío Alí?».

El relámpago provocado por la evocación de ese nombre la electrizó, pero la mano que le cubría la boca le impidió decir nada.

Con una agilidad pasmosa, la sombra la cargó sobre sus espaldas y, antes de que pudiera verle el rostro, la sacó del templo a toda prisa.

«¡Fátima! —Su siguiente pensamiento alborozó a Nadia—. ¡Ha encontrado a Alí!».

Pero luego se ensombreció:

«¿Tan pronto?».

Como buen cazador, aquel hombre se cuidó de no hacer ningún movimiento brusco que los delatara y, sin mediar palabra alguna, la condujo fuera de las ruinas, donde la subió a lomos de uno de los dos caballos que tenía preparados junto al embarcadero.

—Hay que huir de aquí. ¡Deprisa! —le ordenó.

Nadia no opuso resistencia. Aquella voz era, sin duda, la de su tío Alí ben Rashid.

Tardaron poco en dejar atrás las últimas casas de Luxor y una vez rodeado el campamento francés tomaron un discreto camino rural que se perdía entre plantaciones de judías y tomates. Iba a ser muy difícil que alguien los siguiera en ese laberinto.

Solo entonces, rumbo hacia un horizonte donde ya clareaban los primeros rayos del sol, su tío se dejó ver, sintiéndose lo bastante cómodo como para hablarle en voz alta:

—¡Nos has metido en un buen lío! —el reproche sorprendió a la Perfecta, que hasta ese momento no había dejado de sonreír—. ¡Nos has comprometido...! ¡A todos!

Alí había cambiado mucho desde la última vez que lo vio. Ahora era más fuerte y más atractivo de lo que recordaba. Un hombre de unos treinta y pocos, de cráneo afeitado, un marcado arco superciliar, grandes manos y mirada penetrante. La suya era la viva imagen de los antiguos sacerdotes. Tenía muy poco que ver con el adolescente hijo de Nefer que jugaba con ella cuando era niña. Pero, aunque hacía una eternidad que no se habían visto, no le costó identificar los rasgos de su familia materna. Ojos azul oscuro. Cara redonda. Cejas depiladas. Piel algo tostada, casi de bronce. Músculos bien formados.

Bajo la incipiente luz del alba, envuelto en una extraña aura de solemnidad, aquel hombre parecía también un recuerdo sacado del tiempo de los dioses. Un ángel salvador al que, después de todo, podría disculparle casi cualquier cosa.

—Gracias por venir tan rápido... —fue cuanto acertó a balbucirle.

El gesto hosco que recibió por respuesta no la tranquilizó.

—¿Pero en qué estabas pensando, Nadia? —Alí apretaba la mandíbula al hablar, como si estuviera realmente furioso; aquello la intimidó—. ¿Cómo se te ocurre enviar a Fátima a buscarnos en mitad de la noche? ¿No sabes lo peligroso que es? ¿Y cómo te atreves a seguir a Omar sin protección? ¡Es un hechicero! —bufó—. ¡Dios! ¡Podría haberte matado! ¿Por qué no te quedaste con Yusuf? ¡Ese es tu lugar!

Sus reproches fueron subiendo de tono hasta que Nadia, venciendo la extraña mezcla de miedo y gratitud que sentía en ese momento, rompió aquel torrente con un sollozo:

—Lo... lo siento.

—¿Lo sientes?

Él la perforó con la mirada. No le afectó verla llorar.

—Omar... —gimió ella bajando la cabeza—. Omar mencionó a Amenhotep, tal y como dijisteis que pasaría. Por eso fui tras él.

—Poniendo en riesgo tu vida y la de tu prima —la atajó.

—Ya te he dicho que lo siento...

—¿Y crees que con decir eso ya basta?

Alí parecía fuera de sí. Nadia notó cómo apretaba las riendas tratando de contenerse, mientras ella encadenaba un escalofrío con otro.

—No... No me has entendido, tío. —Se enjugó los ojos—. Los franceses han profanado la tumba de Amenhotep, y Omar...

—¡Omar es peligroso! —la calló con un gritó; luego tragó saliva y rebajó su tono de voz—. Omar ejecutó a tu familia, ¿no lo recuerdas? Se quedó con todo lo que os pertenecía. Ahora es tu amo. Debías permanecer con él, sin delatarte. Pero ahora, al huir de su lado, no parará hasta dar contigo.

—¿Qué temes? ¿Que descubra que los Ben Rashid le vigilamos?

—¡Dios! —gruñó, llevándose las manos a la cabeza—. Que estuvieras con él era la garantía para no despertar una vieja guerra entre nuestros clanes.

—No sé de qué me hablas, tío...

Pero de repente, Nadia creyó comprender.

Todas aquellas cartas recibidas durante casi una década pidiéndoles a Fátima y a ella que resistieran. La aparente dejadez de sus parientes para organizar su rescate argumentando que no tenían aún ni fuerzas ni dinero. Los envíos de comida y los regalos para hacerlas sentir bien. Todo aquello no había sido por ellas, sino por el siniestro Zalim. Con su huida acababa de romperse aquel particular equilibrio. Su Maat. Omar las poseía y las reservaba Dios sabe para qué. Y ellos, a cambio, tenían sus particulares espías en casa del enemigo y... paz.

Maat.

«A todos nos afecta», se estremeció.

Aquel recuerdo se llevó una lágrima mejilla abajo.

—Tú no sabes lo que es vivir en ese antro...

Pero Alí no se ablandó.

—¡Tenías una obligación!

—Sí, tío —sollozó con los ojos llenos de rabia—, pero ¿con Omar Zalim o con los Ben Rashid?

—¡Con los de tu sangre!

—En ese caso, ¿por qué me recriminas haber seguido a Omar?

—No nos consultaste.

—No podía. Todo ha sido demasiado rápido.

—Has puesto en riesgo tu vida. ¡Y tu vida es tan valiosa que no te pertenece!

—¿Valiosa? —protestó—. ¡Pero si me habéis abandonado en manos de Omar...! ¿Es eso ser valio...?

Alí la detuvo levantando una de sus palmas.

—El futuro de toda nuestra familia depende de ti.

Ella puso cara de no comprender.

—Aún no te das cuenta, ¿verdad? Hemos perdido a la persona más cercana a Omar Zalim. ¿Quién vigilará en adelante a ese profanador? Dime.

—La culpa es vuestra, tío. Nunca me dijisteis para qué lo espiaba.

Alí resopló, evitando responder a esa acusación.

—Eras una niña —fue cuanto dijo.

—¡Ya no lo soy!

De nuevo, Nadia cayó en la cuenta de otra cosa.

—¿Y Fátima, tío? ¿Dónde está? ¿Por qué no ha venido contigo?

—¿Querías que viniese al templo conmigo? —gruñó—.

La he enviado de vuelta al café de Yusuf. No quiero perder todos nuestros ojos en casa de Omar.

—¿Y qué haces tú en Luxor? Le ordené que fuera a casa, a Edfú. Pensé que hasta mañana no tendría noticias vuestras.

—Sabíamos que algo iba a ocurrir esta noche. Por eso estoy aquí. Vigilaba el café cuando vi salir a Fátima corriendo y la abordé. Fue ella quien me dijo dónde encontrarte.

A la Perfecta aquella explicación no la satisfizo del todo.

—¿Sabíamos? ¿Quiénes?

—Tendrás todas tus respuestas en cuanto lleguemos.

—¿Llegar? —Sus ojos se abrieron entonces de par en par—. ¿Adónde?

—Donde todo esto empezó, Nadia. Ha llegado el momento de que sepas, de una vez por todas, quién eres tú.

15

Nadia y su tío no volvieron a hablar en toda la noche. Cabalgaron aprovechando el reflejo de la luna sobre el Nilo hasta que, pasada la pequeña aldea de Esna, Alí decidió que era hora de descansar. El lugar que había elegido tenía su encanto. Era una pensión para peregrinos regentada por un viejo amigo suyo, que se levantaba en un discreto recodo entre palmeras. Su tío negoció dos camastros en los que poder dormitar unas horas, y cuando quedó satisfecho con el precio dejó que los condujeran hasta unas mesas dispuestas junto al río, con unas inmejorables vistas de la orilla oeste y unas bandejas llenas de fruta recién cortada. Aquel silencioso paraje invitaba a una última conversación antes de dormir. Era fresco y limpio. No había insectos ni malos olores. Todo lo contrario al infierno de ruido y humo que la Perfecta acababa de dejar atrás. Y allí, por primera vez, Alí ben Rashid bajó la guardia y se relajó ante la cena que acababa de ordenar para ambos.

—Mañana estaremos en El Cairo —dijo de sopetón, como si su plan de viaje le quemara la lengua, mientras el posadero colocaba ante ellos un gran plato con huevos y algo de carne asada—. Debemos llegar lo antes posible.

Nadia casi se atragantó con una pieza de fruta.

—¿El Cairo? ¡Nunca he estado en la capital!

—Yo sí. No te preocupes. Cuidaré bien de ti.

Ella se encogió de hombros.

—Vuelves a ocultarme cosas, tío.

Él lo negó con la cabeza, mientras se llevaba un primer trozo de comida a la boca.

—¿Por qué lo dices? —masculló.

—Estamos cabalgando hacia el sur —protestó ella—. ¡Vamos en sentido contrario!

—Eso es porque dentro de unas horas embarcaremos en Edfú. Tomaremos allí una barcaza rápida y llegaremos a tiempo.

—¿A tiempo? ¿De qué?

—Haces demasiadas preguntas, Nadia. ¿Lo sabías?

Su tío musitó aquello en tono conciliador, con la mirada perdida en el plato.

—Demasiadas preguntas... —le refunfuñó—. ¿De veras lo crees? ¿Has pensado que quizá las hago porque mi familia nunca me ha contado nada?

—Tu ignorancia ha sido nuestra forma de protegerte.

—Pues quiero saber.

Alí volvió el rostro hacia ella:

—Hasta hoy te había bastado con saber bailar —dijo.

Aquello fue demasiado.

—¡Y una mierda! —estalló. Los restos de su cena saltaron por los aires de un manotazo—. Yo no escogí el camino de la danza. —Nadia se levantó de su silla sin intención de cederle la palabra—. Al quedarme huérfana vosotros decidisteis que debía formarme como los *mevlevi* turcos y me pusisteis a danzar como a una derviche. Yo... —titubeó. Sus ojos, de repente, se empañaron—, y yo lo hice para olvidar lo que pasó en mi casa, para no perder vuestro cariño. Para no contradecir a la familia que me había acogido. Y ahora —se llevó las manos al rostro—, ahora no sé qué sentido tiene todo esto...

—Lo tiene. —Su tío pareció conmoverse por primera

vez—. Enseñarte a bailar no fue un capricho nuestro. Pronto lo comprenderás.

—¿De veras?

—La danza ha sido durante siglos uno de los lenguajes más utilizados para comunicarnos con los dioses. Eso lo sabía muy bien tu abuelo, que se pasó media vida estudiando los relieves de bailarinas del templo de Luxor. Él sabía que Isis transmitió ese idioma a sus primeras sacerdotisas. Que tú lo hables te abrirá las puertas que el destino ha de hacerte cruzar.

—También me enseñó francés —añadió sin pizca de ironía.

—Todo forma parte del mismo plan.

—Pero un plan, ¿de quién? ¡No es el mío!

—Quien dispuso que aprendieras todo eso es un alma increíble. Confía... —Alí sonrió.

—No sé si quiero saber quién es.

—Oh, sí que quieres —repuso—. ¿Conoces al Viejo de la Montaña?

—¿Al Viejo de la Montaña? ¿Al Maestro de la Luz? —Nadia se llevó la mano a la boca de puro asombro—. Claro... He oído hablar mucho de él. Pensé que era un personaje de los cuentos.

—No lo es. Existe. Él ha sido quien lo ha decidido todo.

Nadia se tomó un minuto para digerir aquello.

El Viejo de la Montaña era, en efecto, un título que había oído mil veces de labios de sus padres. Y también de su abuelo Gabriel. Se referían a él cada vez que contaban historias de los malos momentos del clan. Aquel ser como caído del cielo siempre surgía de la nada para ayudarlos. Se invocaba su nombre con respeto y temor a sabiendas de que estar bajo su manto era gozar de una enorme protección. De hecho, el día en el que la desgracia se llevó a su familia fue una orden suya la que la puso en manos de sus tíos de Edfú. Nadia se lo había oído contar a ellos, pero jamás lo había visto. Si hubiera tenido que referirse a él de algún modo, hubiera dicho que era una especie de patriarca en la sombra. El oráculo particular de los Ben Rashid. Alguien invisible, casi divino.

—Te diré algo del Viejo de la Montaña —prosiguió Alí ante su cara de sorpresa—. Hace tres jornadas se despertó azorado. ¿Sabes? Dejó su refugio en mitad de las cumbres y bajó corriendo a nuestra casa para comunicarnos que una figura vaporosa, un ángel de Dios, se le había presentado en sueños y le había revelado que aquello para lo que nuestro clan lleva preparándose desde hace siglos está a punto de consumarse.

—¿Siglos? ¿Un ángel? ¿De qué hablas, Alí?

Su tío no perdió el rumbo de su explicación:

—Por eso yo estaba en Luxor, esperándote.

—¿Y en qué me afecta todo eso? —insistió Nadia.

—Como quizá ya sabes, los Ben Rashid somos los depositarios legítimos de un viejo secreto —su tío dijo aquello sin atisbo de intriga—. Pero como siempre ha habido gentes como Omar dispuestas a arrebatárnoslo, nuestros antepasados decidieron dividirlo y ocultarlo en varios lugares seguros. Se trata de los fragmentos de un viejo libro escrito sobre paredes que permite regresar de la muerte a los elegidos.

—¿Es una broma?

—No —dijo seco—. De hecho, uno de los lugares donde se escondió fue, precisamente, en la tumba de Amenhotep... Y el Viejo de la Montaña sabía que iban a profanarlo.

—¿Pero cómo...?

—Nuestro venerable es un místico —la atajó—. Un santo que mantiene lazos invisibles con los antepasados, con su tradición. Mantiene un canal de comunicación con ellos. Puede ver cosas para las que los demás estamos ciegos. De hecho, fueron sus visiones las que lo pusieron en guardia.

—¿Soñó que los franceses iban a entrar en la tumba?

—Así es —asintió Alí—. Y también que muy pronto lo hará Omar. ¡Y todo esto te concierne!

—¿A mí?

—Sí, Nadia. A ti. —Su tío asintió con un ligero movimiento de cabeza, como si evaluase la estupefacción de la muchacha.

Por alguna razón, en ese instante la Perfecta se sintió desvanecer. El cenador junto al Nilo, el aroma dulzón de la fruta cortada, las pequeñas velas que el posadero había dejado sobre la mesa..., todo aquello pasó de repente a un segundo plano. Se le había hecho un nudo en la garganta y comenzó a notar que su cuerpo le pedía desesperadamente un descanso. Alí todavía la miraba sin pestañear, pero ella ya no lo veía a él. Su imagen se había emborronado hasta hacerse irreconocible dando paso, poco a poco, a otra bien distinta. Lo que Nadia advirtió en aquel instante de extrema debilidad fue una presencia tan evanescente como cautivadora: la imagen desvaída de un hombre de cabello largo del que apenas pudo retener con claridad su mirada. Supo que era un guerrero. Sus pupilas reflejaban un tormento milenario. Aunque en ningún momento pudo hacerse una idea completa de su aspecto, algo le dijo que tras aquella mirada se escondía un niño con sueños de grandeza. También supo que se encontraba en apuros. Aquel corazón noble estaba siendo cercado por unas garras oscuras y afiladas que buscaban su perdición. Y sintió una pena infinita por él. Era una tristeza que parecía tener siglos de antigüedad. Profunda. Húmeda. «Esto te concierne», escuchó entonces. Y la impresión de ser observada por aquella presencia cautivadora, que transmitía una sorprendente mezcla de fuerza y dulzura, se esfumó tan rápido como había surgido.

«Esto te concierne», volvió a oír.

La Perfecta se estremeció.

—¿Estás bien? —La zarandeó entonces Alí.

—S... Sí —respondió frotándose los ojos, sin saber muy bien lo que acababa de suceder.

—Debes descansar, Nadia. Te has quedado muy pálida.

La sonrisa de su tío fue aún más extraña. Como si de algún modo intuyera lo que acababa de sucederle.

—Los ángeles se cruzan por nuestras vidas más a menudo de lo que crees —dijo atrayéndola hacia sí y acariciándole la cabeza.

—¿De veras?

Alí asintió, sin soltarla.

—Oh, sí. Y siempre nos traen mensajes.

—¿También el que visitó al Viejo de la Montaña?

—Desde luego. —Nadia notó que el tono de voz de su tío se ensombreció—. Ese ángel lo avisó de que nuestros enemigos quieren hacerse con el secreto de la vida y la muerte y que ya se han puesto en marcha para conseguirlo. Por eso debemos darnos prisa y ganarles terreno.

—Hablas de ellos como si fueran diablos —susurró, haciendo un verdadero esfuerzo por abrir los ojos.

—Nuestros enemigos son mucho peor que eso. —La acunó en su regazo—. Duerme. Recupera fuerzas. Los hijos de Set no nos vencerán. Te lo prometo.

16

Luxor.
Madrugada del 10 de agosto de 1799

Omar Zalim tragó saliva antes de cruzar aquella puerta.

No recordaba haber tenido nunca sentimientos tan encontrados como los de esa noche. Por un lado sabía que el momento que había estado esperando toda su vida estaba llegando. Su instinto así se lo dictaba. El hombre que había merecido su atención, aquel predestinado a recibir la vida eterna, ya había sido localizado. Estaba en El Cairo. Y pronto lo tendría ante él conversando sobre la magia suprema del Sed. Ese era el hechizo de los hechizos. El último requisito antes de convertirse en el mago más poderoso de la historia.

Pero Maat —en justa compensación cósmica— acababa de propinarle un severo zarpazo. La llave que pensaba utilizar para llegar ante ese elegido se acababa de volatilizar.

«¡Maldita seas, Nadia ben Rashid!».

El contratiempo le había puesto furioso.

La sonrisa que había traído del Templo de Luxor después de parlamentar con los ingenieros Jollois y De Villiers se disolvió en cuanto recibió la noticia de la fuga de Nadia.

—Pero tenemos a su prima... —le dijeron sus hombres, como si aquello compensara en algo aquel imprevisto—. La sorprendimos en las cuadras con uno de vuestros caballos.

—¿La habéis interrogado? —preguntó.

—No ha dicho nada, Omar.

—Dejádmela a mí.

Zalim atravesó de una zancada la puerta de la habitación en la que sus hombres habían confinado a Fátima ben Rashid. Que aquella situación no se le escapara definitivamente de las manos dependía de esa conversación.

Nada más entrar se dio cuenta de que no iba a ser fácil. Atada a una silla y amordazada, la mirada de odio de la prima de la Perfecta le llamó la atención. Aquella gatita de quince años no le tenía miedo. Al contrario. Le bastó ver cómo sus brazos y sus piernas tensaban las cuerdas para saber que los golpes de sus hombres —marcados en moratones y coágulos de sangre en el rostro— la habían convertido en una fiera. «Bastet transmutada en Sekhmet», pensó.

Omar volvió a tragar saliva, se acercó a ella y la levantó en volandas, con silla y todo, para colocarla en el centro de la estancia.

—Voy a decirte algo, Fátima, antes de dejarte hablar —le susurró—. Hace diez años necesité de un tribunal islámico para matar a tus tíos y a Gabriel ben Rashid. Hoy, si no me cuentas a dónde ha huido tu prima, no voy a pedir ningún permiso para acabar contigo.

La muchacha se agitó con todas sus fuerzas. Le repugnaba sentir el aliento de aquel hombre repleto de escarificaciones en su rostro.

—Los Ben Rashid —prosiguió Omar— habéis sido siempre un estorbo. Creéis que por ser descendientes de faraones tenéis derecho sobre una magia que ya no os pertenece. Gabriel, por ejemplo, siempre se ocupó de mantener oculta la tumba del faraón Amenhotep. Todos sabíamos que en ella estaban los ensalmos sobre la vida y la muerte. Murió por no revelárnoslos. Lo perdió todo por culpa de ese secreto. Incluso a vosotras. Y ¿sabes para qué? ¡Para nada! Los extranjeros han descubierto la tumba. Yo leeré esos ensalmos y pronto tendré lo que quiero...

El corazón de Fátima se había desbocado. Necesitaba gritar. Pero la mordaza no le dejaba hacerlo.

—Oh... —Los ojos negros de Omar brillaron amenazadores frente a los suyos—. Pero todo eso tú ya lo sabes. Por eso ha huido Nadia, ¿no es cierto?

Ella volvió a sacudirse.

—Verás. Necesito algo de ti, Fátima. Es muy sencillo. Voy a poner mi mano sobre tu frente. Te haré una pregunta. Una solo. Si te resistes a contestarla, si tu mente no se rinde ante mis órdenes, morirás aquí mismo. Si, por el contrario, respondes a mis demandas, te daré una oportunidad para sobrevivir. ¿Lo has entendido?

Fátima levantó la vista hacia su verdugo, ahora sí, aterrada. Durante un instante esperó a que Omar le quitara la venda de la boca, pero lo que sintió fue muy distinto. Mucho peor que lo que había imaginado. Una palma enorme, fría, cayó sobre su frente mientras otra igual de firme la sostuvo por la nuca. Parecían ventosas. Sintió su presión. Su fuerza. Un leve impulso, un mínimo giro, y su cuello —lo supo— se partiría en dos.

—Esta es mi pregunta —escuchó a Omar por encima de su cabeza—: ¿dónde se ha escondido Nadia?

La muchacha se quedó paralizada. Desde su posición no pudo ver cómo su amo levantaba el rostro hacia el techo y cerraba enérgicamente los ojos, tratando de concentrarse. Ella, por el contrario, enseguida notó cómo se le escapaban sus últimas fuerzas. Los párpados comenzaron a caérsele sin poder frenarlos. Incluso el pulso, que hasta hacía un instante le golpeaba frenético sienes, muñecas y tobillos, se amortiguó de golpe. Una extraña corriente le recorrió la columna vertebral.

Así era la magia de los Zalim. Su dominio sobre el *sotpu sa*, o fluido vital de los antiguos egipcios, era casi total.

—¡Soy un hijo de Set! ¡Todo lo puedo! —gritó entonces Omar—. ¡Respóndeme! ¿Dónde-está-Nadia?

Pasaron unos segundos en silencio que se hicieron eternos. Notó una intensa confusión en su cabeza. Y antes de que la vista se le nublara del todo y la muchacha quedara sumida en la más completa oscuridad, aún acertó a oír de nuevo a Omar.

Lo que el brujo de los Zalim profirió no fue ya un grito, sino un susurro. Una especie de suspiro lleno de satisfacción que terminó por horrorizarla.

—¡Alí!

Aquel malnacido había logrado colarse en su mente.

17

Posada de Esna.
Madrugada del 10 de agosto de 1799

«Los hijos de Set no nos vencerán. Te lo prometo».

Nadia escuchó el juramento de su tío rendida ya por el sueño. Aun así, algo en lo más profundo de su mente se encendió al escuchar aquellas palabras.

Hacía mucho que no había oído mencionar a los hijos de Set. Y como quien olfatea un aroma de la infancia y recupera con él impresiones e imágenes de otro tiempo, la Perfecta se entregó a aquellas tres palabras sin oponer resistencia. Esa noche, en sueños, volvió a ver a su abuelo Gabriel agarrado con desdén al timón de palo de su falúa hablándole del dios de la oscuridad y de sus descendientes. Durante el tiempo impreciso que dura lo onírico se sintió niña de nuevo. Volvió a escuchar su voz ronca y profunda, y a sentir el calor del último sol del día sobre su piel mientras navegaba a su lado.

—Que no te engañe ese término, pequeña. Como bien decían los antiguos, «contra quien hace el mal, ineluctablemente se hará el mal».

Tenía solo seis años cuando Gabriel ben Rashid le habló de ellos por primera vez.

—En realidad deberíamos entender a Set como una metáfora de lo oscuro. Del mal. ¿Sabes, niña, qué es una metáfora? —le preguntó de repente.

Nadia sacudió su cabecita.

—Es algo muy hipócrita —respondió—. Consiste en

referirte a una cosa con el nombre de otra. Y a fuerza de hacerlo, acabas por confundir ambas.

—Entonces... ¿son hijos del mal?

La ocurrencia de la pequeña hizo sonreír al abuelo.

—El mal es algo demasiado abstracto. Y tanto ellos como sus padres tienen forma.

Nadia lo miró con los ojos muy abiertos sin atreverse a decir nada.

—No pongas esa cara. Los hijos de Set no son un cuento. Existen. Son los hijos carnales de las criaturas más egoístas que ha dado la creación: los propios dioses.

Nadia se acurrucó entonces en su regazo para escuchar mejor la historia que intuía estaban a punto de contarle. Solía cruzar el Nilo con su abuelo una vez por semana y siempre se colocaba así en la barca para atender mejor sus palabras. Aquel era un plan excitante para ella. Juntos visitaban los mausoleos de sus antepasados, almorzaban al fresco en el umbral de alguno de ellos y regresaba al caer la noche con la cabeza llena de novedades.

Para Nadia las tumbas de la orilla oeste nunca fueron, pues, lugares tristes o macabros, sino el escenario de grandes confidencias. La mayoría se arracimaban en pequeños habitáculos excavados en la roca desde los que se podía vigilar la aldea al otro lado del río. Casi todas estaban estucadas. Las menos tenían jeroglíficos escritos sobre las paredes, e incluso algún que otro texto en árabe en el que se contaban las gestas de sus inquilinos. Su abuelo las conocía al dedillo y afirmaba que gracias a su privilegiada ubicación los muertos no perdían de vista a los vivos. Por eso creía que era tan importante honrarlos y cuidar de su bienestar. Y él, hinchando el pecho, se enorgullecía de haber sido elegido por su clan para tan alta misión.

—¿Sabes qué diferencia estos enterramientos de los

de los viejos faraones del Valle de los Reyes? —le preguntaba a menudo.

La pequeña Nadia, tímida, no se atrevía nunca a responder.

—¡Nada! —le dijo en aquella ocasión Gabriel—. ¡No se diferencian en nada en absoluto! Sus tumbas y las nuestras sirven para lo mismo: son puertas al *Amenti*, al más allá. Umbrales que todos cruzaremos antes o después.

—¿Todos? —La garganta de la pequeña se cerró de angustia—. ¿Tú también, abuelo?

—Yo también... Los escritos religiosos más antiguos del género humano, los que llaman *Textos de las Pirámides*, decían que «ser mantenido al margen de la muerte es malo para los hombres».

—¿Pero cómo va a ser malo no morir, abuelo?

—Morir es parte del orden del universo, pequeña. No todos podemos infringirlo.

Al escuchar aquello, Nadia se quedó pensativa por un momento:

—¿Es que hay alguien que sí puede, abuelo?

—¡Ay, pequeña! —Gabriel la abrazó—. A veces los hijos de la Luz y los hijos de Set, enfrascados en su lucha eterna, dejan que el orden se rompa. Que alguno de nosotros venza a la muerte. Es..., cómo decirlo..., un efecto colateral de la guerra que los dioses libran por nosotros desde el día que nos crearon.

—¿Los dioses guerrean por los humanos? —Se encogió de hombros, cada vez más intrigada.

—Lo hacen desde el principio de los tiempos.

—¿Y cuándo fue ese principio?

—¿De veras quieres saberlo, niña?

Dos hoyuelos se dibujaron en la comisura de los labios de la pequeña:

—¡Por supuesto! ¡Cuéntamelo todo!

El abuelo Gabriel, casi siempre parco en palabras cuando tenía que referirse a esas cosas antiguas, se explayó aquella tarde con una historia maravillosa. Le explicó que cuando los dioses nos crearon, lo hicieron solo para disponer de una criatura que los sirviese y adorase.

—Ellos —le dijo— se alimentan de la energía que generan nuestras súplicas; son como parásitos que engordan cuanto más grande es nuestro sufrimiento.

—¿Los dioses nos comen?

—Te lo advertí. Quizá no quieras saber más...

—No, no, abuelo. Sigue, por favor.

Nadia escondió su tierno espanto arrebujándose en el regazo de Gabriel. Su abuelo la estrechó aún más entre sus brazos.

—Pues sí. Nos comen. De algún modo los dioses nos necesitan para alimentarse —respondió—. Pero al crearnos estas criaturas egoístas no previeron algo: su obra humana creció enseguida, se hizo inteligente, abrió los ojos, aprendió a hablar, a escribir, a guardar memoria del pasado, y al cabo de un tiempo empezó a imitarlos y a anhelar su longevidad. Una parte de aquellos dioses vio con simpatía, incluso con orgullo, nuestro afán de superación, pero a muchos otros les espantó. ¿Cómo iban a permitir ellos que un ser inferior, un humano frágil y mortal modelado por sus manos, aspirara a convertirse en un igual?

—¿Y qué pasó?

—¡Ay, Nadia! —suspiró—. La ambición de nuestros antepasados terminó provocando una fractura irreparable entre los propios dioses. Hubo algunos, como Osiris, que opinaban que deberían concedérsenos ciertos dones —entre ellos, la vida eterna—, aunque con matices. Los recibirían solo aquellos que realmente los merecieran. Osiris fue un dios justo, Nadia. Al fin y al cabo, los suyos nos habían creado a su imagen y semejanza. Sabían que éramos tan insaciables como ellos.

—Pero no nos dieron la vida eterna, ¿verdad?

—No. Y la culpa fue de otros, como Set, que se opusieron. «¡Los humanos han nacido para ser nuestros esclavos!», decían. Pero comprendiendo que la criatura humana era tozuda y que nunca renunciaríamos a nuestras aspiraciones, sus partidarios, los hijos de Set optaron por jugar al engaño. Nos prometieron la inmortalidad. Sí. A fin de cuentas, era lo que queríamos escuchar. Y con ello nos aplacaron. Pero tras concedérsela a unos pocos elegidos, urdieron artimañas para robárnosla después.

Nadia se agarró a las mangas de la chilaba de Gabriel, y tiró de ellas.

—Pero, abuelo, ¿todo esto es verdad?

Los ojos azul oscuro de Gabriel se entrecerraron, revelando una tupida red de finas arrugas a su alrededor.

—Desde luego que sí.

—¿Y qué ha sido de esos hijos de Set? ¿Están aquí?

El abuelo asintió.

—Desde aquel tiempo, pequeña, y por su intervención, la confusión y las mentiras enraizaron en la Tierra. Los humanos nos desorientamos. Empezamos a orar y a construir templos para implorar esa vida eterna. Generamos guerras y sufrimiento, grandes anhelos y decepciones. Unos buscaron cálices que proporcionaban longevidad, otros frutas de la inmortalidad o elixires de la larga vida. Y los dioses volvieron a estar complacidos por ser el centro de nuestra existencia y poder nutrirse otra vez de nuestras emociones. Habían dejado de ser creadores para convertirse en dictadores.

—¿Y ningún humano logró la inmortalidad? ¿Ninguno logró igualarse a ellos?

—Como te he dicho, algunos sí —sonrió—. Al menos durante un tiempo.

—¡Dime uno! ¡Dame el nombre de un humano que no haya muerto!

Gabriel ben Rashid sacudió el pelo negro de su nieta en un gesto de sincero afecto.

—Verás, Nadia: durante la guerra de los dioses, Osiris quisó burlar a Set enviándonos a unos mensajeros con pistas para que fuéramos nosotros los que venciéramos a la muerte y así no darle nuevos argumentos a su oponente. Esos mensajeros aparecían solo cuando detectaban a un humano con las cualidades necesarias. Hablaban con él, lo instruían y le abrían el sendero de la no muerte. Los llamaron los sabios azules.

—¡Pero dame un nombre de inmortal! —insistió, poco interesada en aquello.

—Está bien. Uno.

—¿Quién?

—El rey Amenhotep.

La pequeña puso cara de desilusión. No sabía mucho de faraones. Apenas había oído nombrar a grandes como Ramsés, Keops o Seti..., pero ¿Amenhotep?

—Fue el padre de Akenatón, pequeña.

—¡Ah! —Dio un respingo, recordando al instante las extrañas efigies de ese rey de gran barriga, rostro y cráneo alargados. No había visto ninguno tan extraño como él.

—Amenhotep fue el penúltimo humano que se hizo acreedor de la inmortalidad. Los sabios azules se fijaron en él porque su reinado fue el más próspero de la historia de Egipto. Gobernó durante casi cuarenta años, ¿sabes?, y se sometió a dos ceremonias de la longevidad que no se practicaban correctamente desde la época de las grandes pirámides.

—¿Y funcionaron?

Gabriel sonrió.

—Las ceremonias Sed funcionan si se saben conjurar —respondió—. Son la pista que Osiris nos dio.

—¿Ceremonias Sed? Nunca he oído nombrarlas. ¿Qué son? —preguntó—. ¿Magia?

—Las Sed eran una especie de gran fiesta de la renovación. Se celebraban únicamente cuando el rey cumplía treinta años en el trono. En esas efemérides los sabios azules descendían de sus escondites y ayudaban a preparar los ritos que le rejuvenecían.

—¿Solo lo hacían más joven? ¿No lo convertían en inmortal?

—Contra lo que muchos creen, la inmortalidad, pequeña, no es un estado permanente. Debe renovarse.

—¿Y cuántas veces se sometió Amenhotep a ese rito?

—Dos —dijo bajando la voz—. Pero en la segunda ocasión ocurrió algo terrible.

La pequeña no pestañeó.

—¿Qué, abuelo?

—Akenatón, su hijo, lo traicionó. Quiso robar para sí la magia Sed. Sabía que no le correspondía ese privilegio, pero los hijos de Set, que detectaron la llegada de los mensajeros de Osiris, lo convencieron de lo contrario. Ya lo decían los antiguos maestros: «La avidez es la enfermedad grave de un incurable; sanarla es imposible». Su acto, pues, trajo la oscuridad a Egipto. Akenatón cambió de dioses, de culto, construyó una nueva capital y ahuyentó a los sabios azules creyéndose destinado a la vida eterna. Qué error.

—Pero abuelo... —los ojos de Nadia estaban abiertos como platos—, ¿y a dónde fueron los sabios azules? ¿Ya no volvieron más?

El patriarca sacudió de nuevo el cabello azabache de su nieta. De repente se le habían humedecido los ojos.

—Tuvieron que pasar quince siglos para que se dejaran ver otra vez. Pero entonces ya no entregaron su secreto a un faraón. Habían perdido su confianza en ellos.

—¿Y a quién se lo dieron?

El abuelo sonrió divertido.

—Solo querías el nombre de un inmortal...

Nadia arrugó su naricita:

—Por favor, abuelo —suplicó.

—Está bien —suspiró—. Se lo dieron a un niño extranjero, un refugiado, un judío llamado Yeshua.

—¿Al Jesús de los cristianos?

Gabriel asintió cerrando los ojos.

—Pero también entonces los enemigos lo acecharon. Siempre están ahí. Sin embargo, él los venció.

—¿Y después, abuelo?

—A nadie.

—¿Y cuándo volverán?

—Espero que pronto.

—¿Pero cuándo? —insistió.

Gabriel tragó saliva.

—Te lo he dicho antes. Cuando pise Egipto alguien que merezca la vida eterna.

18

Nazaret, primavera de 1799

—Maestro, ¿también vos sabéis cómo hacer regresar a un hombre de la muerte?

La pregunta del joven general quedó suspendida en el aire durante unos instantes.

Bonaparte, incómodo, miró distraído a su alrededor, como si quisiera dar tiempo al sabio Balasán para encontrar las palabras justas. Pero el anciano no reaccionó.

—Señor... —murmuró al fin su intérprete, rompiendo aquel silencio—: estos hombres han descendido de las montañas por primera vez en mucho tiempo para hablar con vos. Creo que desean estar seguros de que se dirigen al verdadero Bunabart.

—Y aquí me tienen.

Elías Buqtur bajó su mirada en señal de humildad:

—Me temo que no me he expresado bien, señor.

—¿Qué quieres decir?

—Cuando un hombre del desierto que vive para los asuntos del espíritu dice que desea revelarle algo a otro, queda implícito que no lo hará mediante palabras.

Bonaparte puso cara de no comprender.

—Veréis, señor —siguió Elías en susurros, algo incómodo por tener que dar esa clase de explicaciones—: para hablar de cosas que están más allá de este mundo debemos recurrir al lenguaje del alma. Es el corazón el que debe comprender. No la mente. De ese modo se evitan los malentendidos. Creo que el corazón de estos hombres quiere saber si el vuestro es... verdadero.

—Pero... —el general titubeó, desconcertado por aquel discurso—, ¿van a responder o no a mi pregunta?

Los tres sabios azules los miraban como si comprendieran, pero mantuvieron sus bocas cerradas.

—Lo harán —dijo el copto—. Aunque debéis saber que sus respuestas solo tendrán valor para vos. No servirán a vuestra misión militar. Ni a vuestros hombres. Será algo... intransferible.

—¿Han dicho eso?

Buqtur sacudió la cabeza.

—Su voluntad es responder a todas vuestras preguntas, señor. Es lo único que explica que estén aquí.

Bonaparte, al fin, concedió quedarse un tiempo más con tan extraños beduinos. Era consciente de que solo conquistaría Tierra Santa si era capaz de cerrar alianzas con los líderes religiosos de la región. Y aunque empezaba a dudar que los azules fueran a darle apoyo práctico, decidió escucharlos.

—¿Cuánto tiempo estaremos detenidos en Nazaret, Elías?

—A lo sumo esta noche, señor.

—¿Y qué haremos aquí si no hablan? —preguntó con media sonrisa.

—Abrir nuestros corazones, señor —respondió enigmático—. Especialmente el suyo.

19

Aquella noche de abril, con la ayuda de Buqtur, Bonaparte se instaló siguiendo las instrucciones del venerable Balasán y de su acompañante. Los sabios azules cubrieron el suelo de arena de la choza con alfombras que mandaron traer de otras viviendas. En una de sus esquinas colocaron un aguamanil, una palangana y una gran garrafa de agua fresca. Ordenaron cerrar ventanas y puertas. Sellaron con trapos las rendijas del techo por las que se filtraba luz y dieron instrucciones a sus huéspedes para que se pusieran cómodos y se desprendiesen de cuchillos, espuelas, hebillas u otros objetos de metal. Y cuando ya estaban en camisola, les llegó su última petición: el Sultán de Occidente debía suspender su raciocinio durante unas horas.

—No juzguéis, no analicéis... No penséis —le ordenó Tagar mientras le indicaba dónde y cómo se acostaría—. Todo se os revelará si cumplís con unos preceptos muy sencillos.

—Aunque antes os pondremos en antecedentes —matizó Balasán.

—Vais a hablarme otra vez de Yeshua, ¿verdad?

Bonaparte dijo aquello con cierta acritud. Estaba semidesnudo. Sin su casaca ni sus calzas. Desarmado. Sentado en el suelo, con las piernas cruzadas, y con una sensación de inferioridad a la que no estaba acostumbrado.

La frente arrugada del viejo ermitaño se encogió.

—Así es, Bunabart. Ya os dije que la historia de Yeshua tiene mucho que ver con nuestros viejos dioses.

—Isis, Osiris y Horus, sí —confirmó.

—¿Conocéis su historia?

—Contádmela vos. Cada uno la cuenta con sus matices.

—Tenéis razón —aceptó.

Balasán se recostó sobre las alfombras, abriendo sus poderosos ojos del color del cielo.

—Es una gran historia. Quizá la más grande jamás sucedida —dijo—. Pero para comprenderla, lo primero que debéis saber es que aquellos dioses se diferenciaron muy poco de vos o de mí. En realidad, Isis y Osiris fueron las primeras criaturas humanas creadas por los verdaderos dioses: Nu, la no esencia; Atum, el señor de los límites; Shu, el viento; Geb, la tierra, y Nut, el cielo... De ellos surgieron los cuatro hermanos de carne y hueso que poblaron por primera vez este planeta: dos hembras, Isis y Neftis, y dos varones, Osiris y Set. Todos ellos son el equivalente a vuestros primeros padres, Adán y Eva.

—Comprendo. Los mitos cambian de forma, no de esencia —asintió Bonaparte—. Continuad, os lo ruego.

—Osiris fue designado primer rey de la Tierra. Se casó con Isis y juntos gobernaron durante un tiempo lleno de dicha y felicidad. Sin embargo, sus éxitos pronto despertaron el profundo odio de su hermano Set.

—Entonces es como la historia de Caín y Abel —lo interrumpió.

—Así es, Bunabart. Solo que en el relato egipcio el traidor asesinará a su hermano de un modo más sutil que en la Biblia. Set fue un dios muy inteligente; tardó meses en urdir su plan. Lo primero que hizo fue hacerse, en secreto, con las medidas del cuerpo de su hermano. Con ellas fabricó el más suntuoso sarcófago que se haya visto jamás en la Tierra, y cuando lo tuvo listo organizó una fiesta para presentárselo a los dioses. Nadie tenía idea de qué iba a suceder en esa reunión, pero cuando apareció con el sarcófago y los deslumbró a todos, prometió que lo regalaría a aquel que se tumbase y encajase mejor en su interior.

—¿Y Osiris se tumbó?

Balasán asintió.

—Fue una cuestión de cortesía permitir que el soberano fuera el primero en probarlo. Lo hizo. Y para cuando estuvo dentro, Set y sus cómplices se apresuraron a cerrar la tapa, sellarla con plomo y lanzarlo al río. ¡Larga muerte al rey!

—Fue un imprudente. Yo nunca lo hubiese hecho...

El anciano sonrió.

—Nunca digáis nunca, Bunabart.

Bonaparte se sacudió aquella perturbadora imagen del dios enterrado vivo en un sarcófago y reencauzó la conversación:

—Y decidme, maestro, ¿qué ocurrió después?

—Tras la muerte de Osiris, Set se convirtió en el señor de Egipto. Todo el país sucumbió a las sombras, cayendo bajo un nuevo amo más pendiente de los astros que de las cosechas. Isis enloqueció de dolor y con la ayuda cómplice de Neftis, se lanzó a buscar el cuerpo de su hermano y esposo con la idea de practicar con él el rito que tanto os interesa.

Bonaparte abrió los ojos:

—¡El camino de la resurrección!

Balasán calló.

—¿Y... lo consiguió? —inquirió con una nada disimulada ansiedad—. ¿Logró Isis devolver la vida a Osiris?

—La historia es muy larga. Set descubrió el complot de su cuñada y su hermana. Les arrebató la momia de Osiris cuando ellas ya la habían recuperado en Biblos, la despedazó y dispersó ante sus ojos, y aun así lograron recomponer su cuerpo parte a parte y... sí... El relato dice que Isis reanimó a su marido el tiempo suficiente como para quedarse embarazada de él y engendrar a un hijo que reclamaría el legítimo trono del país para su estirpe. Así nació Horus. El vengador. El primer faraón.

Balasán hizo una pausa algo teatral. Levantó la mirada al techo como si buscara algo, y con un gesto ordenó a Tagar, su asistente de los pómulos esculpidos, que le acercara algo de agua.

—¿Y cómo logró Isis devolverle la vida a Osiris, venerable?

—Oh... —Balasán tragó líquido hasta saciarse—. Ese conocimiento pasó a nuestra fraternidad. Somos los herederos de Horus, los que dimos legitimidad a los faraones de Egipto durante siglos. Y también quienes se la arrebatamos para confiársela a otros.

—Como a Jesús —completó Bonaparte.

—Así es.

—No me decís nada nuevo, maestro. Jesús, José y María huyeron a Egipto durante la persecución que Herodes organizó contra los niños menores de dos años. Vino aquí... y aquí lo conocisteis. Es una historia muy navideña.

—No la subestiméis, Bunabart. Va a ser la que os permita comprender qué pasó.

—¿En serio?

—Meditadlo por un instante. Yeshua llegó a Egipto siendo niño. Y tras una fugaz reaparición en el templo de Jerusalén entre los doctores, volvió a desvanecerse. Ya nadie volvería a saber de él hasta que cumplió los treinta años e inició su vida pública...

—¿Queréis decir que en esos años Jesús tuvo acceso a vuestro secreto y que por eso...?

—... Murió pero supo resucitar, sí.

El beduino escrutó el gesto severo de Bonaparte.

—Decidme, ¿nunca os habéis preguntado por qué se ocultó Yeshua hasta esa edad y después se entregó con esa determinación a su misión de *pescador de almas*?

El general negó con la cabeza, como si aún estuviera procesando aquella cadena de conexiones que se le ofrecía.

—La respuesta es muy sencilla, Bunabart —dijo—: Jesús no dio un paso en su misión hasta no recibir su Hebsed.

—El Hebsed o ceremonia del Sed era la más sagrada e importante de las fiestas del antiguo Egipto —terció entonces Tagar—. Se celebraba solo cuando el faraón alcanzaba tres décadas en el poder. Mediante una serie de rituales se le revitalizaba, alargándosele la vida. Era, como os ha dicho el maestro, una ceremonia de origen divino, patrimonio exclusivo de los reyes.

—¿Y funcionaba?

La pregunta de Bonaparte les hizo sonreír.

—Hay algo que sigo sin entender —añadió—. Si decís que ese rito se aplicaba solo a los reyes, ¿por qué se lo concedisteis al hijo de un carpintero de este pueblo?

Los beduinos rompieron a hablar a la vez, pero el maestro Balasán terminó imponiéndose.

—Es muy buena pregunta, Bunabart. Y la respuesta deberá haceros reflexionar: por dos razones. La primera, porque descubrimos que por sus venas corría sangre real, divina...

—¡Pero si Jesús era judío! —protestó.

Balasán tomó aire.

—Pensad antes de hablar. Yeshua fue hijo de Miriam —dijo tras expeler el aire inspirado—. Y Miriam perteneció a la tribu de Judá. Este, a su vez, fue hijo de Lía, esposa repudiada por Abraham que se quedó preñada del mismísimo Dios. Y los hijos de dioses y hombres son el origen de la realeza. ¿O es que no habéis leído el Antiguo

Testamento? Ahí está dicho que su sangre era del azul del cielo. ¡Releedlo!

—¿Y qué tiene que ver la estirpe de Lía con Egipto? —objetó pese a todo.

—Más de lo que creéis.

—¿Sí?

—Lía tuvo otro hijo, Leví, y de él nació Moisés, que fue príncipe de Egipto, sumo sacerdote e iniciado en la religión de Isis. ¿Comprendéis ahora por qué entregamos a Yeshua nuestro conocimiento? ¿Podéis entender nuestra fascinación al saber que él, como Jacob o Leví antes, había nacido de padre divino y madre humana? ¿Cómo no íbamos a iniciarlo en las ceremonias Sed?

—Está bien. ¿Y la segunda razón?

—¡Ah! La segunda es porque gracias a un cuento, a una vieja parábola egipcia, vuestro Yeshua dio con el lugar en el que el secreto de la vida, el rito del Sed, era aplicado por los dioses a los elegidos.

—¿Un cuento? ¿Jesús descubrió el secreto en un cuento?

—Sí. En un cuento. ¿Queréis oírlo también vos?

20

Las manos sarmentosas del venerable Balasán trazaron el inconfundible perfil de una pirámide en el suelo de arena de la choza. Y hecho aquello, clavó su mirada transparente en su interlocutor.

—Esta es una historia de los tiempos del rey Keops —de repente su voz se hizo más grave—. Sabéis quién fue, ¿no es cierto?

—El constructor de la Gran Pirámide, maestro.

Balasán asintió.

—Ese faraón vivió obsesionado con la historia de su país. Había oído hablar tanto del tiempo en el que los dioses gobernaron Egipto que decidió escribir una crónica fiel para la posteridad. La época de la venganza de Horus contra Set estaba lejana, pero no tanto como hoy, y Keops pretendía reconstruirla. Por desgracia, todos los relatos que recogió durante su investigación resultaron incompletos o contradictorios. Así que un buen día, cansado, convocó a sus príncipes para pedirles que hicieran un pequeño esfuerzo por él: reunirían todo cuanto pudieran de ese pasado glorioso y se lo ofrecerían en una serie de audiencias especiales.

—¿Convirtió a sus hijos en historiadores? —murmuró Bonaparte.

—Así es. Pero lo cierto es que ninguno logró sorprenderlo con nada nuevo... salvo uno. El príncipe Hordedef.

—¿Hordedef? —El general frunció el gesto. Era la primera vez que oía ese nombre.

—Fue uno de los hijos mayores del faraón —le aclaró—. El caso es que durante su audiencia Hordedef no le recitó ningún viejo cuento. Prefirió hablarle de un mago de edad muy avanzada que lo tenía fascinado y al que había conocido hacía poco en la ciudad de Dyed-Sneferu. Según él, aquel brujo poseía unas habilidades extraordinarias: era capaz de juntar las extremidades mutiladas de un cuerpo sin ser cirujano, podía domesticar un león salvaje sin ser cazador, y lo más importante de todo, conocía el número de estancias secretas del santuario del dios Toth.

—¡El santuario de Toth! ¡La pirámide primordial!

Balasán volvió a asentir complacido.

—A Toth lo habréis visto representado en muchos lugares. Fue el dios de la sabiduría. Nos enseñó la escritura jeroglífica, concedió leyes por las que regirnos y nos mostró cómo construir pirámides. Tiene cuerpo de hombre y cabeza de ibis, y siempre sostiene un lápiz y una paleta de escriba.

—Sé cómo es Toth, maestro.

—Aguardad. El relato continúa.

—Claro —asintió—. Disculpadme.

Balasán aceptó las excusas.

—Cuando Keops vio lo impactado que estaba su hijo con aquel súbdito, le ordenó que lo llevara a la corte. Deseaba comprobar por sí mismo aquellas maravillas. Dyedi, pues así se llamaba, resultó ser un personaje más extraordinario aún de lo que imaginaba. Tenía mi misma edad, ciento diez años, y un aspecto envidiable. Decía ser capaz de comerse quinientas piezas de pan al día y beberse cien jarras de cerveza.

—¿Y le creyó? —Resopló Bonaparte—. Alguien que hace esa clase de afirmaciones o es un mentiroso o un loco...

—Keops era un hombre prudente, como vos. Así que decidió ponerlo a prueba.

—Yo habría hecho lo mismo.

—Mando traer a un prisionero al que poder despedazar ante el viejo brujo y comprobar si, en efecto, era capaz de revivirlo.

—Y se negó, claro.

—Sí.

Napoleón sonrió.

—Era un estafador.

—No tan deprisa, Bunabart. El viejo se negó porque decía que la humanidad era un «rebaño ilustre» y no se debía jugar con él. Pero le propuso una alternativa. Haría lo que pedía con una simple oca de sus corrales.

El beduino dejó que Buqtur terminara de traducir la última frase. Entonces prosiguió:

—Dyedi segó el cuello del animal de un tajo y colocó su testuz en el lado más oriental del Salón de Juicios. El resto de su cuerpo lo dejó en el rincón más occidental. Y una vez separados, tras comprobar que el tronco de la oca se había derrumbado tras los últimos espasmos, pronunció un ensalmo...

Bonaparte aguardó a que el imán vocalizara la fórmula mágica, pero no lo hizo.

—¿Y qué pasó? —se impacientó.

—Se obró la magia, naturalmente —respondió—. El cuerpo sin cabeza se levantó y atravesó anadeando el Salón de Juicios ante los mismísimos ojos de Keops.

—No me lo creo.

—¡Esperad! Cuando llegó ante su antigua cabeza el tronco se inclinó frente a ella. La testuz se sacudió y tras dar un salto se adhirió a su cuerpo. La oca había vuelto a la vida.

Balasán tomó aire.

—¿Qué creéis que hizo Keops, Bunabart?

—¡Pedir más pruebas!

—Exacto. El venerable Dyedi repitió su fórmula con un flamenco y hasta con un buey.

—¿Y lo convenció?

—Al menos vio que no mentía. Así que decidió indagar en la otra gran afirmación del mago.

—El santuario de Toth.

El venerable asintió.

—Le preguntó si realmente conocía el número de estancias secretas de ese santuario, ya que él estaba levantando su Horizonte y necesitaba saberlo para ajustarlo al gusto de los dioses.

—¿Horizonte? ¿Qué queréis decir?

Balasán señaló entonces el dibujo que había trazado en el suelo y a su primitivo esquema le añadió corredores y salas como si fuera un plano. Bonaparte comprendió.

—Aquel poderoso anciano reveló a Keops que su magia procedía realmente de ese lugar. Que todo su poder estaba contenido en un cofre de piedra dentro de ese santuario piramidal al que llamó El Inventario, y que el dios construyó en la noche de los tiempos. Y le dijo también que solo una clase muy especial de humanos, descendientes directos de la primera pareja real, Isis y Osiris, podría acceder a él.

—Comprendo...

—¿Seguro? —apostilló el anciano.

—No es difícil de imaginar qué pasó después. Keops buscó el santuario, lo halló, extrajo de él su secreto y lo guardó en su propio... ¿Horizonte, dijisteis?

—Hasta ahí muy bien —asintió—. Pero queda algo más. El secreto no es un objeto. Ni una inscripción que cualquiera pueda leer. Es algo que se revela cada cierto tiempo a un hijo de Isis. Y el último fue, como os he dicho, Yeshua.

—¿Y sabéis si vendrá otro?

—Sí. El siguiente... ¡sois vos!

Elías Buqtur notó como la traducción de aquellas palabras causaba un efecto extraño en el general. Su rostro se quedó impávido, blanco, como si hubiera mirado a los ojos de Medusa. Pero aquel lapsus duró lo que un suspiro porque, al segundo, Bonaparte se recompuso:

—Pero, maestro —susurró—, yo no soy un hijo de Isis.

—No es eso lo que nos dicen los signos.

—¿Signos? ¿Qué signos?

—¡Todos los signos! —exclamó Balasán—. Sultán de Occidente: vos nacisteis precedido por la aparición en el cielo de una estrella, tal y como sucedió con Osiris o con Yeshua. Habéis llegado a Tierra Santa, a la tierra del mismísimo hijo del carpintero, cuando estáis a punto de cumplir treinta años y estáis preparado para recibir vuestra propia iniciación. Y, por si fuera poco, procedéis del país en el que se construyó la última de las pirámides de Toth. El último santuario Sed.

Bonaparte se quedó sin saber qué decir.

Era cierto que el próximo 15 de agosto cumpliría treinta años. Y muy cierto también lo que había dicho de la estrella. Un cometa surcó los cielos de Europa la semana anterior a su llegada al mundo, y aunque medio continente lo tomó por un signo funesto, su madre lo entendió por todo lo contrario: un guiño de la Providencia hacia su nuevo hijo. Ahora bien, ¿cómo podía un simple beduino disponer de aquella información?

¿Y qué era aquello de la última pirámide?

¿En Francia?

¿Dónde demonios había oído aquello antes?

El general se abatió, sacudiendo la cabeza.

—Comprendo cuánto os turba esto, Bunabart —murmuró Balasán acercándosele al oído—. Debéis aprender a vaciar vuestra mente. A aceptar lo que el destino os ofrece. De lo contrario, vuestras dudas solo os conducirán al fracaso. Hemos salido a vuestro encuentro para recordaros que debéis celebrar vuestro propio Sed si queréis dominar Egipto. Nuestra misión será prepararos para que tengáis éxito en el ceremonial.

—¿Ceremonial? ¿Qué ceremonial?

El anciano no respondió.

—¿Dónde tendrá lugar? ¿Y cuándo?

—Ocurrirá tres días antes de vuestro trigésimo cumpleaños, en la Gran Pirámide de Giza, en la réplica del santuario de Toth.

Un escalofrío recorrió al joven general.

—¡Pero yo no sé nada de rituales! ¡No sé qué habrá que hacer!

—Es muy sencillo: pondréis vuestra mente sobre la balanza de Maat, la diosa de la justicia, y le pediréis permiso para someteros al Sed —terció el joven Tagar.

—No sé cómo se hace eso. ¡Ni siquiera sé lo que es! —insistió.

El acompañante de Balasán, el *ángel de la sonrisa*, sacó entonces de debajo de su galabeya un frasquito de cristal oscuro con un bebedizo en su interior. Estaba cubierto por una tela de color azafrán que impedía que se escapase el extraño aroma ácido que ahora inundaba toda la choza...

—Bebed esto. Os entrenará para ese momento.

Bonaparte echó un vistazo desconfiado al frasco.

—¿Qué es?

—El primer paso para devolver un muerto a la vida —dijo Balasán.

—En ese caso, ¡sea!

Y para asombro de Buqtur, que sabía lo receloso que era su señor, Bonaparte ingirió el contenido del frasco de un solo trago.

21

Edfú.
Amanecer del 10 de agosto de 1799

Nadia y Alí caminaron al fresco de las primeras horas del día hasta llegar al centro del pueblo. Habían recuperado fuerzas en la posada de Esna, aunque la Perfecta todavía le daba vueltas a su extraño vahído y al sueño que había tenido con su abuelo. A buen paso dejaron atrás la calle de los curtidores y las dos destartaladas mezquitas que servían de refugio nocturno a los viajeros sin recursos y, animados, saludaron a algunos vecinos que ni siquiera reconocieron a Nadia. Mejor así. Edfú era un hervidero. Un cruce de caminos en el que su familia llevaba viviendo varias generaciones tratando de evitar a los esbirros de Omar. Cuanto menos supieran de la mujer que acompañaba a Alí ben Rashid, más seguros estarían todos.

Cuando alcanzaron la plaza de abastos, los vendedores humedecían el suelo para conjurar las nubes de polvo y adecentaban el género que habían desplegado sobre sus carromatos de colores. Era sábado, día de mercado, y a Nadia toda aquella actividad la hechizó. Casi la había olvidado. Llevaba sin pisar sus calles demasiado tiempo y en Luxor a esas horas, después de sus noches en el café de Yusuf, siempre dormía.

Por fin, sobre un grupo de casas de adobe vieron emerger los muros rectos y afilados de un templo antiguo.

—Haremos una última parada en la casa del gran Horus —le anunció Alí con cierta solemnidad—. Este es el lugar donde lo divino triunfa sobre lo temporal. El palacio de la resurrección. Tenemos tiempo antes de zarpar.

La Perfecta asintió encantada.

Pese a que había jugueteado de pequeña a la sombra de sus paredes, jamás había atravesado sus pilonos.

—Te gustará —le prometió su tío.

El recinto resultó más impresionante y mejor conservado de lo que había imaginado. Sus paredes se levantaban por encima incluso de las enormes columnas de la sala hipóstila de Karnak y aparecían cubiertas de relieves respetados por el tiempo. Allí estaba representado el universo entero. Sus techos todavía conservaban briznas de pintura azul y se distinguían bien las típicas estrellas de cinco puntas egipcias. Los capiteles en forma de flor de loto o de papiro tampoco habían sido destrozados. La casa de Horus —otrora impenetrable salvo para los sacerdotes— seguía siendo, pues, la metáfora perfecta de la creación que habían imaginado sus arquitectos.

—¿Lo ves? —Alí, de repente, se mostraba exultante y hablaba con un entusiasmo contagioso—. ¡Este lugar es digno de los dioses! Muy cerca de aquí, hace miles de años, estuvo el Kap, el lugar en el que el joven Amenhotep aprendió sus lecciones más importantes. En este lugar le pusieron al corriente de la batalla ancestral de la que quiero hablarte.

Su tío, igual que los sacerdotes afeitados de los muros, se inclinó ceremonioso ante la puerta de entrada y a continuación la condujo hasta un patio abierto que desembocaba en otro acceso flanqueado por sendas estatuas de granito. Eran dos grandes halcones de piedra tallados en una sola pieza. Ante ellos, Alí cruzó los brazos por delante del plexo solar e hincó la rodilla en el suelo en otra exagerada reverencia.

—Es Horus, hijo de Isis, Señor de las Dos Tierras, el

Vengador —dijo al levantarse—. Su madre se quedó preñada de él gracias al acto mágico más grande de la Historia.
Con él consiguió resucitar a su padre fallecido setenta y dos
días antes, y devolverle la vida justa para hacerle el amor y
quedarse encinta.

—Conozco esa historia —repuso Nadia con una sonrisa nada ingenua en los labios—. Cuando aquel vástago
creció y supo que su padre, el divino Osiris, había perdido
la vida a manos de su tío, decidió vengarlo. Empezó así la
lucha entre Horus y Set. Su combate marcó las creencias
de nuestros antepasados y durante generaciones representó el ideal de enfrentamiento entre la Luz y las Sombras.
Horus era hijo de la Luz; Set, el de las Tinieblas.

—Fue tal y como dices —asintió Alí—. Este templo se
levantó para recordar ese combate. Los sacerdotes lo lle-
naron de sus imágenes. Acompáñame: te las mostraré.

Alí tomó entonces de la mano a su sobrina y la guio
más allá del segundo pilono, rumbo a la zona más sagrada
del recinto. Los muros, en efecto, estaban cubiertos de
escenas bélicas. La contemplación de aquellos guerreros
de mirada feroz, alineados unos junto a otros, le recordó
por un momento a su visión de la noche anterior. Durante
un instante sintió otra vez la fuerza con la que la escrutó el
soldado de ojos negros que se había colado en sus pensamientos. Pero Nadia, pudorosa, se deshizo pronto de esa
sensación que la ruborizaba y se dejó arrastrar por su tío.

Enseguida enfilaron un estrecho pasillo sin techumbre
en cuyas paredes lucían unos hermosos bajorrelieves de lo
que parecía un enfrentamiento naval. Las imágenes, precisas, llenas de pequeños detalles, impresionaron a la Perfecta. Barcos de una sola vela guiados por un ejército de
remeros avanzaban en pos de una extraña criatura acuáti-
ca. En la proa, un majestuoso Horus, lanza en ristre, trataba de dar caza al monstruo.

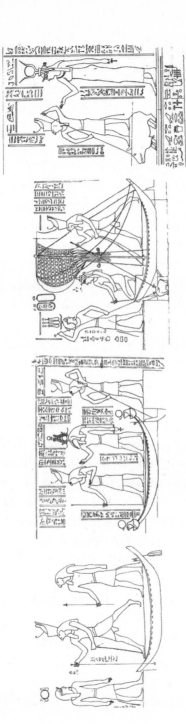

Horus persiguiendo a Set. Templo de Edfú

—Los seguidores de Horus cuentan que el dios halcón, una de las gloriosas manifestaciones del disco solar, alanceó a Set y lo sumergió en las tinieblas, derrotándolo para siempre. Set tiene aquí forma de hipopótamo. ¿Lo ves?

Nadia asintió al ver al pequeño animal bajo la lanza del gran dios halcón. Por alguna razón le recordó a los iconos coptos de san Jorge matando al dragón.

—En el sexto mes del año, en este templo se celebraba el Festival de la Victoria. Nuestros antepasados conmemoraban el triunfo del Bien sobre el Mal...

—Así que, finalmente, Horus venció a Set —interrumpió la Perfecta asombrada, como si las paredes le contaran el final de una historia que ella conocía de oídas.

Pero la respuesta de Alí la desilusionó:

—No exactamente...

—¿Qué quieres decir?

—Por eso te he traído a ver esto, Nadia. Aunque los dioses dirimieron sus diferencias en la noche de los tiempos, sus seguidores, los humanos, hemos perpetuado su combate. La guerra, por desgracia, no ha acabado.

La Perfecta se encogió de hombros sin saber qué decir.

—Los seguidores de Horus terminaron convirtiéndose en faraones —prosiguió su tío—. Los de Set, en su mayoría, acabaron practicando la hechicería. Los dioses nos dejaron combatir porque así ayudábamos a preservar el equilibrio del universo. Ya sabes: todo en la creación es un eterno balanceo entre dos polos. Maat.

—¿Nos dejaron combatir? ¿Te refieres a nosotros, los Ben Rashid?

—Así es. Nuestra familia es la heredera del último faraón que descendió de los dioses.

—¿Y por qué luchamos?

—Peleamos por lo mismo que Horus y Set. Por el dominio que conseguiría del mundo quien fuera capaz de vencer a la muerte.

—¿Tiene eso sentido, tío?

—Para nosotros no es únicamente una cuestión de poder: si nuestros enemigos consiguieran lo que buscan antes que nosotros, no solo gozarían de la vida eterna, también usarían esa ventaja para exterminar a quienes no fuesen como ellos. La represión sobre los seguidores de Horus sería terrible.

Nadia repasó de nuevo aquellas escenas sobre la piedra. Tras una de las grandes imágenes de Horus enseguida descubrió un grupo de réplicas de menor tamaño del dios; pequeños halcones alineados en una formación perfecta, como si aguardaran órdenes.

—Esos somos nosotros —se adelantó Alí a su pregunta—. Los *Shemsu Hor*. Los seguidores de Horus. Sus descendientes.

—Parecen un ejército...

—Aún lo somos.

—¿Y seguimos muriendo por esa idea antigua?

Alí suspiró:

—Como en cualquier ejército también nosotros estamos expuestos a sufrir bajas. Por desgracia, esta guerra contra los hijos de Set sigue llevándose a muchos seres queridos...

La Perfecta sintió que la garganta se le cerraba. Una nostalgia intensa comenzaba a envolverla como cuando un minuto antes había recordado al guerrero de ojos oscuros. De repente sintió la necesidad de preguntar algo personal a su tío.

—Dime, ¿fueron mis padres víctimas de esta guerra, tío? —Tragó aire—. ¿Y el abuelo Gabriel?

Alí se llevó la mano a su cabeza afeitada y se la acarició, como si buscara encontrar una forma delicada de responder a su pregunta.

—No sabes cómo ocurrió, ¿verdad? —murmuró al fin.

—Era muy pequeña, tío Alí. De eso hace casi diez años...

Un atisbo de compasión se dibujó entonces en su rostro y cogiéndola otra vez de la mano, la acompañó hasta una zona de sombras en el interior del templo. Nadia temblaba. No era de frío, sino de la impresión que le causaba la mezcla de sensaciones que la recorría.

—Antes de que zarpemos, necesito que veas algo. Está aquí mismo.

Alí la condujo entonces hasta una pared casi vencida por el tiempo en la que lucía un largo texto jeroglífico. Se dio cuenta enseguida de que lo que quería mostrarle no eran esas inscripciones, sino una especie de grabado tosco que estaba raspado sobre el muro. Había sido inscrito en letras latinas poco profundas, como si hubieran sido hechas con un punzón o un puñal, y rezaba:

Saint-Germain, 1790.

—¿Qué es eso, tío?

—Un nombre y una fecha extranjeros, Nadia. Desde la época de los romanos, y aun antes quizá, ha sido costumbre de los viajeros dejarnos esta clase de recuerdos en los monumentos. Si te fijas bien a tu alrededor, ¡están por todas partes!

—Es un sacrilegio.

—Yo casi los disculpo —repuso Alí—. Esa gente veía la enorme antigüedad de nuestras piedras y creía que, inscribiendo su nombre sobre ellas, su recuerdo perviviría eternamente.

—Sí, pero...

—¿Pero qué tiene que ver esto con nuestra familia? ¿Te preguntas eso? —Sonrió afectuoso—. En realidad,

¡todo! El hombre que dejó aquí su firma fue un francés que visitó Egipto en 1790, cuando nadie podía ni imaginar que un día los ejércitos de su país nos invadirían. Viajó solo. Recorrió el país entero. Aquí en Edfú apenas estuvo unos días, pero donde más tiempo pasó fue en Luxor. En la ciudad conoció a los Zalim y dio comienzo nuestra desgracia...

—¿Por qué, tío? ¿Qué pasó?

—En esa época, el clan de los Zalim estaba bien acomodado y tenían familiares situados en todos los órganos de poder. Uno era secretario del visir de Damasco, otros eran imanes en las mezquitas o dueños de los canales de riego... El caso es que aquel extranjero intimó con ellos y les contó algo que renovó su ira contra nosotros.

Nadia retiró su mirada de la inscripción y la clavó en su tío.

—Como ya sabes, los Zalim y los Ben Rashid somos viejos, muy viejos enemigos —prosiguió él—. Ambos clanes éramos perfectamente conscientes de dónde veníamos. Ellos heredaron a los hijos de Set, nosotros a los de Horus. Ellos defendían un Maat basado en la muerte y el caos; nosotros, el equilibrio contrario. Aquel extranjero les llenó la cabeza con noticias de algo tremendo que estaba pasando en esa época en Francia. Al parecer, todo el Maat de su país se había venido abajo de la noche a la mañana. De un día para otro los campesinos habían empezado a dictar el destino de los nobles, los iletrados redactaban leyes, los ateos gobernaban las iglesias... La revolución estaba llevando a reyes y hombres de Dios a la muerte, y les aseguró que pronto ese ejemplo se extendería por el resto del mundo. Supongo que los Zalim vieron en esas noticias la oportunidad que buscaban para extender su hegemonía en Egipto. El Maat oscuro, la sombra de Set, Isefet, iba a recuperar al fin el lugar que merecía. ¡Así interpretaron la revolución en Francia! Entonces debieron de ver algo en sus hechizos. Quizá previeron que los franceses llegarían hasta aquí. Tal vez intuyeron al propio Bonaparte. El caso es que lo primero que decidieron fue acabar con nosotros. Con los únicos que podríamos ensombrecer sus planes.

—Y fueron a por mis padres...

—Los Zalim denunciaron primero al abuelo Gabriel ante los ulemas de Luxor. Lo acusaron de practicar cultos prohibidos. Y tras él vino la denuncia a tus padres. En el juicio se demostró que sus acusaciones eran ciertas, que Gabriel era el sumo sacerdote de un culto que el islam había condenado. Así que, con ayuda de los suyos, ¡hipócritas!, descargaron todo el peso de la sharía sobre ellos. Tu familia fue condenada a entregarles todas sus pertenencias y a morir lapidada frente a la gran mezquita de Luxor, Abú al-Haggag.

—¡Qué horror!

—La única a la que se condonó la pena fue a ti, Nadia. Eras una niña, así que Omar Zalim decidió quedarse contigo y encargarse de tu educación.

—¿Pero por qué, tío? ¿Por qué quedarse con la hija de sus adversarios?

—Ahora lo sabemos. Las noticias que trajo aquel visitante —dijo señalando otra vez al grafiti que tenían delante— fueron una señal. El aviso de que tiempos muy revueltos se avecinaban. Y lo cierto es que ha sido siempre en esa clase de momentos cuando han aparecido los sabios azules.

Nadia se estremeció.

—¿Sabios azules? ¡El abuelo me habló de ellos!

Alí asintió.

—Tu abuelo los estuvo esperando toda su vida.

Ella se quedó pensativa durante un instante.

—Aún no me has respondido, tío —dijo al fin—: ¿por qué Omar se quedó conmigo?

—Lo que aún no sabes, Nadia, es que los Zalim te necesitan para hacer su trabajo. Tienes algo dentro de ti, un don, una aptitud, algo que no pueden impostar. Que ninguna otra persona salvo tú puede darles. Por eso Omar te ha cuidado como si fueras un tesoro y te ha mantenido a buen recaudo hasta hoy.

—No entiendo... ¿Qué tengo? —balbuceó la Perfecta.

—No soy yo quien ha de decírtelo.

—¿Y entonces, quién?

—Alguien que nos espera en El Cairo. ¿Nos vamos?

22

Luxor.
Mediodía del 10 de agosto de 1799

Omar Zalim atravesó a paso ligero las molduras de estuco blanco de la puerta de Abú al-Haggag. Como un autómata, dejó sus sandalias en la repisa superior de la estantería de madera que descansaba junto al umbral, e instintivamente dio gracias por hallarse en un refugio tan especial como aquel. Lo que lo hacía tan valioso ante sus ojos era que Al-Haggag era la única aljama de todo Egipto que se había construido dentro de un antiguo templo pagano. Apenas existía otro inmueble como ese en el mundo, si exceptuábamos la mezquita de Córdoba, levantada sobre los cimientos de un santuario romano y ahora parasitada por una catedral cristiana. En lugares así se podía rezar, meditar o entrar en contacto con lo inefable, sin que nadie supiese exactamente a cuál de los dioses del recinto se estaba encomendando el fiel. Y eso era justo lo que Omar necesitaba. Recibir el discreto alimento de los dioses. Su energía.

Tras rodear el perímetro del templo por el lado este y superar la altura del primer patio, el guerrero escarificado se adentró en la casa de Dios sin prestar la menor atención a los orgullosos obeliscos situados unos metros más allá.

«Debí haberlo matado hace años».

Aquel pensamiento martilleaba su cabeza desde que interrogó a Fátima. El esfuerzo le había dejado exhausto y lleno de rabia.

«Debí acabar con Alí ben Rashid cuando tuve ocasión. ¡Maldito sea!».

Irritado, con la mente vagando por sus errores y la esperanza de recuperar en el templo su equilibrio, su Maat, no se dio cuenta de que Gamal, el viejo imán de Al-Haggag, atravesaba el salón de oraciones y se dirigía hacia él.

—¡Hijo! —susurró nada más alcanzarlo—. ¡Por fin regresaste! Llevo toda la noche queriendo saber de ti. Yusuf me contó lo de la fuga. ¿Has podido averiguar algo?

Omar quiso evitar a Gamal. Había agotado con Fátima sus ganas de hablar. Pero cuando vio el gesto de preocupación de su anciano protector, se sintió en la obligación de responder.

—*Assalamu Alaykum*. Lo siento —lamentó—. Todavía no he podido dar con ella. Es como si se la hubiese tragado la tierra.

—¿Tragado la tierra? ¿Y a dónde podría ir una criatura tan frágil y torpe?

—No lo sé.

—¿Que no lo sabes? —le reprochó—. ¿Pero te das cuenta de lo que has hecho, Omar? ¡Has perdido a Nadia ben Rashid! ¡A Nadia ben Rashid!

El sermón de Gamal fue el mazazo que le faltaba. Decidió ocultarle que en su huida había contado con ayuda. Era perfectamente consciente de que esa información no lo exoneraría de su responsabilidad. Que era solo culpa suya haberse mostrado demasiado entusiasta en público con sus planes y bajar la guardia alrededor de la hermosa bailarina. Pero la visión que acababa de tener de Alí, el tío materno de Nadia, durante el interrogatorio a Fátima lo torturaba. Le había visto conduciéndola hasta Edfú. Los había intuido subiéndose a una barcaza. Necesitaba saber cuanto antes a dónde se dirigían. Y recuperarla.

Gamal, al ver el rostro desencajado de su discípulo, creyó hacerse cargo de su decepción.

—¿Has mirado en la tumba de Amenhotep?

La pregunta del anciano lo arrancó de sus pensamientos.

—¿En la orilla oeste? —Omar abrió sus ojos de par en par—. ¡Por supuesto que no! ¿Cómo demonios habría podido cruzar el Nilo? ¿Nadando? ¿De noche?

—Permíteme que también yo lo dude, Omar. Pero me parece mucha casualidad que los franceses acaben de abrir esa tumba, y que a continuación la última de las Ben Rashid desaparezca delante de nuestras narices. Y a ti, hijo —añadió suspicaz—, la coincidencia también debería escamarte...

Omar Zalim echó un vistazo a su alrededor, cerciorándose de que nadie los miraba.

—Y me escama, maestro. Pero ¿qué otra cosa puedo hacer? —susurró.

—Yo tengo una idea —dijo tomándolo del brazo—. ¿Me acompañas?

Omar arrugó la nariz y aceptó sin demasiados reparos. Ya encontraría su Maat más tarde.

El imán lo condujo a una vivienda situada justo enfrente de la mezquita, donde lo instaló en una terraza desde la que se divisaba la inconfundible silueta de la montaña tebana. La mañana era ya radiante y comenzaba a apretar el calor. Desde allí casi podía tocarse el acceso al Valle de los Monos, lugar de reposo eterno de Amenhotep.

«Maldito Alí».

Gamal le ofreció una jarra de agua fresca aromatizada con hojas de menta.

—Quiero que veas una cosa —le dijo el imán—. Es algo que muy pocos han tenido el privilegio de contemplar. Pero quizá te explique por qué somos tantos los que tomamos parte en esta carrera.

Omar, intrigado, apuró un primer sorbo mientras el anciano sacaba de debajo de unos almohadones un libro de gran tamaño, encuadernado en pastas de cuero muy deterioradas. La obra debía de tener como mucho unas sesenta o setenta páginas y olía a moho.

Como si de un valiosísimo Corán se tratara, Gamal besó aquel legajo antes de tendérselo a su invitado.

—Es un viejo escrito alquímico —le dijo—. Ya sabes lo que es la alquimia, ¿verdad?

—Sí, maestro: ¡la ciencia de Egipto!*

—Muy bien —asintió—. En ese caso apreciarás el valor de lo que tienes en las manos. Quizá no te conduzca hasta ningún tesoro, ni te revele el paradero de ninguna antigüedad que no conozcas, pero te dará luz sobre tus competidores... Porque los tienes.

—Lo sé. —Apretó los puños llenos de cicatrices blancas.

Omar, supersticioso, acarició el vetusto cuero sin atreverse a abrirlo.

—¿Qué es? —preguntó al fin.

—Fue escrito hace mil años por un sabio entre sabios llamado Jabir ibn Haiyan —respondió Gamal—. Se titula *El libro de las balanzas* y da cuenta de ciertos secretos de la ciencia de los antiguos a los que tuvo acceso su autor en Bagdad, mientras estuvo al servicio del califa Harun al-Rashid. Ya sabes: el gobernante que inspiró los famosos cuentos de *Las mil y una noches*.

Al oír Al-Rashid, sintió un pellizco en el estómago.

—Aquel Jabir —prosiguió el imán indiferente— vivió hasta cumplir casi un siglo de edad. De joven se ganó la confianza del más famoso de los Rashid. Pero a su muerte,

* La palabra *alquimia*, de origen árabe, procede de la expresión *al-kimya'*, que a su vez remite al vocablo *kemi* (negro), por el que se designaba a Egipto en la antigüedad.

en vez de compartir lo recibido con su heredero, decidió confiarse a otro sultán, Abdullah Al Mamún, tercero en la línea sucesoria de Rashid. Eso ocurrió cuando el alquimista rondaba ya los noventa y dos años.

—¿Y de qué secretos habla? ¿De la receta para fabricar oro, quizá? —Omar ironizó. Sus manos seguían acariciando el volumen sin atreverse todavía a abrirlo.

—No andas muy descaminado, Omar. Jabir fue el primero que fabricó acero en el mundo; diseñó el primer alambique conocido, inventó el aguafuerte y descubrió el cloruro de amonio. Pero los mayores arcanos de Harun al-Rashid los confió al libro que sostienes. Y todos están vinculados a la búsqueda de la piedra filosofal y la inmortalidad.

—Nuestra eterna búsqueda...

—Según Al-Rashid solo unos pocos hombres han disfrutado del don de la vida eterna en toda la Historia. Y lo hicieron gracias a elixires como los de ese libro. Por desgracia, ninguna de sus recetas fue perfecta. Todas se extrajeron de otro texto, un tratado escrito por los antiguos dioses egipcios que aún permanece oculto en la Gran Pirámide.

—Conozco esos cuentos, maestro. Quizá contengan una brizna de verdad, pero tan pequeña que de poco nos sirve.

—No son cuentos. Son tradiciones. Es diferente.

—Ya. ¿Por eso nadie ha buscado ese libro en las pirámides?

—En eso también te equivocas —sonrió Gamal—. El propio Al Mamún lo hizo. Creyó a pies juntillas lo que le reveló el viejo alquimista y en el año 204* invadió El Cairo solo para que sus mejores arquitectos horadasen la Gran Pirámide y localizasen la cámara que contenía el libro. ¡Gracias a ese empeño el islam llegó a Egipto!

* La fecha se refiere a después de la Hégira. Por lo tanto, 820 d. C.

—Y no la encontró, supongo.

Gamal alzó sus manos en un gesto de simpatía hacia Omar.

—Supones bien, Omar. Y eso que Al Mamún trabajó en la pirámide durante meses, sin escatimar esfuerzos. La Gran Pirámide era entonces muy distinta a como es ahora. Todavía no habían empezado a saquearla para construir las mezquitas de El Cairo y conservaba su estructura de paredes lisas e infranqueables. Imagínate: el sultán se vio obligado a calentar sus bloques exteriores con hogueras para, una vez al rojo, agrietarlos derramando vinagre frío sobre ellos. Vencido aquel primer obstáculo, perforó una galería horizontal que terminó dando con su red de pasadizos internos. Y ni aun así halló en ellos el libro o los tesoros que se suponía debían de estar ocultos.

Al oír la palabra *tesoros* Omar arqueó las cejas.

—Pero, como bien dices, Al Mamún no halló nada —prosiguió el anciano—. Decepcionado, se juramentó para que él y sus seguidores vigilaran a todos los descendientes de Harun al-Rashid, hasta que alguno terminara revelando la situación de la cámara y del *Libro de la ciencia de la vida* oculto en la pirámide...

—Y yo he perdido a una de esas descendientes —lamentó.

—Sí. Lo has hecho, Omar. Y quizá ella sea nuestra última baza para acceder a los secretos de ese libro y no quedarnos solo con este sucedáneo.

Zalim besó su viejo *Libro de las balanzas* y lo devolvió a Gamal, como si no fuera digno de tocar más aquella reliquia.

—No merezco saber, maestro —murmuró amargo—. Lamento mi infinita torpeza.

—Omar... —Un destello de piedad brilló en los ojos del anciano—: No te he mostrado el libro ni contado esta historia para mortificarte. Lo he hecho para recordarte que, pese a todo, estás en el buen camino. Que debes ser fuerte. Y que todas las señales apuntan a que el hombre que merece recibir el libro original está ya en Egipto...

—... Y es Napoleón Bonaparte, lo sé.

Omar apuró de un trago la jarra de agua fresca que le habían servido.

—No emplees más ese tono de derrota, te lo ordeno —lo amonestó Gamal—. He encontrado otra prueba que indica que estamos en el sendero correcto —añadió tendiéndole una hoja de papel escrita en caracteres árabes muy torpes y en francés—. Lee, por favor.

Omar tomó aquel papel, arrugado y sucio, y lo leyó en voz alta:

«Cadis, jeques, imanes: vengo a restituiros vuestros derechos contra los usurpadores. Adoro a Alá más de lo que lo hacen los mamelucos, vuestros opresores, y respeto a Mahoma y al admirable Corán».

La nota estaba firmada por el líder de las tropas francesas en El Cairo y según Gamal había sido distribuida y leída por sus tropas en todas las barriadas y aldeas cercanas a Luxor.

—¿Y esto?

—Eso, Omar, es una confirmación. Una llamada de atención para que recuperemos la fe —dijo entrecerrando los ojos—. Ese panfleto demuestra que Bonaparte alberga un propósito que va mucho más allá de lo militar.

—¿Es que dudabas de que Bonaparte era el hombre que esperábamos?

—Ya no, hijo mío. Aunque hablamos de un infiel. De alguien que no sabe nada de alquimia.

—Eso no lo sabemos.

—Su país es completamente ajeno a nuestras tradiciones —replicó el anciano.

—Pero eso mismo ya sucedió antes con Yeshua. Los sabios azules deciden sin razones aparentes.

El anciano se quedó pensativo por un momento.

Gamal dejó caer entonces *El libro de las balanzas* sobre la mesa. El tomo, aunque fino, impactó contra la encimera levantando una pequeña nube de polvo. Tras espantarla con las manos, prosiguió:

—Tal vez sí exista, después de todo, una razón por la que se han fijado en un francés.

—¿Qué quieres decir?

—Verás, cuando los romanos invadieron Egipto y conquistaron Alejandría se llevaron consigo cientos de preciosos volúmenes como este. Por aquel entonces esos libros se tradujeron a lenguas paganas. Viajaron a la España de al-Ándalus, a los monasterios ortodoxos de Grecia y durante el Renacimiento llegaron a manos de libreros e impresores de Italia y Francia.

—¿Y eso quién lo sabe?

—La verdad es que ya se conocía en tiempos de Al Rashid. Y aquí viene lo interesante: como ninguno de sus herederos fue capaz de encontrar el *Libro de la vida* en la Gran Pirámide, creyeron que quizá encontrarían indicios para localizarlo en textos como este —dijo golpeando su tomo—. Esa gente viajó por todo el Mediterráneo en su busca. Y cuando en Francia encontraron alquimistas que manejaban conceptos que solo pudieron haber salido del *Libro de la vida,* fueron a por ellos.

—¿Y los encontraron?

—Al parecer, no les costó mucho. Los Ben Rashid dieron con ellos, sí, pero resultaron ser tan torpes que tomaron la decisión de instruirlos mejor.

—¿Regalaron su saber a los infieles?

Gamal asintió.

—Así es. Supongo que fue cosa de Maat. De equilibrar la balanza entre su ignorancia y nuestra sabiduría. ¿Sabías que levantaron incluso pirámides en Europa en las que reproducir los ritos de inmortalidad? ¿Sabías que algunos de sus seguidores llegaron incluso a rozarla?

Omar tampoco había oído hablar de aquello.

—¿No te suena el nombre de Nicolás Flamel, un alquimista parisino cuyo cadáver jamás apareció y al que se le supuso una vida de más de doscientos años? ¿Y tampoco has oído nombrar a cierto conde de Saint-Germain, con fama de inmortal...? Pues ambos, Omar, eran franceses. Y han estado muy cerca de quedarse con lo que es de Egipto.

—Los europeos son ambiciosos. Lo quieren todo para ellos —gruñó.

—Eso no es lo que debe importarnos. Lo que nos interesa es que los europeos saben detrás de lo que andan. Habla con ellos. Gánate su confianza. Encuentra a Bonaparte y, llegado el momento, róbales lo que es nuestro. Tú puedes.

Omar meditó aquellas palabras por un instante.

—Pero no lo conseguiré si antes no recupero a Nadia, maestro —lamentó.

—Lo sé. Pero te ofrezco una idea para eso: ve a la tumba de Amenhotep. Descifra sus textos. Invoca bajo sus poderosos ensalmos a Nadia ben Rashid y averiguarás dónde está.

—Para invocar a un alma viva debes dar muerte a otra. Es Maat.

Entonces una sonrisa siniestra se dibujó en el rostro de Gamal.

—¿No irás a decirme que el gran Omar Zalim no tiene a quién sacrificar por una buena causa?

23

Gran Pirámide, meseta de Giza

Un escalofrío recorrió al joven general al revivir el episodio del bebedizo. Mala suerte. Casi había logrado olvidarlo por completo.

Otra vez volvía a gravitar sobre él la sensación de tener un remolino en el estómago. Recordaba bien cómo se le nubló la vista, cómo se amilanó su razón tras ingerir el último sorbo y cómo una terrible fuerza, poderosa y firme, se adueñó de él en aquella miserable choza de Nazaret.

Su último pensamiento consciente fue para la mujer con la que había soñado poco antes de su cita con los sabios azules. La Isis que le había advertido que solo el amor habría de salvarlo lo había perturbado más de lo que había supuesto. Sus ojos aguamarina se le habían quedado grabados a fuego en la memoria. Pero, con todo, las piezas de aquel fenomenal puzle que se abría ante él seguían sin encajar. ¿A qué venían tantos recuerdos? ¿Por qué la pirámide le estaba mostrando todo aquello?

Los efectos del brebaje que le suministraron los sabios azules se revelaron inmediatos. Extenuado por el esfuerzo de mantenerse despierto, Bonaparte sucumbió a ellos sin articular media palabra. Si había sido envenenado —pensó en su último destello de autocontrol— el reactivo no tardaría en matarlo. Lo contrario convertiría al venerable Balasán en un hombre en quien confiar siempre...

El siguiente espasmo le dejó sin sentido.

Qué curioso: en cierto modo, el efecto de aquella sustancia no distaba mucho de lo que estaba ocurriéndole dentro de la Gran Pirámide. Todavía tendido en el sarcófago de granito, sonrió ante las ironías del destino. Era como si su mente se hubiera convertido en una de esas muñecas rusas policromadas que encajan a la perfección unas dentro de otras. Como ellas, era el recuerdo de otro recuerdo el que lo conducía a una memoria más profunda.

En Nazaret, el bebedizo lo arrastró hasta un episodio excepcional que él mismo protagonizó años atrás y que casi había olvidado por completo.

«Extraño sortilegio —pensó—. Así es como debe de vaciarse el alma en este lugar...».

Pirámide y pócima, dedujo, debían de ser una especie de *máquina de las remembranzas*. Un elixir para que la memoria aflorase.

Bonaparte revivió entonces cómo aquella choza de Nazaret se diluyó ante sus propios ojos. Y cómo el bebedizo de Balasán lo trasladó a un día particular, en París, tres años antes de su viaje a Egipto.

Lo que vio a partir de ese momento fue el portal húmedo y viejo de un inmueble de la capital, en la 13 *rue* de l'Estrapade. Su fachada venida a menos ocupó toda su percepción.

Corría —lo sabía— el 12 de agosto de 1795.

¿Qué querrían los sabios azules que viese ahí?

24

Cuatro años antes.
París, 12 de agosto de 1795

Napoleón Bonaparte, artillero, todavía general de brigada a la espera de destino, había decidido burlar al porvenir como tantas veces vio hacer a su familia en su Ajaccio natal. ¿Qué podía perder? Lo único de lo que debía asegurarse era de que su decisión permaneciera en el más absoluto de los secretos.

Y con razón.

Los militares de carrera, compañeros de academia, hacía tiempo que lo miraban con recelo. Él era pobre, corso, no tenía padrinos importantes, le creían defensor de las ideas de Robespierre y era inmune a sus provocaciones. Sabía que esos mediocres odiaban su ingenio, su integridad y sus méritos como estudiante.

Frente a semejante panorama, lo último que podía permitirse era dar argumentos a sus enemigos.

El verano de 1795 fue el más duro de su carrera. Trabajaba de sol a sol en la confección de mapas e imaginaba campañas imposibles contra Italia y Turquía. Era su particular fórmula para no pensar en su futuro. Porque ¿qué podía esperar de la vida un general de veinticinco años, sin destino como tantos, arrinconado por una cúpula militar clasista y vetusta con muchos años por delante?

Las dudas lo corroían.

Aquella sofocante mañana de agosto, decidido a toda costa a vislumbrar su porvenir, abandonó su cuartucho en el Hotel de los Patriotas de la *rue* Saint Roch y se dirigió a la parte alta de París.

Al alcanzar su objetivo, hurgó en los bolsillos de su levita. Un par de sacudidas le bastaron para localizar la hoja volandera que tanto le había llamado la atención la tarde anterior. Y secándose el sudor de la frente, la leyó de nuevo:

Bonaventure Guyon.

Profesor de matemáticas celestes.

Ofrece consultas infalibles sobre todo cuanto pueda interesar, el porvenir feliz o infeliz de las ciudadanas o ciudadanos de París. Predice en particular los futuros triunfos de la Patria. Revela a las muchachas el seductor que las amenaza y el esposo que hará su dicha. Descubre a los padres la carrera en la cual sus hijos hallarán la fortuna y la celebridad. Y por esas profecías patrióticas solo acepta una retribución voluntaria, y únicamente en el caso de que demuestre su Ciencia de las Cosas Futuras por la muy exacta revelación de las Cosas Pasadas.

Consultas desde la salida a la puesta del sol.

Parecía justo lo que necesitaba. Un astrólogo hábil y barato que le indicase el camino a tomar.

Bonaparte volvió a estudiar la nota para confirmar la dirección. La tinta húmeda del panfleto despejó todas sus dudas: aquella era la finca, justo en la cresta de la colina de Santa Genoveva, detrás del panteón de París.

El portal del número 13 estaba protegido por una hoja de roble carcomida que abrió sin resistencia. Lo que buscaba se encontraba al final del recibidor. Allí nacían unas larguísimas escaleras que desembocaban en otra menor que a su vez daba acceso a un palomar. Y al fondo del mismo, en un sexto piso que no figuraba en los buzones, pudo leer por fin el nombre del profesor Guyon escrito sobre una placa de cobre.

—Pasad, pasad sin miedo —le gruñó una voz al otro lado de la puerta. Era evidente que lo había oído trepar hasta allí—. Hoy no cobro por mirar...

El «profesor de matemáticas celestes» se había escondido detrás de una mesa atiborrada de libros y viejos planisferios. Constelaciones, complejas sumas y listas de grados, y más de media docena de tacos de velas agotados se repartían sobre su escritorio. El tal Guyon señoreaba aquel paisaje con gesto militar. De rostro redondo y surcado por arrugas de todos los tamaños, calvo y de piel manchada, el astrólogo alzó la mirada para contemplar a su nuevo cliente.

—Adelante, oficial. No temáis. —Sonrió dejando ver una dentadura amarilla—. Acomodaos donde podáis. Enseguida os atenderé.

Bonaparte obedeció al punto.

—Ya sé lo que estáis pensando —farfulló a continuación, mirándolo de reojo—. «¡Pobre loco! ¡Ha perdido la razón encerrado en este horno!».

El general no abrió la boca. Tomó asiento en un viejo sofá con el respaldo roto y aguardó.

—Lo sé, lo sé... Las chapas metálicas que forran el tejado son muy útiles para calentar este trastero en invierno —se disculpó el viejo—, pero en verano se convierten en un horror.

—Perdonad, señor, ¿sois vos el profesor Guyon?

Su pregunta zanjó las quejas del anciano, que se irguió orgulloso en su silla.

—¿Y quién si no, caballero? Aunque ahora os resulte difícil de creer y me veáis pobre como una rata, en otro tiempo fui rico y respetable. Vos debéis de ser de los que aún no saben que caí en desgracia por haberle predicho a Luis XVI que terminaría sus días como rey sin cabeza...

—Yo no...

—Y ya veis —prosiguió de carrerilla—, Su Majestad me condenó por advertírselo. Lo malo es que después quienes lo decapitaron me arrinconaron como a un perro sarnoso por no haberles predicho a ellos el éxito del regicidio.

—La política está llena de miserias, monsieur.

Bonaventure Guyon dejó entonces de remover los papeles de su mesa y examinó a su cliente con gesto atento.

—¿Sois político por ventura? —carraspeó divertido—. ¿Cómo dijisteis que os llamáis?

—No os lo he dicho.

—¿Señor...?

—Bonaparte —respondió con orgullo—. Napoleón Bonaparte. Y no soy político. Soy general.

El astrólogo desvió su mirada a un lado, como si calculara algo. En realidad estaba reprochándose su providencial torpeza: no se había fijado en el inmaculado uniforme de su cliente.

—*Bona-parte* —silabeó con regusto—. *Napo-leo Bonaparte...* ¡No debierais preocuparos por vuestro porvenir, mi general! Lo vuestro está amarrado y bien amarrado. Casi tanto como el destino de Luis XVI. Por cierto: ¿Sabíais vos que el arcano xvi del tarot es, precisamente, el de la «torre decapitada»? ¿No os resulta irónico? ¡Decapitada! ¡Como el Rey!

Guyon, con una sonrisa de oreja a oreja, casi pícara, no esperó su respuesta. Muy profesional, el astrólogo se aprestó a descifrar el futuro de su cliente a través del apellido, ante su atónita mirada. Con una exigua punta de tiza lo escribió sobre un pizarrón.

—¿Lo veis? Vuestro nombre completo se puede recomponer en una frase latina casi perfecta —dijo visiblemente animado—: *Napoleo bona parte fruitur*, «Napoleón se hace con la buena parte», «la parte del león». ¿No seréis vos del signo de Leo, por casualidad?

El general se acarició el mentón con asombro redoblado.

—Así es. Mi cumpleaños es dentro de tres días.

—¡Maravilloso! ¿Cuándo nacisteis? ¿En qué año? Y evitaos los formulismos revolucionarios, por favor: dadme la fecha en el calendario gregoriano.

—En 1769, en Ajaccio, Córcega.

—Italiano.

—La isla pasó a ser francesa ese mismo año —matizó Bonaparte.

—¡Ah, sí! La invadimos, ¿verdad?

Bonaparte no respondió. Una vez más, tampoco Guyon esperó que lo hiciera. Con la mirada perdida en un manojo de papeles sembrado de tablas logarítmicas, el astrólogo se sumergió en cavilaciones que lo mantuvieron con la boca cerrada un par de minutos. Empezó a moverse de un lado a otro de la mesa, como si padeciera alguna clase de manía que se esforzaba en ocultar. Jadeó. Se secó la frente cada dos por tres con un pañuelo de color incierto, y hasta bufó.

—Vaya —exclamó por fin, con el dedo índice apoyado en un libro de efemérides—. ¿Qué tenemos aquí? Justo siete días antes de que nacierais un cometa atravesó toda Europa, desde París a Cádiz, perdiéndose sobre Tenerife.

Y añadió en tono misterioso:

—Esto sí es interesante... El cometa, grande y muy luminoso, apareció en las lindes de la constelación de Aries. Sin duda es una magnífica señal.

—¿Una señal? ¿De qué es una señal?

—Os ruego que no os impacientéis —susurró el «profesor»—. La astrología es una ciencia que precisa de cálculos que llevan su tiempo. Sin embargo, así de pronto, veo que si nacisteis un 15 de agosto, que en el calendario tebaico se corresponde con el grado 23 de Leo, tenéis enormes probabilidades de lograr ascensos y fortuna. «La estrella real» indica que sois aventurero y ambicioso. Amasaréis una gran riqueza...

—No me halaguéis en vano, no lo necesito. Esperaba mayor concreción de vuestra disciplina, profesor.

—¡No es en vano, general! Los astros y vuestro nombre de pila indican que poseéis la fuerza del león.

Con un transportador de ángulos y una regla, y sin perder de vista las efemérides de 1769, Bonaventure Guyon dibujó la carta natal de Bonaparte. Alrededor de un triángulo perfecto, otras figuras menores terminaron dando forma a un galimatías de rectas y ángulos que al «profesor» le hicieron arquear las cejas de incredulidad.

—¿Estáis seguro de que nacisteis a mediodía? —preguntó sin levantar la mirada de sus cálculos—. ¿Y de que fue el 15 de agosto?

El general, claro, asintió a cada una de las cuestiones con cierta desgana. Empezaba a dudar que de aquel batiburrillo surgiera algo que le aclarase su futuro.

—Sois un Leo con el ascendente en Escorpio. Vuestra Luna está en Capricornio, en oposición a Saturno, y tenéis un Marte muy bien situado en Virgo. ¡Seréis un excelente militar en campaña, monsieur Bonaparte!

—Ya. ¿Y qué más?

—Bueno... —dudó—. No os lo toméis como un halago, pero la unión de Neptuno y Marte en vuestra carta os convierte en un hombre genial. Solo debéis protegeros de vuestra propia tendencia al fatalismo. La oposición Luna-Saturno revela que ese es el punto débil de vuestra personalidad.

—Continuad.

Carta natal de Napoleón Bonaparte

Bonaparte, absorto, observó su propia carta natal con incredulidad. Si lo que el profesor le estaba diciendo era cierto, aquella hoja de papel era una suerte de retrato matemático de su alma. Una representación fiel de su pasado, presente e incierto futuro.

Guyon continuó desgranando aquellos cálculos al detalle, al tiempo que su tono, por alguna razón, fue perdiendo su entusiasmo. Aquel era, al parecer, el horóscopo de una persona hiperactiva, interesada en las Ciencias Ocultas en tanto le fueran útiles para conseguir poder

—eso lo dedujo al descubrir a Júpiter junto al ascendente—. Pero también la carta de una persona de marcado
carácter solar. El astro rey situado en el mediodía de su
nacimiento le potenciaba la fuerza y el magnetismo del
león, aunque lo retratara como alguien torpe en el arte
del diálogo. Los astros, pues, no parecían presagiarle nada
malo, aunque el «profesor de matemáticas celestes» terminó por torcer el gesto.

—¿Veis algo que no os gusta, Guyon?

—No, no. —Tosió y se secó la frente—. Es que no
había visto una carta astral tan bien aspectada desde...

El anciano no llegó a terminar la frase. El otrora can-
tarín astrólogo ahogó su comentario como pudo, girando
su rostro hacia otro lado. Bonaparte se dio cuenta enseguida de que algo, en efecto, no iba bien.

Sin mediar palabra, Guyon se dirigió entonces hacia
la estantería llena de matraces, lámparas de nafta, morte-
ros y frascos con plantas secas que se apoyaba en la parte
más oriental de la buhardilla. Fue como si de repente tuviera que buscar algo importante allí.

—¿Desde cuándo, monsieur?

La pregunta del general lo frenó en seco.

—¡Oh...! Desde mi época de prior en la abadía de
Trapa.

—¿Fuisteis eclesiástico? —Bonaparte se sorprendió—.
¿Vos?

—Así es —asintió el astrólogo—. No suelo hablar de
estas cosas con mis clientes. No quiero que se asusten...

—Por lo que acabáis de decir, yo no soy un cliente al
uso. Podéis confiar en mí. No me importa vuestro pasado
religioso; si os denuncio, toda la academia sabrá que he
venido a consultar a un charlatán y, creedme, eso no favo-
recería nada a mi carrera.

El profesor, aunque suspicaz, aceptó su argumento.

—Está bien, general. Os lo explicaré. Pero dudo que os interesen mis razones.

—Eso preferiría decidirlo yo. Son pocas las cosas que no me interesan.

—Excelente. —Sonrió frotándose las manos—. Escuchad esto: aprendí astrología de manos de los bibliotecarios de la abadía de Lagny, que me iniciaron también en el tarot y la cábala. Fueron tantos los años que dediqué a estas ciencias que monseñor Rohan, en tiempos de Luis XV, me rogó que me trasladara a la corte para servir allí como profesor de matemáticas celestes del rey.

—Matemáticas celestes es un bello eufemismo.

—No menor que llamar Comité de Salud Pública a nuestro nuevo gobierno.

Bonaparte aplaudió la acidez del exfraile.

—Continuad, por favor.

—Fue precisamente en la corte donde vi una carta astral idéntica a la vuestra. Se la levanté a cierto conde de Saint-Germain, que por aquel entonces presumía de tener más de doscientos años de edad y tenía embelesados a la mitad de los cortesanos.

—¡Doscientos años! Un bufón, sin duda.

—También yo lo creí, general. Sin embargo, el duque de Choiseul, el hombre de confianza de Su Majestad, ordenó a sus espías que averiguasen algo más de él. No le gustaba mucho que hubiera deslumbrado a las mujeres de la nobleza.

—¿Y cuándo ocurrió eso?

—En el otoño de 1765.

—¿Y qué averiguó Choiseul?

—Poca cosa, general —respondió—. Nunca encontraron su partida de nacimiento, ni referencia alguna a sus antepasados, ni supieron de dónde obtenía los recursos necesarios para estar hoy en París, mañana en Ámsterdam y la semana siguiente en Londres. ¡Era como si acabara de caer del cielo!

—¿Un espía, monsieur?

—En ese caso, un espía nada discreto, general —le objetó Guyon—. Vestía de manera opulenta, nunca comía en público y rehusaba organizar fiestas en su casa. Lo que alertó al duque de Choiseul, desconfiado por naturaleza hasta su muerte hace ya diez años, fue que Saint-Germain supo ganarse la confianza del rey mediante ciertas artes que podríamos llamar... oscuras.

—¿Oscuras? —repitió Bonaparte—. ¿Queréis decir magia?

—Juzgadlo vos mismo, general: en una ocasión, Luis XV le entregó un diamante de gran tamaño afeado por una mancha interna. «¿Sois capaz de quitársela y hacerme ganar cuatro mil francos?», lo oí retarlo. Saint-Germain se llevó el diamante a su casa, y al cabo de un mes lo devolvió inmaculado a Su Majestad. La piedra se pesó y tasó varias veces. Nadie podía creérselo. La joya apenas había perdido unos pocos miligramos de peso. Era la misma pero limpia.

—¿Cómo lo hizo?

—Alquimia, sin duda.

—Y decís que nadie entró nunca en su casa...

—Veréis: ante la imposibilidad de averiguar nada sobre ese hombre, el ministro Choiseul me pidió que me ganara su confianza. «No recelará de un hombre de iglesia —supuso el duque—. Tomaos el tiempo que preciséis». Y así lo hice.

—¿Y qué averiguasteis?

—Que el conde de Saint-Germain era un tipo más que curioso. Cuando le pregunté cuál era su fecha y lugar de nacimiento para levantar su carta astral, siempre respondía lo mismo: «Nací cerca de Niza, mirando al Mediterráneo, pero debéis precisarme la fecha de cuál de mis nacimientos preferís para vuestro horóscopo». Creí que aquello era un juego, una adivinanza de las suyas, pero luego descubrí que no. Que Saint-Germain creía realmente haber muerto y renacido en diversas ocasiones en los últimos dos siglos. «Regreso cada ochenta y cinco años. Elegid vos la fecha», me insistió.

—Más mentiras.

Bonaventure Guyon sacudió la cabeza. Al parecer, él no lo tenía tan claro.

—El conde me dio una fecha, 1509, para su «primer nacimiento». Con las coordenadas de Niza levanté su horóscopo y fue ahí donde vi que sus líneas maestras, de ser ciertas, eran prácticamente idénticas a las vuestras. Tenía los mismos trígonos en su carta natal que vos: uno con Urano y otro con Plutón. Señal de ambición y genialidad. Él triunfó. Tuvo mujeres, viajes y éxito. Vos, amigo, tendréis todo eso... y quizá más. Os parecéis mucho, astralmente, claro.

—¿Y también dispondré de su secreto de morir y volver a nacer?

El tono sarcástico de Bonaparte fue atajado de inmediato por el profesor.

—Hasta eso terminará buscándolo. Puedo asegurároslo.

—¿Cómo podéis estar tan convencido? Solo un estafador o un loco creería semejante cosa...

Bonaventure Guyon, que había apreciado ya la inferioridad de su cliente en cuestiones celestes, decidió conducirlo hacia ahí:

—¿Sabéis? En astrología todo es cíclico. El universo es esférico, así que en él todo termina repitiéndose tarde o temprano.

—¿También una carta astral?

—¿Y por qué no? —repuso—. Quizá su destino sea repetir el de ese hombre.

—¡Nadie renace cíclicamente! —protestó.

—¿Estáis seguro?

La pregunta de Guyon era retórica. El anciano no esperó que su cliente le respondiera y prosiguió:

—Existe una vieja ley astrológica de la que deseo hablaros, monsieur. Sabemos que cada treinta años Saturno regresa al mismo lugar en el que se encontraba en el momento del nacimiento de una persona. Es uno de los ciclos más recurrentes de la ciencia celeste. A los treinta, sesenta y noventa, un hombre cambia de estatus. Pasa de niño a adulto y de adulto a anciano. Es como si naciera a una nueva fase de su vida.

—No creo que fuera eso lo que hacía Saint-Germain...

—Os estoy avisando de algo, general —lo atajó—. Cuando cumpláis treinta años, volveréis a tener a Saturno en vuestra casa novena, que es la que marca la filosofía de vida y las grandes preguntas sobre el destino y la muerte. Algo os pasará. Y diría que está muy relacionado con el secreto de Saint-Germain.

—¿A los treinta? Aún faltan cinco años...

—Pasarán volando.

—¿Y qué me predecís para entonces?

—Que llegada esa edad tomaréis al fin conciencia de adónde llevar vuestra vida. Recordad que Jesucristo fue bautizado a los treinta, que fue justo cuando asumió su papel mesiánico y comenzó su andadura pública. Ignacio de Loyola cayó herido en combate a esa edad, tomando su camino espiritual en una cueva cercana a Montserrat, cerca de Barcelona. A Buda le ocurrió lo mismo y a...

—Se nota que los hábitos os marcaron, profesor. —Sonrió burlón Bonaparte, impermeable a la profecía del anciano—. Pero decidme. En mi caso, ¿dónde, señor mío, buscaré el sentido de la vida y de la muerte?

—Primero, muy lejos de aquí. Luego, Dios dirá.

—¿Y si por ventura no os pago esta charada?

—No me paguéis. La primera visita es gratis. Ya lo haréis cuando regreséis, general —le respondió Guyon sin inmutarse—. Tengo el don de la paciencia, y sé que volveréis a requerir mis servicios. De algún modo comprobaréis que estáis en deuda conmigo. Y que, en efecto, cuando cumpláis treinta todo cambiará para vos.

—Está bien —rezongó—. Me dejáis con la intriga. Decidme, ¿dónde puedo averiguar más cosas de ese tal Saint-Germain? Si tengo un gemelo astral me gustaría encontrarlo...

Guyon le devolvió entonces la misma sonrisa pícara de antes.

—Para eso no necesitaréis de mi ayuda, general. Todo París ha oído hablar de él.

25

¿Todo París?

A falta de un entretenimiento mejor con el que matar sus ratos de ocio, Bonaparte decidió poner a prueba enseguida las palabras del profesor Guyon.

El contexto histórico se lo puso fácil. Aunque Europa podía levantarse en armas en cualquier momento y requerir de sus bien formados generales, la República parecía haber optado por no inmiscuirse en enfrentamiento bélico alguno. Francia y Prusia acababan de firmar la paz en Basilea, e incluso habían iniciado una política de devolución de territorios a España para evitar la guerra. No había gloria posible para un hombre como él.

Hastiado por la negligencia de los burócratas, el joven Bonaparte decidió canalizar su actividad en otra dirección. Fueron las tertulias en cafés de moda como Chez Laurent o Procope las que aliviaron sus frustraciones. Le aligeraban la mente de preocupaciones más elevadas y lo mantenían al tanto de los chismorreos de la capital. De hecho, para él era fácil conducir aquellas conversaciones de las tardes hacia el tema que más le interesaba en cada momento, y durante algunos días las monopolizó con el único propósito de averiguar qué se rumoreaba en ciertos ambientes de ese extraño conde de Saint-Germain.

—Desapareció poco antes de la Revolución. ¡Se esfumó!

Doulcet de Pontécoulant, uno de los miembros del

Comité de Salud Pública con el que había intimado más, soltó la lengua al segundo aguardiente. Bonaparte lo había citado junto a otros ilustres colegas en una sala reservada del Procope. Iba a gastarse una pequeña fortuna en licor, pero esperaba satisfacer ciertas inquietudes...

—¡Vaya tipo! —añadió eufórico De Pontécoulant—. Fue la comidilla de su época. Los revolucionarios lo buscaron por todas partes para guillotinarlo. Imaginaos, ciudadano Bonaparte: en Versalles se incautaron varias cartas a la reina en las que el conde la prevenía de la existencia de un complot para tomar la Bastilla y derrocar a la monarquía.

—Y no lo encontraron, supongo.

Bonaparte, disimulando su interés, llenó otra vez el vaso de su amigo Doulcet hasta el borde. El resto de los invitados lo imitaron y brindaron por enésima vez.

—¡Ni rastro! ¡Como si se lo hubiera tragado la tierra! —El comisario apuró la copa de un trago—. Y creedme si os digo que un hombre así no podía pasar desapercibido en ningún sitio.

—¿Un hombre así? Explicaos, por favor.

—Bueno —dudó—. Aquel sujeto hablaba todas las lenguas, conocía todos los países, pintaba, escribía y era un virtuoso con el clavicordio. Se ganó los favores de las grandes damas de la corte regalando frascos que las ayudaban a conservarse sin arrugas. Y las abrumó con su erudición poética: lo mismo recitaba a Dante que a Molière. Pero lo más raro es que, pese a su evidente éxito, nunca se le conoció amorío alguno con ellas. ¡Nada de tocar carne!

—Quizá no le gustaban las mujeres...

Julien Regnaud, un joven capitán de la Champaña compañero de Bonaparte, deslizó su comentario como si fuera una sentencia a la guillotina.

—No. No era eso. —Doulcet negó con un gesto inequívocamente etílico—. El tipo debía de ser una especie de monje o sufrir de alguna enfermedad genital severa, porque jamás se supo de ningún amante suyo, fuera hombre o mujer. Además, desaparecía con frecuencia de París. Decía que «debía regenerarse» en su pueblo natal... o yo-qué-sé.

—¿Y explicó cómo lograba hacerlo?

—¡Bonaparte! —El comisario estalló en una sonora carcajada, que atrajo la atención de toda la parroquia—. ¡No pretenderéis conquistar también vos el secreto de la eterna juventud!

—¿Pero lo explicó o no lo explicó? —insistió Regnaud.

El interés de los oficiales mudó el gesto de su interlocutor.

—Os interesáis por cuestiones ciertamente singulares, ciudadano Bonaparte. ¿Y vos, capitán? ¿No tenéis nada mejor de lo que ocuparos? Realmente, yo no sé mucho más que todos los que estamos aquí...

—Pero habéis conocido a gente que trató con Saint-Germain —le recordó Bonaparte.

—Sí. Y la mayoría están muertos.

—Sois un crédulo, monsieur De Pontécoulant —bufó el capitán Regnaud—. Y me duele admitir que tenéis razón: aquí solo puedo perder el tiempo.

—Más lo lamento yo —respondió Doulcet ácido—. ¡Qué más quisiera que llegar a la inmortalidad, aunque sin renunciar al sexo, por supuesto!

—¿Creéis que Saint-Germain renunció a propósito al sexo?

—Quién sabe, capitán. —La sonrisa malévola de monsieur Doulcet repelió a Regnaud—. Pero eso explicaría por qué el triunfo es siempre para los grandes de espíritu.

Aquello hirió el honor del inflamado Regnaud, que se

dio por aludido ante aquel comentario procaz. Y antes de que el anfitrión Bonaparte hiciera siquiera un gesto para apaciguar sus ánimos, abandonó el reservado propinando un sonoro portazo al salir. Su último gruñido —«¡estúpido!»— se confundió con la nueva pregunta de Bonaparte, hipnotizado por aquellas revelaciones.

—Entonces, y aunque pueda pareceros una impertinencia, monsieur De Pontécoulant, decidme: ¿explicó el conde de Saint-Germain cómo lograba regenerarse, o no? Si vuestros confidentes están muertos —insistió más firme que antes—, ya no debéis temer por ellos o por faltar a vuestra palabra.

Doulcet rellenó con mano trémula su copa y se la bebió con avaricia antes de responder. Alrededor de ambos, un pequeño grupo de soldados había formado ya un animado corrillo por el que circulaban toda clase de comentarios.

—Realmente no estoy muy seguro, general —dijo tratando de disimular cuánto le incomodaba hablar en público de aquello—. Debéis haceros cargo de que sobre este conde corren informaciones confusas y contradictorias. Algunos creen que es un judío portugués, y otros que fue el hijo legítimo de Franz-Leopoldo, príncipe Ragoczy de Transilvania, ya que en alguna ocasión utilizó ese título.

—¿De veras?

—Desde luego. Yo no inventaría nada tan rebuscado.

—¡Bobadas!

—Ya, ya... Pero en Transilvania son famosos los rumores sobre nobles que consiguen la inmortalidad bebiendo o bañándose en sangre humana. Aunque, por lo que tengo entendido, Saint-Germain descubrió un método más refinado que el de esos príncipes.

—¿Cuál, comisario? —presionó Bonaparte.

—Está bien, general: oí que durante sus prolongadas estancias en nuestra amada República se introducía en una pirámide durante una noche, y después salía de ella rejuvenecido.

—¡Pero si en Francia no hay pirámides!

—En eso os equivocáis, ciudadano Bonaparte —lo atajó De Pontécoulant con cierto aire de superioridad—. Os equivocáis de plano.

—Probádmelo.

—Venid a visitarme a mi despacho mañana y os mostraré dónde podéis encontrarlas.

—Habéis bebido mucho, monsieur.

—Habéis preguntado mucho, general.

26

—

Las vistas de los jardines de las Tullerías desde el pabellón de Flore eran magníficas aquella mañana de lunes. Los ventanucos de la buhardilla del otrora Palacio Real dejaban ver el fértil laberinto de fuentes y estatuas diseñado al gusto del decapitado rey Luis. El inmueble era soberbio. Aunque hacía tiempo que había dejado de ser residencia real, todavía era perceptible su solemnidad y pompa, aparentemente tan contraria al espíritu popular de la Revolución.

En la sexta planta del edificio, en los pasillos que conducían a las dependencias del servicio cartográfico donde trabajaba De Pontécoulant, la actividad estaba bajo mínimos. ¿Para qué trabajar? El Directorio no iba a utilizar ninguno de sus mapas en campaña militar alguna.

Antes de entrar en el despacho de puerta más florida, Napoleón Bonaparte, impecablemente vestido de calle, peinado y perfumado, se deleitó echando una última ojeada al paisaje. El lugar era embriagador, la encarnación misma del poder en la Tierra. Desde allí —rumió en un instante de ensoñación— un buen estratega podría dominar al mundo civilizado. Un estratega... como él.

El taconeo de un funcionario lo sacó de sus cavilaciones.

—Ciudadano Bonaparte, el comisario De Pontécoulant os aguarda en su despacho.

Tuvo que morderse la lengua para no contestar de mala

gana al bedel. Él no era ciudadano sin más. Tenía un título: era general. «Debí venir de uniforme», se reprochó.

De Pontécoulant, tocado con una peluca empolvada y anudada con un lazo negro en el cogote, mostraba aún los síntomas de la resaca del día anterior. Aunque ya no presentaba el mismo aspecto de truhan y juerguista, su mirada enrojecida delataba sus excesos.

—¡Bonaparte! —exclamó desde el fondo del despacho, atestado de grandes cartas de Francia colgadas de las paredes—. Sois más puntual que la mayoría de los soldados de nuestro valeroso ejército.

—No tenía nada mejor que hacer hoy, monsieur.

—¡Fantástico! —aplaudió—. Entonces yo os entretendré.

En realidad, a Bonaparte no le gustaba nada aquella sabandija vestida de levita fina y tirabuzones de seda. Le interesaba, eso sí, para sus propósitos y la toleraba en tanto que podía dar buenas referencias de él al ministro Aubry o a Barras, a quien todos llamaban ya *el rey de la República*. Barras, por cierto, hacía tiempo que no ocultaba su predilección por él. Bonaparte sabía que su futuro se cocería allí, en los pasillos de palacio más que como héroe de una guerra a la que jamás lo mandarían...

—Ibais a mostrarme dónde están las pirámides francesas, comisario. Lo recordáis, ¿verdad?

—¡Claro! —sonrió el tiralevitas—. Ese es un asunto poco conocido, pero que me llamó la atención desde que me asignaron al departamento de topografía del Pabellón de Flore. Ayer vos me lo recordasteis al hablar de ese prófugo de Saint-Germain.

—Una oportuna coincidencia, sin duda.

—Desde luego. Por cierto, ¿conocéis Autun?

De Pontécoulant abrió un cajoncito bajo su mesa de trabajo, extrajo un lapicero y rodeó con un círculo un pequeño punto del mapa más cercano, situado poco más arriba de Lyon.

—No, señor.

—Pues ahí está la primera pirámide... En realidad solo queda de ella un amasijo de piedras deformes que pueden visitarse todavía si tomáis la ruta hacia Vézelay o Dijon, y descendéis después en paralelo al río Arroux.

De Pontécoulant le hablaba como si Bonaparte fuera a conducir de inmediato una expedición a la zona.

—Nosotros creemos que se levantó en tiempos de los romanos, que tal vez sirvió de tumba a algún patricio adinerado, pero nos ha sido imposible averiguar nada sobre ella. Hicimos algunas excavaciones,< claro. Se encargaron los responsables de caminos y puertos, aunque no hallaron nada digno de mención. No recuperaron ni una maldita moneda de plata. Nada.

—¿Y dónde decís que está, monsieur?

—Se encuentra a un kilómetro y medio de un monte llamado Briscou. No es difícil verla porque, aunque mermada, debió de tener diecisiete metros de lado por unos veintisiete de alto.

—Como una casa de diez pisos del centro de París.

—Exacto.

—Pero decidme, comisario: ¿encontrasteis alguna pista que vinculara esa pirámide al conde de Saint-Germain?

—Lamentablemente no. Exploramos incluso un pozo natural que nace justo debajo de esa pirámide, en busca de alguna prueba de ritos extraños o, quién sabe, incluso de un tesoro escondido por el conde. Pero, como os dije, no encontramos nada. Nada de nada.

—Deduzco entonces que seguisteis buscándolo en otros lugares.

—En la aldea de Commelle, en Orry-la-Ville, descubrimos otra. Hasta a mí me pareció increíble que diéramos con dos pirámides antiguas en plena Francia. Por suerte, de esta pudimos averiguar algo más. Fue levantada en el siglo XIII como cámara sepulcral de una familia noble de la zona, pero cuando la visitaron nuestros hombres no hallaron tampoco indicios de uso reciente...

—Qué fatalidad —chascó la lengua Bonaparte, como si se solidarizara con aquel rastrero de De Pontécoulant.

—¿Sabéis qué, Bonaparte? Que en torno a ese período, entre 1100 y 1200 del calendario cristiano, fue cuando se levantó el mayor número de pirámides en Europa. Fue como si, además de las catedrales góticas, se hubiera puesto de moda levantar esa clase de construcciones.

—¿Moda, decís?

—No sabría qué otra palabra aplicar. De hecho, es el único sustantivo que tranquiliza mi curiosidad. Pensar que se levantaron pirámides por puro placer estético y nada más.

Bonaparte torció el gesto antes de replicar.

—Pero, comisario, vos sabéis mejor que nadie que la Edad Media no fue un período de hedonistas. Todo se hacía siguiendo una finalidad práctica. En el caso de las catedrales, fue para honrar a la Virgen. Pero ¿y en el de esas pirámides?

De Pontécoulant sacudió la cabeza, sin poder impedir la siguiente pregunta del general.

—Me tenéis en ascuas, comisario. ¿Qué más encontrasteis en vuestra investigación?

—¡Una tercera pirámide! Quizá la más sorprendente de todas.

—¿De veras?

—La localizamos en una montaña cerca de Niza. O mejor, encima mismo de la ciudad.

Al oír Niza, Bonaparte aguzó el oído. Guyon le había dicho que Saint-Germain tuvo uno de sus nacimientos allí.

—¿Y por qué os interesó esa más que las otras? —preguntó.

—Sin duda por su situación privilegiada. La pirámide no es demasiado grande, ¿sabéis? Cuando se levantó no debía de superar los nueve metros de altura, pero lo que queda de ella es una plataforma que aún domina la bahía de la ciudad y tiene unas vistas envidiables del Mediterráneo. Si no fuera porque es, sin duda, una pirámide, bien podría haber servido como cimientos para un buen faro...

—Proseguid.

—Se accede a ella desde la aldea de Falicon, un poblacho de mala muerte colgado encima del monte Chauve. Y está tan aislada que cuando la inspeccionamos tuvimos que desbrozar una gran cantidad de matorral para dejarla otra vez visible.

—¿Vos en persona fuisteis a verla? —se extrañó Bonaparte. Era difícil imaginar a aquel barrigón ascendiendo otra cosa que las escaleras del café Procope o las de algún prostíbulo de moda.

—Bueno —sonrió orgulloso—, accedí a acompañar a la expedición cuando me hablaron de su factura impecable, y de que nadie había podido determinar si era griega, romana o egipcia.

—¡Egipcia! Exageráis...

—En absoluto, general. Aunque en el pueblo nadie había oído hablar de ella, encontramos un documento catastral del siglo XII que concedía su propiedad a cierto Ahmed, un comerciante egipcio de telas apreciado en los contornos por sus importaciones de algodón. Además dimos con un detalle toponímico curiosísimo: Falicon procede de la palabra francesa *faucon*, halcón, y esa es una de las rapaces fundamentales de la iconografía egipcia. Horus, os recuerdo, era un dios con cabeza de halcón.

—Eso lo explicaría todo, ¿no creéis, monsieur De Pontécoulant?

—¿Qué queréis decir?

Bonaparte sonrió enigmático.

—Muy fácil: que el tal Ahmed, nostálgico de las pirámides de su país, decidió hacerse una igual para enterrarse en Francia. Y buscó el lugar más adecuado para hacerlo.

—O quizá la heredó.

—¿La heredó?

—Bueno: Falicon es un pueblo que ya habitaron los romanos mucho antes. Allí quedan incluso los restos de un acueducto subterráneo de esa época —sentenció el funcionario.

—Pero los romanos no levantaban pirámides, monsieur.

—Eso no es cierto. En Roma, vos deberíais saberlo, puede aún verse la pirámide de Cayo Cestio, construida en tiempos de Augusto, cerca de la actual Puerta de San Pablo. Además, ¿qué sabéis vos de pirámides, general?

—No mucho —admitió Bonaparte—, pero algo sí. Acabo de leer una curiosa obra, *Sethos ou vie tirée des monuments et anecdotes de l'ancienne Egypte.* ¿La conocéis?

—A la obra y al autor. Un cura, helenista notable, el abad de Terrasson.

—A mí me ha sorprendido gratamente. El abad de Terrason narra en detalle las pruebas iniciáticas a las que se sometió el rey Seti en la Gran Pirámide...

—Fantasea mucho, general. El buen abad jamás estuvo en Egipto.

—Pues parece conocerlo todo acerca de Seti.

—¿Y quién de entre nosotros conoce lo suficiente el reinado de ese tal Seti para rebatirle? ¡Nadie, mi buen amigo! ¡Los curas son expertos en aprovecharse de la ignorancia ajena!

Doulcet, visiblemente acalorado, se deshizo de su levita dejándola caer sobre uno de los sofás de la estancia. Su camisa vainilla estaba empapada de sudor.

—Ese buen abad se lo inventó todo, creedme —dijo conteniendo la respiración—. No existieron nunca tales iniciaciones en la Gran Pirámide. Y de existir, me resulta muy difícil creer que el abad de Terrason hubiera podido saber algo de ellas. No en vano, de celebrarse, debieron de ser ceremonias secretas fuera del alcance de paganos y olvidadas mucho antes de que llegaran los primeros cristianos a Egipto.

—No soy capaz de rebatiros ese argumento, monsieur De Pontécoulant —respondió inesperadamente dócil Bonaparte—. Hoy me cabe la satisfacción de haber aprendido mucho de vos. Lástima que ninguna de nuestras lecturas, y mucho menos la del señor abad y su libro sobre Seti, nos hayan ayudado a descifrar el misterio del conde de Saint-Germain...

—Vaya, ¿os retiráis ya? ¿No queréis que almorcemos juntos, general?

—Debo irme, monsieur comisario. Otras obligaciones me reclaman.

—¿La pirámide de Falicon, tal vez?

Bonaparte rio su ocurrencia.

—Eso será cuando visite Niza, amigo Doulcet. Ya os mantendré informado, si fuera el caso.

27

Luxor, orilla oeste.
Amanecer del 11 de agosto de 1799

El bigotillo y la barba mal afeitada de Jean-Baptiste Prosper Jollois se bambolearon con cierta gracia, como siempre que iba a decir algo solemne. El oficial se había dejado crecer aquel vello para superar su complejo de niño y sumar a sus recién estrenadas veintitrés primaveras otras cuatro o cinco más. Odiaba que los soldados lo llamaran *muchacho* y en uno de sus arrebatos de genio acababa de exigirles que, en adelante, se dirigieran a él solo por su biensonante primer apellido: Prosper.

—¡Qué irónicos son los siglos, barón! —exclamó sosteniendo un gran trozo de yeso policromado en las manos, mientras caminaba montaña arriba—. Hace dos días entramos en una tumba real, recogimos esta piedra tallada hace treinta centurias, y hoy se deshace por nuestra culpa como la arenisca...

—Es arenisca, Prosper. ¿Qué esperabais?

La seca respuesta de Édouard de Villiers no lo desanimó. Estaba más concentrado en no tropezar en aquella ladera de cascotes que en escuchar la cháchara de su compañero.

—¿Y eso no os dice nada sobre la fragilidad del hombre y de sus obras?

—¡Esta sí es buena! —gruñó—. Además de cultivar vuestra filosofía de baratillo, ¿habéis averiguado alguna cosa útil sobre nuestro guía de anoche, ese tal Omar Zalim?

El dulce semblante del joven Prosper se endureció de golpe. De Villiers a menudo terminaba dándole órdenes, y por lo general desagradables.

—¿Omar? Lo cierto es que no he sabido mucho, barón. Ese Omar parece un tipo de buena familia. En Luxor lo admiran. Lo tienen por inteligente, y lo que nos contó en el templo lo demuestra.

—¿Y no os extrañó ese interés suyo por reunirse con Bonaparte?

—Ahora que lo decís, sí. —Tomó aire—. ¡Como si nosotros fuéramos íntimos del «pequeño cabo»!

Prosper no respondió. Amagó un traspié al borde del sendero y siguió caminando hacia poniente.

Los dos ingenieros habían madrugado mucho. Querían llegar a la boca de la tumba que habían descubierto tras las colinas libias. Su intención era comenzar a retirar cascotes de su entrada antes de que el sol estuviera demasiado alto y el calor les impidiera trabajar a cielo abierto. De algún modo las extraordinarias revelaciones de Omar en las ruinas de Luxor habían renovado sus esperanzas de encontrar algo de gran valor en el lugar de reposo eterno de Amenhotep.

—¿Y no os parece extraño que no conozcamos de nada a Omar y que, sin embargo, él parezca tan al corriente de nuestros movimientos?

La nueva pregunta de De Villiers llegó en un repecho del ascenso.

—Normal no es, barón —aceptó sin resuello el joven Prosper, que empezaba a creer que su compañero estaba obsesionándose sin motivo—. Al principio me dio miedo, ¿sabéis? Llegué a pensar que podía ser un espía del viejo Djezzar, ¡y los dos íbamos desarmados!

El nombre del temido Carnicero estremeció a Édouard.

—¿En serio?

—Bueno... —se arrepintió—. Seguramente fue una tontería mía.

—No, no. Nada de eso. Esta mañana he sabido que un hombre murió asesinado en el café de Yusuf.

—¿En el tugurio de las bailarinas del vientre? Siempre habéis sido un hombre bien informado... —dijo con todo retintín.

—¡No seáis necio, Prosper! Dicen que el muerto era un hombre de Omar. Y que lo asesinó él... sin tocarlo siquiera.

—¡Vamos! —Una risita se le escapó entre dientes—. Esta gente es muy fantasiosa. Ya los conocéis. Creen en genios y alfombras voladoras. No deberíais hacer caso...

—No quise decíroslo para no asustaros. Pensad lo que queráis, pero el tipo tenía la columna vertebral partida en tres y los soldados que encontraron su cuerpo e interrogaron a los testigos vinieron a preguntarme si yo sabía algo de eso.

—¿Vos? —Los ojos de Prosper se abrieron al máximo—. ¿Por qué?

—Al parecer, amigo, Omar nos mencionó. Citó nuestros nombres en voz alta antes de fulminar a ese tipo con la mirada. Omar no es de fiar, creedme.

Los dos muchachos se miraron, bañados ya en sudor.

—La cuestión es si debemos denunciarlo ante Bonaparte, o eso nos va a meter en más líos. A fin de cuentas —añadió el barón—, que los egipcios se maten entre ellos no es cosa nuestra. ¡Cuantos menos haya, mejor!

El ascenso hasta el Valle de los Monos se prolongó durante otra media hora. El peso de sus mochilas y lo aparatoso de los cartapacios que arrastraban lo hizo más penoso si cabe. Durante su trayecto, Prosper y Édouard no dejaron de hacerse cruces sobre el incidente del café y lo que debían hacer. Hasta que, al cabo de ese tiempo, alcanzaron el terraplén de tierra removida que habían descubierto para dar con la tumba de Amenhotep.

Los dos muchachos se impresionaron al verla de nuevo. La boca cuadrada tallada en la roca madre parecía el ingreso a una madriguera. Al tenerla otra vez frente a sus ojos, el barón pareció caer en la cuenta de algo.

—¡Dios mío! —exclamó llevándose las manos a la cabeza—. ¡Omar ha estado en esta tumba!

—¿Qué? —saltó Prosper.

—Omar ha entrado en la tumba de Amenhotep. ¡Nos ha estado vigilando!

El ingeniero dejó caer su petate allí mismo, como si de repente fuera de plomo, y se puso a mirar nervioso a uno y otro lado en busca de Dios sabe qué.

—¿Qué os pasa? ¿Por qué decís eso?

—¿Recordáis que nos habló de que Amenhotep usó también el símbolo de la cruz?

—Sí. ¡Menuda tontería!

—¡No lo es! ¡Al contrario! —gritó—. En la tumba de Amenhotep hay una cruz. ¿No la recordáis?

Prosper se acarició entonces la perilla, tomando asiento sobre sus bártulos, a un metro escaso de la boca de la tumba. Habían descubierto aquel enterramiento hacía poco más de un día y apenas habían tenido tiempo de fisgonear en los cuatro impresionantes tramos de escaleras descendentes del mismo y en su sala del sarcófago. Todo lo que recordaba haber visto allá dentro estaba roto o desordenado. Había fragmentos de vasijas por todas partes, lascas de yeso desprendidas por la humedad, y olía muy mal. El sarcófago de piedra había sido saqueado quién sabía cuándo... Y no recordaba haber visto una maldita cruz.

De Villiers le insistió.

—¡La vimos! ¡Está ahí abajo!

—¿Pero dónde?

—¡En la sala del sarcófago! En la tercera cámara de la estructura. Sobre una pared. ¡Es enorme!

Prosper hizo un esfuerzo por visualizarla.

—Es un *ankh* que alguien que entró antes que nosotros debió retocar. De una cruz ansada clásica hizo una cruz casi cristiana... ¡Y está ahí!

—¿Queréis decir que Omar la ha visto? ¿Que ha entrado en la tumba y...?

—Creo que deberíamos darnos la vuelta —dijo De Villiers inquieto—. Ahora.

—¿Qué? —gruñó de mala gana—. ¿Con un descubrimiento de esta envergadura al alcance de la mano? ¿Estáis bien de la cabeza? ¿Vais a tenerle miedo a Omar ahora?

De Villiers no respondió.

—¡Por Dios! Pensadlo un momento. Si es cierto que ahí abajo hay una cruz, ¡tanto mejor para nosotros! ¿No os dais cuenta? —Prosper se levantó de un salto para enfatizar aún más sus palabras—. Si Bonaparte está tan interesado en los vínculos entre Egipto y el cristianismo como nos dijo Omar, nos dará una medalla cuando demostremos que los antiguos faraones usaban la cruz como símbolo.

—La usaban —murmuró seco.

—¿Qué?

—Sabemos que la usaban. —Lo miró severo—. Eso no será un descubrimiento. Otros sabios de la expedición ya han elaborado informes sobre ella. Dicen que era la herramienta que los dioses usaban para dar la vida a los faraones.

Prosper sonrió de oreja a oreja:

—¿Lo veis? Omar va a tener razón. En el cristianismo la cruz no representa solo el instrumento de tortura en el que murió Jesús, sino que es el símbolo de la victoria de la vida sobre la muerte.

—¡Cuidado con lo que decís! —lo reprendió el barón—. ¿Sabíais que una observación como esa le costó la hoguera a Giordano Bruno? Ese buen monje escribió hace trescientos años que los primeros cristianos adoptaron la cruz como símbolo de su fe después de ver lo importante que era entre los egipcios.

—¿En serio? ¿Dijo eso un fraile?

—Así es. No ha sido Omar el primero en darse cuenta...

—¡Me da igual! Escuchadme. —Lo agarró por los hombros—. Bajemos a esa tumba. Enseñadme esa dichosa cruz. Copiémosla. Saquemos un calco. Y escribamos a Bonaparte contándole todo esto. ¡Nos dará una medalla! —insistió.

De Villiers resopló, apartando la mirada de su compañero.

—¿Y si Omar se nos ha adelantado? Puede ser peligroso.

—¡Vamos, hombre! Eso es imposible. ¿Qué creéis? ¿Que se ha pasado una noche aquí, esperándonos?

No acabó el ingeniero de decir aquello cuando desde la fresca entrada de la tumba surgió un extraño lamento. Fue un ulular breve, casi imperceptible, como si las entrañas de la tierra hubieran querido intervenir en su discusión.

—Bueno —se encogió de hombros, sin darle importancia—, ¿entramos o no?

28

El Cairo.
Amanecer del 11 de agosto de 1799

El viaje de Nadia y Alí hasta El Cairo a bordo de una de las barcazas de la familia Ben Rashid fue mucho más rápido de lo esperado. El viento hinchó sus velas durante todo el trayecto como si el mismísimo dios egipcio del viento, Shu, se hubiera empeñado en empujarlos hacia su destino. Quizá fue el avance constante de la nao, o quizá el susurro del río abriéndose bajo su quilla, lo que mantuvo absorta a la Perfecta durante casi toda la travesía. En aquellas horas de calma, recostada en la proa contando estrellas, su mente divagó de una idea a otra. Tuvo un recuerdo para Fátima, se solazó rememorando sus años felices en compañía de sus padres y hasta se distrajo buscando en su memoria los días en los que su abuelo le había enseñado a nadar o a leer.

En medio de aquellos pensamientos se coló de repente otra clase de imagen. No fue exactamente un sueño. Tampoco un recuerdo, aunque ya lo hubiera visto en una ocasión anterior. El caso es que, entre parpadeo y parpadeo, mientras perdía su mirada en las profundidades de la Osa Mayor, volvieron a presentársele las mismas garras oscuras que la habían sobrecogido en la posada de Esna.

La aparición turbó su paz y Nadia sintió un ligero estremecimiento.

Al principio quiso sacudirse aquella sensación de encima. El mal cerniéndose sobre el guerrero de ojos oscuros que había imaginado al huir de Luxor volvió a dejarla estupefacta. Pero esta vez la imponente silueta de su misterioso desconocido se zafó de su amenaza y se dirigió a ella. «¡Dios santo!». De repente lo tenía a un paso, atravesándola con su mirada perturbadora. Jamás se había sentido así cerca de un hombre. Había algo en su actitud que la atraía irremisiblemente. Nadia lo vio mover los labios como si quisiera decirle algo, y aunque no oyó una palabra al fin pudo admirar su rostro. La visión fue breve. Lo justo para percibir la fragancia que irradiaba. Para descubrir que sus facciones no eran egipcias, y que tras la energía de destrucción y muerte que le imponía su oficio se escondía un hombre sediento de ternura, solitario, ansioso por ser amado. Pero aquel descubrimiento la turbó aún más. En ese momento la Perfecta se supo atraída por él, arrastrada por un poder masculino y dulce a un tiempo que deseaba solo para ella. Se vio persiguiéndolo, desafiando a la fuerza que los amenazaba, y cuando por fin se imaginó asiéndolo por los hombros y acercándose a sus labios para besarlos por primera vez, el guerrero se desvaneció sumiéndola en el más absoluto de los desconciertos.

Esta vez, no obstante, su visión le dejó una impresión más: la certeza de que el destino del misterioso desconocido y el suyo estaban conectados. Que, por extraño que pareciera, ambos se pertenecían mutuamente. Que llevaban siglos esperándose y que esas garras iban a luchar desesperadas por separarlos.

«¡No podrán!», se prometió.

Durante un buen rato Nadia se entretuvo en evocar una y otra vez aquella secuencia. Lo hizo tantas veces que casi no se dio cuenta de que habían llegado a El Cairo. Solo cuando los murmullos de la ciudad la sacaron de su ensimismamiento, aquel extraño ensueño pasó a un segundo plano. Las mil medialunas plateadas de los minaretes de La Victoriosa* tuvieron la culpa. Sus brillos la arrancaron de su estado, devolviéndola al mundo de los vivos. No muy lejos de las mezquitas, en otro de los flancos de su campo de visión, se levantaban las siluetas geométricas de tres estructuras milenarias. Nadia no se percató de su presencia.

Lo cierto es que nunca había visto un espectáculo tan soberbio como el que comenzaba a desplegarse ante ella: grandes pontones rodeados por un ejército de falúas y lanchas a remo avanzaban sin orden aparente hacia los primeros muelles de la capital. En la orilla, una marea de gente gesticulaba y gritaba dándoles instrucciones a gritos, sobreponiéndose a la llamada de los muecines a la primera oración del día.

—¡Arriad la vela!

—¡Despejad el muelle!

—¡Lanzad los cabos!

La Perfecta contempló aquella operación con asombro. Tras el caos enseguida adivinó un protocolo perfecto. De hecho, el atraque de su nave se realizó con tal exactitud que en apenas media hora su tío y ella pudieron abandonar la embarcación.

Lo primero que les extrañó al poner pie en tierra firme fue la enorme cantidad de soldados que patrullaban por las inmediaciones del embarcadero. Nadia y Alí nunca habían visto a tantos franceses juntos. Tiendas de campaña y cercados con cabras y caballos se alineaban en la frontera natural que separaba las tierras fértiles de la epidermis amarilla del Sáhara. Parecía que allí no había nada que proteger salvo arena, por lo que aquel despliegue militar les intrigó hasta que alguien dijo que los extranjeros estaban preparándose para repeler un nuevo ataque de Djezzar.

* *Al Qahira*, El Cairo, significa 'victoriosa' en árabe.

—Creo que en el centro de la ciudad estaremos más seguros —murmuró Alí al oír aquello.

Pero Nadia no le respondió.

De repente, se había quedado muda viendo el imponente horizonte que presentaba ante ellos la vecina meseta de Giza. Era el espectáculo que le faltaba por contemplar. Frente a sus ojos, surgidas como por hechizo sobre el desierto, se levantaban las tres grandes pirámides de Egipto. Los colosos de piedra atribuidos a los faraones Keops, Kefrén y Micerinos llevaban cuatro mil años allí garantizando la armonía del país. «¡Dios mío! ¡Son Maat!», se admiró sin despegar los labios. A esa hora, el sol del amanecer las hacía brillar como si fueran de oro macizo. Debían de estar a unos dos kilómetros de donde se encontraban, pero parecían al alcance de su mano. La Perfecta no había visto nada igual en su vida. Ninguna otra construcción se parecía a aquellas. A su lado las ruinas de la antigua Tebas eran una insignificancia. Aquellas moles emanaban una sensación extraña. Eran sobrias. Perfectas. Dignas de los dioses. Y parecían irradiar eternidad.

—¿Nos vamos?

La voz de su tío la sacó del trance.

—Eh... Sí, claro.

Antes de abandonar Giza, aún tuvieron ocasión de cruzar sus miradas con la de la Esfinge. Dormida a los pies de la segunda pirámide, a Nadia le pareció que su rostro imperturbable le estaba dando la bienvenida a esa región que los antiguos egipcios llamaban Rostau. *El lugar de la inmortalidad.* Desde el callejón del poblado en el que se encontraban, la visión de la cabeza del león de piedra emergiendo de las arenas parecía una señal. Ese lugar, esa explanada infinita, le susurraba que acababa de llegar al mayor contenedor de secretos del mundo.

La risita de Alí rompió aquel pensamiento.

—¿Qué te hace tanta gracia, tío?

—¿Qué va a ser? ¡Tú!

—¿Yo? ¿Te burlas de mí?

—No, no. —Sonrió—. Has puesto la misma cara de asombro que los extranjeros que pisan Egipto y ven las pirámides por primera vez.

—Es que nunca he visto nada igual.

—¡Y no lo verás! —exclamó—. No existe nada parecido sobre la faz de la Tierra. De eso se aseguró muy bien el faraón Keops. Lo que guardó ahí es algo sin igual.

—¿Qué guardan las pirámides? ¿A qué te refieres, tío?

La sorpresa de Nadia hizo que una sonrisa enigmática iluminara el rostro de Alí.

—Esas construcciones, Nadia, no son un edificio. Nosotros las vemos como piedra muerta, pero en realidad son una máquina colosal —dijo.

Un mohín perplejo nubló el bello rostro de la Perfecta.

—¿Una máquina?

—Las pirámides son instrumentos de manufactura divina. Fueron construidos para lograr la inmortalidad. Y esa de allí —añadió señalando a la mayor— fue la primera de todas. Sé que es difícil de entender, pero eso es lo que dicen nuestros patriarcas.

—¿Y... funcionan?

Alí sonrió ante la inocencia de la pregunta.

—Sabemos que la Gran Pirámide fue construida para albergar los primeros ritos de inmortalidad a los que se enfrentó nuestra especie y que todavía hoy es la propia pirámide la que escoge a quienes merecen recibir ese don. Se trata de un lugar muy antiguo; los textos que ponían en marcha ese artefacto y sus ceremonias fueron dispersados por los dioses para evitar que cayeran en malas manos y hoy muy pocos saben cómo usarlos...

Nadia miró de reojo a su tío.

—El abuelo Gabriel me contó algo parecido hace muchos años.

—Claro —asintió—. Él fue uno de nuestros patriarcas; estaba iniciado en el secreto. Conocía los textos.

—¿Y tú? —lo increpó—. ¿Los conoces?

—Sé que existen; poco más —se zafó—. He oído hablar de papiros que cuentan cómo el constructor de la Gran Pirámide sacó la idea de este edificio de otro levantado por los mismísimos dioses hace muchos miles de años.* Dicen que aquella pirámide primordial fue levantada por Toth en Heliópolis. Fue llamada *la inmortal* aunque también la conocieron como *el Inventario,* y se dice que contuvo una cámara de granito en su interior que protegía un gran cofre de sílex, que a su vez contenía otro de bronce, un tercero de plata y uno final de oro macizo donde el propio Toth depositó el secreto de la vida. Solo quien se tumbe en él y supere la «prueba de la pirámide» obtendrá el don de los dioses...

—Sabes mucho para no ser un patriarca.

—Tengo buenos maestros. Y me han hecho leer ciertas cosas.

—¿Los papiros? —Se encogió de hombros.

—No. Cuentos —añadió Alí—. A ese Inventario o pirámide inmortal se refiere un relato de la época de Keops. El «cuento de Hordedef». ¿Has oído hablar de él?

—¿Hordedef?

Alí asintió.

—¿Nunca te lo contó tu abuelo?

---

* Esos papiros existen. El primero de ellos fue traducido en 1890 por el filólogo alemán Adolf Erman. Lo llamó *papiro Westcar* y en él se hace mención de esa pirámide primordial. Los egiptólogos lo consideran un texto «de ficción» solo porque el monumento en cuestión no ha sido hallado... todavía. (N. del A.)

Nadia negó con la cabeza.

—Hordedef fue uno de los hijos del faraón Keops —prosiguió él, levantando su mirada hacia el imponente monumento—. Se trata de uno de los textos más conocidos de la época de los grandes constructores.

—¿Y ese cuento explica cómo funciona la pirámide?

—Nos dice que lo más valioso del monumento es el cofre que contenía la sabiduría del dios Toth. Ahí se depositó la fórmula de la vida que le confió la mismísima Isis.

—Pero solo es un cuento...

—Tienes razón. Aunque deberías saber que algunos se inventaron para transmitir grandes verdades. Son historias que pasan de generación en generación burlando los siglos y la mala memoria de los hombres hasta que llegan a oídos de quien sabe interpretarlos y destilar su verdadero mensaje.

—Y tú sabes cómo hacerlo..., claro —sonrió.

Esta vez Alí esquivó la mirada de su sobrina y perdió su vista en el horizonte de las tres pirámides. El sol iba a empezar a calentar enseguida.

—Los que saben son siempre los ancianos —dijo al fin—. En esa clase de cuentos siempre aparece uno que tiene la respuesta que buscas.

—¿Hordedef era un anciano?

—Oh, no, no. —Sacudió la cabeza—. Hordedef fue a visitar a uno de ellos a Sakkara. Así comienza el cuento. En esa época ese anciano era el único habitante de Egipto que recordaba el paradero del Inventario e incluso el plano de sus estancias secretas. Y gracias a él y a sus revelaciones, el faraón Keops y su hijo pudieron reproducirlo al detalle en la pirámide que ahora tienes frente a ti.

Nadia resopló.

—¿Y también copiaron el cofre de Toth?

—Sí. También.

—Pero si Keops nunca tuvo acceso al cofre original, el suyo serviría de poco.

—Te equivocas. La copia de Keops contiene la misma sabiduría, el mismo secreto de Isis, que el cofre del Inventario original.

—No lo entiendo, tío. ¿Cómo es posible?

—Porque las enseñanzas de Toth no son algo físico, Nadia. No se pueden robar. No pueden verse. Ni leerse. Ni en realidad pueden llevarse de un lugar a otro. Simplemente son. Y se reciben cuando alguien que las merece llega hasta ese cofre, en aquella pirámide de allí, se tumba en él para morir... ¡y resucita!

29

Luxor, orilla oeste.
Amanecer del 11 de agosto de 1799

Unos ojillos pequeños y luminosos lo paralizaron.

Prosper —el primero que entró en la tumba de Amen-hotep al escuchar el misterioso aullido— enseguida se arrepintió de su arrojo. A unos palmos del rostro, la silueta delgada de una cobra erguida, con los anillos del cuello hinchados, sus escamas relucientes como espejos y su lengua silbante, le cortaba el paso.

El barón no había iniciado aún el descenso del primer tramo del corredor de acceso, por lo que la luz que se filtraba al interior iluminaba bastante bien al reptil. La criatura se balanceaba sobre su panza, entre curiosa y amenazadora, estudiando satisfecha a su nueva víctima. De no ser por el brillo de su mirada, Jean-Baptiste Prosper Jollois hubiera podido confundirla con una estatua. Pero, para su desgracia, no lo era.

Por puro instinto, el ingeniero calibró las posibilidades que tenía de esquivarla. Se estremeció. En cuanto aquella bestia terminara de examinarlo, atacaría su flanco más desprotegido —quizá el cuello— y le inocularía la muerte antes de que se diera cuenta.

Prosper no se atrevió a gritar. Y así, en cuclillas, con las manos apoyadas sobre el suelo, aceptó que no tenía escapatoria posible. Más pronto que tarde la cobra lo vería parpadear y aprovecharía su primera contracción muscular para morderlo. Ahí sí berrearía de terror; pero para cuando el barón De Villiers lo encontrara, solo tendría un moribundo que arrastrar al exterior. Retorcido de dolor, apretándose el estómago con los puños, Prosper entregaría su alma sin tiempo para pensar en su madre, en sus hermanas, en su casa de veraneo en Aix en Provence o en su perro Lucas. Su vida se esfumaría en brazos del barón, y con ella todos sus sueños de grandeza.

Sssssh.

Entonces la bicha siseó.

El francés creyó que su hora había llegado.

Sssssh.

Y sin embargo, ¡la cobra se distrajo!

—No os mováis, Prosper.

La orden de Édouard de Villiers sonó firme detrás de él. El reptil, confuso, dudó un segundo, como si le costara decidir a cuál de los dos blancos atacar primero.

—No le quitéis la vista de encima —insistió en voz baja el barón.

Prosper obedeció.

No había acatado ninguna orden suya con tanto celo en todo el tiempo que llevaba en Egipto.

De repente, con la precisión de un espadachín consumado, algo cortó el aire a la altura de su oído derecho. El sable de Édouard, brillante, sesgó de cuajo el cuello de la criatura, que en silenció rodó sobre la piedra de la tumba retorciéndose entre espasmos.

—¡Por Dios, barón! —Se incorporó el ingeniero, lívido—. ¡Casi me cortáis la cabeza!

—¡Callad!

Prosper hizo un gesto de no comprender.

«¿Por qué no se alegra?».

—Silencio —le repitió en voz baja—. Escuchad.

Los dos se quedaron unos segundos sin atreverse a respirar. El aullido que habían oído poco antes desde la puerta de la tumba volvía a recorrer otra vez aquellos tubos de piedra.

—¿Lo oís? —gruñó De Villiers señalando a la oscuridad que se desplegaba bajo sus pies, corredor abajo—. ¡Yo tenía razón! Hay alguien aquí.

—Vamos a averiguarlo.

—N... no.

El barón hizo una mueca de desaprobación, pero cuando quiso darse cuenta su compañero se deslizaba ya varios metros más abajo, iluminado por un pequeño fanal.

—Pero, Prosper, ¿y si hay más serpientes?

—Nos arriesgaremos. ¡Bajad!

Édouard de Villiers extrajo entonces un par de velas de su casaca que encendió de inmediato. Su luz, escasísima frente a las tinieblas, se agitó como si dudara de mantenerse encendida.

El barón estaba en lo cierto: más allá de los dos primeros tramos de escaleras, al fondo de una galería excavada en roca e ilustrada con escenas incomprensibles para ellos, se adivinaba un bisbiseo humano. Al principio fue poco más que un rumor. Un ruido profundo que emergía de las entrañas de la tierra y que erizó los cabellos de los dos franceses.

Ninguno articuló palabra. Descendieron tratando de no hacer rodar ningún escombro. Figuras humanas con rostro de perro, cortesanas vestidas con transparencias de una exquisitez indescriptible y aves con las alas desplegadas parecían no quitarles los ojos de encima.

—Escuchad —susurró Prosper—. ¿Lo oís?

El barón se aprestó a alcanzar la posición de su superior. Habían bajado otros dos tramos más, y al fondo de lo que parecía una sala mayor, creyeron ubicar la fuente del ruido que les había sorprendido. Los ingenieros apagaron las luces y avanzaron los seis pasos que los separaban del final de aquel corredor.

—Esto no me gusta —masculló De Villiers—. Si nos descubren, no saldremos vivos de aquí.

Prosper no hizo caso de la advertencia y, despegándose del aliento de su compañero, estiró prudentemente la cabeza para echar un vistazo al interior de la sala contigua. Durante unos momentos no reaccionó.

Al fondo de una estancia dividida en dos niveles, y flanqueada por seis columnas bellamente adornadas con nuevas figuras y jeroglíficos, se guardaba un sarcófago dentro del cual se adivinaba —Prosper dudó— ¡una momia!

La luz era pobre; apenas una docena de lámparas de aceite alumbraban toda la pieza. Pero, pese a ello, distinguió el rostro familiar y bien arreglado de Omar Zalim asomándose a la inmóvil silueta de aquel cuerpo.

—¡Omar...! —susurró.

—Os lo dije —escuchó a sus espaldas a De Villiers—. ¡Vámonos!

—Esperad...

Algo llamó la atención del ingeniero. El hombre que dirigía aquella reunión no era exactamente el mismo al que habían visto en el templo de Luxor. Aquel Omar no parecía un *fellah*, sino un príncipe. Estaba vestido con una finísima túnica de lino ceñida por un cinturón de cuero y pedrería y sus facciones eran más exageradas de lo que recordaba. Sus ojos estaban perfilados con kohl, su barbilla y sus mejillas mostraban unos brillos blancuzcos que enseguida identificó con maquillaje y tenía los brazos reforzados con correas. Pero lo que más le extrañó fue el enorme garfio que sostenía en su mano derecha y que caminara alrededor de aquella momia... ¡que se movía!

Prosper aguzó la vista para no equivocarse. Pero no había duda. Fuera quien fuese la persona que estaba allí tendida, bajo las miradas de Omar y de su extravagante cuadrilla de acompañantes enmascarados con cabezas de animal, se removía como si no le gustara estar ahí.

Aquellos tipos mitad humanos mitad animales comenzaron entonces a recitar una extraña salmodia:

—*¡Oh, Osiris!* —corearon al unísono.
No cometimos iniquidad contra los hombres.
No maltratamos a las gentes.
No cometimos pecados en el Lugar de la Verdad.
No tratamos de conocer lo que no se debe conocer.
No blasfemamos contra Dios.
No obligamos a nadie a pasar hambre.
No hicimos llorar.
No tengas a mal el sacrificio que ahora hacemos en tu nombre.

El ingeniero reculó. Dos de aquellos peleles con cabezas de chacal y halcón de madera policromada se habían dado la vuelta para tomar una gran balanza de cobre que descansaba contra una de las paredes del recinto, muy cerca de donde estaban ellos. Mientras la instalaban, Omar, extasiado, continuó recitando en solitario, con el brazo izquierdo sobre el plexo solar, aquella monótona letanía:

No disminuí las ofrendas a los templos.
No manché los panes de los dioses.
No fui pederasta.
No forniqué en los lugares santos del dios de mi ciudad.
No cacé en los cañaverales de los dioses.
No pesqué en sus lagunas.
No opuse diques contra las aguas.
No me opuse a ninguna procesión.
¡Soy puro!
¡Soy puro!
¡Soy puro!

Y añadió:

¡Oh, Osiris! Hazme ver el camino que me conduzca a ti.

Prosper, que comprendió bastante bien aquella especie de oración, dejó pasar un tiempo prudencial antes de volver a asomarse. Cuando lo hizo, «Chacal» y «Halcón» habían acabado de instalar la balanza a solo unos pasos de su posición. Fue entonces, mientras dos mujeres muy maquilladas surgidas del fondo de la sala hacían sonar sus sistros, cuando una neblina de incienso comenzó a desdibujar la escena.

En ese momento, el primero de ellos habló. Su voz grave atronó la sala:

—Tú, Omar Zalim, que has superado el implacable juicio de los cuarenta y dos asesores de los muertos, que has sido capaz de declararte inocente de los cuarenta y dos pecados fundamentales del verdadero creyente, ¿vas a someterte al veredicto de la balanza para ver el sendero de Osiris?

—Sí. Me someteré —respondió este.

—En ese caso, debes saber que si superas el rito accederás a lo que deseas, pero si no, tu ka y tu ba perecerán devorados por Ammit, el terrible monstruo de cabeza de cocodrilo que acabará con tu existencia y te condenará a la desaparición absoluta. ¿Aceptas?

—Acepto.

«¿Ka?».

«¿Ba?».

Se preguntó el francés sin saber que eran las dos partes indisociables en las que los egipcios dividían el alma humana. La chispa vital o «el doble» y la personalidad o el espíritu.

Prosper, hipnotizado por aquellas imágenes de otro

tiempo, se frotó los ojos irritados por el incienso. Apenas podía creer que su guía, el hombre que les había pedido que intercedieran por él ante Napoleón Bonaparte, estuviera oficiando aquella especie de *misa egipcia*.

«Halcón» se inclinó ceremoniosamente sobre uno de los platos de la balanza, colocando sobre él un frasco de alabastro de pequeño tamaño.

—Este es el recipiente para *ib*. Debes colocar aquí tu corazón —dijo.

—Y este es el recipiente de *shes maat*. El espíritu de la justicia —remató el «chacal», depositando un cuenco opaco en el otro plato.

Una tercera criatura, con cuerpo de hombre y cabeza de pájaro de pico largo y afilado, se adelantó al grupo y frente a la balanza, exclamó:

—Sea, pues, como has pedido a los antiguos dioses. Yo, Toth, aquel que se creó a sí mismo, al que nadie dio a luz, aquel que calcula desde el cielo y es capaz de contar las estrellas y llamarlas a todas por su nombre, inscribiré para la eternidad el resultado de este juicio severísimo.

—Amén.

Al tiempo que los sistros inundaban la estancia de un sonido silbante que a Prosper le recordó los bufidos de la cobra, Omar hizo algo que lo dejó perplejo. Se acercó hasta la momia temblorosa que estaba en el centro de la sala, murmuró algo que no acertó a comprender y, sin atisbo de duda, levantó el garfio de su mano para hundírselo de un golpe en el pecho.

Un aullido desgarrador emergió del interior del fardo.

Omar lanzó una siniestra risotada. Su puño apretaba la herramienta para que no se saliera del cuerpo, mientras el cuerpo entero de la momia —que Prosper descubrió que estaba atado por cinchas cuan largo era— se convulsionaba salvajemente.

El guía removió con agrado aquel punzón dentro del cuerpo. A cada nuevo giro la momia redoblaba sus chillidos. ¡Era horrible!

Crujió un hueso. Luego otro. Sonó entonces un estertor muy desagradable, como si algo succionara el aire de alrededor. Y después, con un estudiado giro de muñeca, Omar levantó el gancho con algo palpitante que colgaba de él.

Prosper casi se desmaya de la impresión.

«¡Dios! ¡Le ha arrancado el corazón!».

Ajeno a aquella mirada impertinente, con la momia inerte y sus vendajes empapados en sangre, Omar se acercó al primer frasco y depositó en él la víscera.

—Aquí está el *ib* de Fátima ben Rashid —dijo—. ¡Ahora deseo ver dónde está su prima, la sangre de su sangre!

El pelele que llevaba la máscara de Toth tapó aquello, sugirió una reverencia y lo depositó en el fiel de la balanza que le correspondía. La máquina estaba a punto de hacer su trabajo cuando «Toth» habló de nuevo bajo su máscara:

—¿Hay algo más que deseéis?

—Sí. —La mirada reforzada en kohl de Omar relampagueó excitada—. Quiero arrebatar al general Bonaparte lo que es de Egipto. ¡Quiero recuperar Maat para los hijos de Set!

Édouard de Villiers y Jean-Baptiste Prosper Jollois no aguantaron ni un minuto más. Acababan de presenciar el asesinato y una abierta declaración de hostilidades hacia el líder de su expedición. Debían salir de allí de inmediato, avisar a la guardia de Desaix y —ahora ya sí— escribir al cuartel general de Napoleón Bonaparte ¡en el acto!

30

El Cairo.
Primera hora del 11 de agosto de 1799

Alí y Nadia abandonaron enseguida la meseta de Giza. Su tío la tomó del brazo para guiarla entre la muchedumbre que se dirigía al centro de El Cairo y no la soltó en todo el tiempo que caminaron juntos. Al principio pareció desorientado. Vagó de un barrio a otro sorteando animales de carga y mercaderías hasta que la visión del alminar de ladrillo de la mezquita de Al-Hakim lo situó. Avanzaron entonces hacia la calle de Bayn al-Qasrayn, que significa 'entre palacios', y bordearon lo poco que aún quedaba en pie de las mansiones fatimidas que le valieron aquel nombre. Su esplendor —si es que alguna vez lo tuvo— se había volatilizado hacía tiempo. A sus pies, la mezcla de aromas a especias, guisos callejeros y hedor a estiércol desmerecían un lugar pensado para imitar el Paraíso.

En uno de los callizos tangenciales a esa arteria, tras una cortina tiznada de inmundicia, pronto se abrió ante ellos lo que Alí estaba buscando. Lo primero que sintió Nadia al cruzar aquel umbral fue alivio. Sus oídos y su pituitaria se relajaron de golpe y dejó de tener la desagradable sensación de que un millón de ojos la vigilaban. La Perfecta no había podido sacudirse esa impresión desde su salida de Edfú. Era como si algo invisible y superior la hubiera merodeado hasta ese mismo momento y, de repente, la liberara. El efecto fue balsámico. Su tío la había conducido hasta un patio limpio y grande, un cuadrilátero de paredes recién encaladas, porticado, con un pequeño estanque rodeado de espléndidas glicinias y flores aromáticas que llenaban la atmósfera de una dulce fragancia.

Dos niños agazapados en la esquina más apartada del recinto jugaban a algo parecido al ajedrez. Al verlos entrar, se levantaron y corrieron a esconderse. Instantes después, una mujer de rostro blanco y amable les salió al paso. Murmuró algo ininteligible y besó a Alí en una mejilla. La señora, presa de una euforia contagiosa, tomó entonces a la Perfecta de la mano y, sin dejarla despedirse siquiera, la llevó a un segundo patio, este cubierto con toldos, mucho más pequeño que el anterior, en el que un anciano vestido con una túnica clara parecía ensimismado con el murmullo de otra fuente.

—¿Nadia? —susurró este nada más sentir su presencia. Su voz sonó grave como el trueno, pero no la sintió amenazadora—. Eres tú, ¿verdad?

Aquel venerable giró la cabeza hacia donde se encontraba y le clavó sus espléndidos ojos azules.

—Bienvenida. No temas, por favor. —La animó a acercarse, con una amplia sonrisa dibujada en los labios—. Siéntate junto a mí. Hacía mucho que deseaba conocerte...

La muchacha, algo confusa, obedeció al punto. El hombre era de una edad imprecisa, tenía barba blanca e hirsuta, cabello ralo, pómulos y mentón afilados, y emanaba un singular magnetismo. Su voz y sus gestos le otorgaban autoridad. La mujer de la cara pálida, quizá una de sus esposas, guio entonces a Nadia a su vera y la ayudó a tomar asiento sobre un cojín bordado con pedrería. Luego los dejó a solas.

—Yo soy el Viejo de la Montaña —le dijo en cuanto desapareció—. Los tuyos me consideran el gran protector de los Ben Rashid. El guía espiritual de vuestro clan.

—He oído muchas cosas de vos... —asintió.

—Y yo de ti —sonrió cómplice.

El rostro de Nadia se ruborizó.

—¿De mí?

—Oh, sí. Sé más cosas de ti de lo que crees. Puedo hablar con el alma de las personas, y la tuya lleva tiempo comunicándose conmigo.

—¿Cómo puede ser eso? Ni siquiera sé vuestro verdadero nombre. Jamás he hablado con vos.

—Los Ben Rashid me llamáis Viejo de la Montaña desde hace generaciones. Supongo que siempre me habéis visto como a un anciano. Y lo soy. Pero tú puedes llamarme Balasán.

—Ba-la-sán... —silabeó la Perfecta, como si quisiera interiorizar aquel nombre.

—Es solo uno de mis nombres. Me he visto obligado a cambiarlo según las circunstancias. Me han llamado Maestro de la Luz, Hermano Blanco, el viejo Dyedi... Mis historias aparecen incluso en los cuentos. Pero, ya me ves, soy el más anciano de una familia amiga de los viejos dioses a la que a veces los tuyos llaman los sabios azules.

—¿Y cómo puede ser alguien amigo de los dioses, maestro Balasán? —le preguntó, recordando de repente las advertencias de su abuelo Gabriel.

—¡Oh! Todo consiste en elegir bien a qué dioses brindar tu amistad. —Sonrió—. Seguramente tu tío Alí te habrá hablado del último mensaje que he recibido de ellos, ¿verdad?

Nadia asintió.

—Me dijo que tuvisteis un sueño.

—Así es, hija mía. Los dioses usan nuestros sueños para enviarnos sus mensajes. Toman la forma que quieren, la tuya, la mía, cualquiera, y se nos presentan. Sucede desde la noche de los tiempos. Aunque ese del que te hablo no fue como los demás. Fue uno intenso, deslumbrante, en el que se me reveló que ha llegado el momento de que los Ben Rashid os hagáis con el *Libro de la vida*.

—Alí también me lo ha contado, maestro.

Él asintió con la cabeza.

—Sé que te parecerá extraño —prosiguió—. Sobre todo en alguien de tu juventud, pero llevo tiempo observando a tu familia. Cuidando de ella. Preservándola. Y todo para llegar a ti.

Las manos sarmentosas y fuertes de Balasán se estiraron entonces hasta tomar las de Nadia. La Perfecta las notó cálidas, suaves incluso. No las retiró.

—¿A mí? ¿Por qué a mí, maestro?

—Porque tú tienes el mismo don que yo. Tú también eres capaz de recibir mensajes de los dioses.

—¿Yo?

Nadia sintió que una corriente le recorría la espalda, sacudiéndola con un escalofrío interminable.

—Yo no...

—No puedes ocultarme nada —la atajó Balasán—. Recuerda que tu alma me habla. Y me ha dicho que tu destino ya te ha sido mostrado.

La Perfecta iba a negar otra vez cuando de repente el anciano decidió aflojar su presión.

—¿No te ha explicado tu tío por qué estás aquí? ¿No te ha hablado del origen de vuestra familia? ¿Y no te ha dicho por qué los sabios azules somos tan celosos con nuestro linaje?

—N... No.

—¿Ni tampoco por qué le interesas tanto a Omar Zalim?

—No, maestro.

Por un instante, el dulce gesto del anciano se ensombreció. Algo contrariado, el Viejo de la Montaña supo que tendría que instruir a Nadia tan rápido como fuera posible. Debía pedirle algo y necesitaba que aceptara.

—Verás, hija —dijo sin soltar sus manos—: mi tribu ha sido bendecida por los dioses con dos dones preciosos. El primero es una singular longevidad. Muy pocos de los nuestros no superan los cien años. Eso nos da una perspectiva sobre la Historia muy diferente a la de la mayoría. En cuanto al segundo, bueno, ese ya lo conoces. Recibimos señales de arriba siempre que algo importante está a punto de sucederle al género humano. Sencillamente, vemos nuestro objetivo con los ojos del alma. Nuestra obligación ha sido siempre la de anunciároslo y ayudar a cumplir el plan divino.

La Perfecta lo miró con preocupación. De repente, la imagen del misterioso guerrero resurgió como un recuerdo incómodo y rogó para que Balasán cambiara de tema. Pero no lo hizo.

—¡Oh, vamos! Sé que lo sabes —asintió el anciano—. Vienen tiempos difíciles.

—¿Es que va a pasar algo malo? —preguntó alarmada.

—Eso va a depender de ti —repuso indescifrable.

—¿De mí?

—Y del hombre que has visto cercado por el mal.

Nadia se sobresaltó y por instinto separó sus manos de las de Balasán. Una ola de calor encendió entonces sus mejillas. Solo imaginar que aquel anciano se había colado en sus pensamientos más íntimos la descompuso.

—¿Qué sabéis vos de eso?

—Yo también lo he visto —respondió en tono cómplice—. Pero en la vida real.

Los ojos de la Perfecta se abrieron por completo.

—¿De veras? —Había cierta ansiedad en su pregunta—. ¿Existe?

—Así es, hija mía. Ese hombre ha sido elegido por los dioses para recibir el don por el que las Sombras y la Luz

218

llevan milenios combatiendo. Su destino y el tuyo están entrelazados. Deberías saberlo.

El anciano dejó que sus palabras calasen en Nadia, pero ella estaba totalmente ofuscada. Cuanto más trataba de reprimir su última visión, más clara y perturbadora emergía la imagen de aquel hombre.

—¿Entrelazados? —balbuceó avergonzada.

—Sí —asintió Balasán—. Me alegra que lo comprendas.

La muchacha no movió un músculo. El pudor la paralizaba por completo.

—No te asustes, hija mía. —Se levantó, invitándola a caminar por el patio, adelantándose a su reacción—. Eso que sientes es el eco de la fuerza más poderosa del universo. No es nada malo. Al contrario: se trata de algo sublime. La fuerza de atracción que une a los polos opuestos y genera lo que todos nosotros anhelamos. ¡La vida!

—¿Eso... eso es el amor?

Balasán asintió.

—¿Y por qué yo tengo que...?

—¿Sabes? —la interrumpió—. Providencia, destino, fuerza mayor, plan supremo, designio, futuro... Todo eso son los términos con los que los pueblos de la Tierra se refieren a la más insigne manifestación de Maat. Para mantener el equilibrio del universo, esta maneja nuestras vidas de un modo que nos resulta incomprensible. Nos conecta querámoslo o no, nos cruza y nos dirige. Ese guerrero que has vislumbrado, Nadia, solo vencerá a la muerte si antes se armoniza con la energía que has empezado a sentir por él. Vuestro destino encarna la eterna lucha de Eros y Tánatos. Amor y muerte. Los dos habéis sido convocados para proporcionaros justo lo que os falta, y juntos generar algo superior. Excelso.

—¿Y si me niego? —susurró, sobrecogida por aquellas palabras.

—Entonces traicionarías a todos los que han dado su vida por verte cumplir con tu misión.

—Mis padres, mi abuelo Gabriel... Lo sé —suspiró.

—Y no solo ellos.

—¿Qué queréis decir? —Nadia se alarmó. Había algo siniestro en el tono con el que Balasán pronunció aquella última frase—. ¿Es que hay más?

—Este es un combate que nunca cesa, Nadia. Tu familia lucha en él desde el principio de los tiempos. Cada mil quinientos o dos mil años la guerra entre Luz y Sombras se recrudece. Sucede cada vez que los astros se alinean para enviar a la Tierra a un humano merecedor del secreto de la vida eterna y conceder una nueva oportunidad a vuestra especie para redimirse de la muerte. Entonces nosotros lo localizamos, le revelamos cuál es el destino que le espera y le facilitamos lo que necesite para que obre el milagro de convertirse en inmortal. Pero también entonces, indefectiblemente, los hijos de Set se rearman y nos combaten. Eso es Maat. El sagrado equilibrio.

—¿Quién más ha muerto por mí? —El apremio con el que Nadia lo interrumpió sorprendió a Balasán—. ¡Decidme!

Las pupilas azules del anciano se contrajeron. Nadia percibió en él la incómoda sombra de la duda, pero finalmente habló:

—Fátima. Tu prima —dijo.

—¿¡Fátima!? —exclamó llevándose las manos al rostro.

Una brusca punzada de dolor se le instaló en el pecho, liberando una ola de adrenalina que la recorrió de arriba abajo. La severa respuesta del Viejo de la Montaña la había dejado sin aliento. Durante un instante le costó llenar los pulmones. Y cuando lo hizo, dos gruesas lágrimas cruzaron sus mejillas.

—Fátima no... —lloriqueó incrédula.

—Lo presentí anoche —añadió Balasán, sobreponiendo con delicadeza su voz a los sollozos—. Zalim la mató con su magia para averiguar dónde estabas. Buscó en vuestro vínculo y te localizó.

—Pero...

—Lo siento mucho, Nadia. El grito desesperado de su ka me despertó. Fue muy valiente.

—Pero era... ¡era solo una niña! —reaccionó.

La punzada había dado paso al vacío, al vértigo. Nadia sintió que sus rodillas flaqueaban y que la náusea se apoderaba de su estómago. Balasán se conmovió. Se acercó a ella y la rodeó con sus brazos:

—Aún puedes hacer algo por ella —le susurró cerca del oído.

—¿Algo? —Los ojos de la Perfecta habían enrojecido y sus palabras brotaban ahora con dificultad—. ¿Qué?

—Puedes vengarla haciendo fracasar la ambición de los hijos de Set.

Ella se apartó del viejo maestro y se restregó el rostro tratando de controlar su dolor y valorar el alcance de aquella insinuación.

—¿Vengarla?

—Es el turno de tu Maat —replicó muy serio—. De hacer algo por ti. De encarnar el poder de la diosa que llevas dentro y dictar justicia.

—¿Y qué... qué se supone que debería hacer?

—Encontrarte con el hombre de tus visiones. Le mostrarás la fuerza del amor. Lo prepararás para recibir la eternidad y frustrarás el avance del mal.

—¿Pero dónde lo encontraré? ¿Cómo?

Balasán, conmovido por el esfuerzo de aquella muchacha, volvió a regalarle la sonrisa dulce del principio.

—Ese hombre está ya en Egipto. Mañana pasará la

prueba para recibir su inmortalidad. Pero va a necesitarte para que la antigua magia de Isis funcione.

—No comprendo... —Se encogió de hombros, intentando dominarse.

Balasán la miró de nuevo:

—¿Qué sabes tú de los resucitados, hija mía?

—Apenas conozco la historia de Isis y de Osiris.

—¡Pues hay muchas más como esa! —exclamó—. Cada una de ellas demuestra que la muerte puede vencerse. Que Fátima y los tuyos no se han sacrificado en vano. Los turcos tuvieron a Atis, un hombre que murió crucificado y resucitó al tercer día por intercesión de la diosa Cibeles. También a Mitra, que se quitó la vida como ofrenda y supo cómo regresar de entre los muertos. O Apolonio de Tiana, también turco. Todos tuvieron en común que su regreso se hizo gracias a la intervención de una mujer especial. Yeshua regresó ante la mirada de María Magdalena. Sin Isis, Osiris no hubiera retornado. Y lo mismo puede decirse de los demás. Lo que quiero decirte —inspiró el anciano— es que sin ti el importantísimo rito de mañana no funcionará. Necesitamos tu poder para ponerlo en marcha. Tu determinación. Tu don de Isis.

Nadia lo escrutó con severidad.

—¿Y puedo preguntar quién es el Osiris al que debo dirigirme?

Balasán se quedó en silencio un instante. Después, acariciando la suave mano de la Perfecta, susurró:

—Es Bunabart, hija. El sultán venido del otro lado del mar...

—¿Napoleón Bonaparte es el guerrero que he contemplado en mis visiones? —dijo estupefacta.

—Así es.

—¿Cómo podéis estar tan seguro?

—Ya te lo he dicho. Porque lo he conocido y he escuchado hablar a su alma. Y te conozco a ti y he escuchado a la tuya. Estáis, lo sé, predestinados al encuentro.

—¡Pero eso es imposible! ¡Pertenecemos a dos mundos opuestos!

—Así funciona Maat. Siempre atrae a los contrarios.

—¡Jamás podré llegar a él! —protestó, sin escuchar al anciano.

—No te preocupes. Yo te diré cómo. Bunabart acaba de llegar a El Cairo. Irás en su busca. Le advertirás que los hijos de Set se han infiltrado en sus filas y planean traicionarlo. Y le dirás también que he sido yo quien te envía con ese mensaje. Con eso bastará.

Nadia se aferró tanto a las manos del anciano Balasán que casi las arañó. Una sombra de preocupación se instaló en su hermoso rostro.

—¿De verdad hay hijos de Set entre los extranjeros, maestro?

—Sí —asintió—. También los he visto. Los esbirros de las sombras están ya por todas partes.

31

El Cairo.
Horas después

Omar Zalim tragó una profunda bocanada de aire nada más poner el pie en El Cairo. El rito de la noche anterior en la tumba de Amenhotep había iluminado su mirada de un modo peculiar. Le había concedido ese raro e intenso don del que hablaban los antiguos papiros y que tan pocos humanos dominaban: «Todo lo que ocurre en cada región te es contado... Posees millones de oídos... Tu ojo es más luminoso que las estrellas del cielo... Tu ojo ve todo lo oculto».*

Ahora, además de hijo de hechiceros, el sacrificio de sangre lo había convertido en vidente.

¿Por qué no habría hecho caso antes al instinto de su viejo mentor, Gamal? Tal y como este le había sugerido, le bastó apretar entre sus manos el corazón palpitante de Fátima ben Rashid para recibir el destello de la *visión perfecta* en lo más profundo de su ser. La descarga vivificante de la profecía, esa fuerza capaz de sojuzgar el tiempo o la distancia, le había hecho saber que Nadia le sacaba solo unas horas de ventaja. Que estaba en El Cairo. Y que si seguía a su nuevo instinto, la encontraría.

Por eso estaba allí.

Pletórico.

Seguro de su misión.

* Papiro Anastasi, IV, 6.

Complacido con sus nuevas fuerzas, Omar miró a uno y otro lado del embarcadero como si pudiera olfatear a su presa. Y algo había de cierto en eso porque, sin dudarlo, aquel gigante de músculos de hierro y piel escarificada atravesó la aduana y se perdió entre la multitud sabiendo exactamente a dónde dirigir sus pasos.

Nadia —estaba seguro— conocía ya aquello para lo que había sido preservada.

«Ahora es más peligrosa que nunca —pensó—. Debo detenerla».

Gran Pirámide. Giza

Bonaparte seguía ocupado en sus recuerdos. Todavía no acertaba a comprender qué le estaba sucediendo. Por qué la Gran Pirámide lo estaba obligando a recuperar aquellas memorias.

Al menos ahora apreciaba cuán imprudente fue al acudir a Nazaret. Se había dejado llevar hasta allí para celebrar un cónclave con unos nómadas del desierto que parecían salidos de un cuento de las mil y una noches. Y lo que era más temerario todavía: había permitido de buen grado que estos le suministraran una especie de «fármaco de la memoria». Una droga de efectos desconocidos que bien podría haber acabado con su vida.

Por suerte eso no ocurrió.

Aparte de un ligero ardor de estómago que se disolvió enseguida, los efectos del bebedizo se limitaron a estimular su memoria. La mente del general se iluminó tornándose veloz y lúcida como no recordaba haberla sentido jamás. Sus ojos dejaron de ver la choza en la que se había citado con los sabios azules y habían empezado a contemplar escenas de otro tiempo con una fidelidad asombrosa. Fue como si esa sustancia se lo hubiera llevado de visita a su propia vida. Como si quisiera obligarlo a contemplar por segunda vez ciertos instantes de su existencia para que extrajera de ellos alguna lección perdida.

Había una clara intención en todo aquello.

¿Pero cuál?

¿Y por qué regresaban todas esas imágenes justo ahora, a la vez, en el corazón de la pirámide, y lo atormentaban de aquel modo?

¡No tenía respuesta a tanta pregunta!

Fue entonces cuando afloró un último recuerdo.

En Nazaret la droga lo condujo una vez más a París. Más concretamente a un viejo local lleno de claves para un futuro que ahora era su presente. En esa última visión, Bonaparte iba a comprender por qué su ímpetu lo había llevado en los últimos meses a Egipto y Palestina, tan lejos de su patria, sumergiéndolo en un mundo de creencias tan diferentes a las suyas. Iba a descubrir, en definitiva, lo que muy pocos humanos han alcanzado a intuir jamás: que, en efecto, existe un plan maestro que rige nuestras vidas.

Y con la diáfana sensación de que cada nuevo recuerdo dejaba un poco más vacía su alma, se abandonó a aquel último ensueño...

33

París, 19 de agosto de 1795

Bonaventure Guyon no supo resistirse al seductor tintineo de unas monedas de plata. Napoleón Bonaparte había decidido regresar a su consulta para atar un último cabo suelto.

—¿Veis como no me equivoqué? Habéis regresado para pagar mis servicios —sonrió el «profesor de matemáticas celestes», guardándose las monedas con gesto avaro.

—Necesito más información sobre Saint-Germain.

—También lo supuse.

—¿Y bien?

Guyon lo miró ensombreciendo su rictus.

—Os tengo por un hombre prudente, general. Perseguir a alguien con una carta astral idéntica a la vuestra puede acarrearos problemas.

—¡Dejaos de paños calientes! Acabo de pagaros. Decidme: ¿dónde puedo encontrar al conde de Saint-Germain?

Guyon volvió a observarlo con aquel rostro lleno de manchas tras el que escondía su alma y comenzó a mascullar algo sobre el rompecabezas que supone analizar el porvenir de una criatura de Dios. Luego, sin otros rodeos, le contó que al huidizo conde le gustaba frecuentar cierto restaurante de la ciudad. Allí citaba a sus amistades más íntimas y organizaba sus tertulias.

—Pero mucho me temo que hace años que nadie lo ve por allí, general.

—Entonces, me conformaré con lo que me cuenten de él.

—No es mala idea —masculló el astrólogo—. Si alguna vez se le escapó una confidencia sobre su origen o el de su fórmula de la vida, bien pudo ser tras esas cuatro paredes. Porque es eso lo que queréis vos de él, ¿me equivoco?

—Como todos —se excusó Bonaparte.

—Entonces preguntad por ahí —repuso señalando un rincón de París más allá de las ventanas de su buhardilla—. Quizá sepan deciros algo. Os facilitaré la dirección; pero no mencionéis que os la he dado yo.

El general aceptó.

No tenía tiempo que perder, así que, nada más abandonar la consulta, descendió hacia el Sena rumbo a su nuevo objetivo.

El local al que lo había encaminado Bonaventure Guyon, sito en el número 51 de la oscura calle de Montmorency, resultó ser un antro gris, de paredes tan abombadas que parecían a punto de colapsar. Con cuatro plantas y la típica buhardilla de París por sombrero, el inmueble era, pese a su aspecto depauperado, el mejor de toda la calle.

Lo cierto es que no tardó en localizarlo. Próximo a la céntrica *rue* Saint Martin, en pleno barrio del Temple, la calle de Montmorency no dejaba de ser un paso estrecho sin vida comercial de ninguna clase. Le llamó la atención que Saint-Germain hubiera hecho esa elección. Aquel era un barrio de escaso encanto para un hombre que, en época prerrevolucionaria, presumía de conde y derrochaba su fortuna en las cortes de media Europa. Pero una vez en la vía, frente a la fachada del restaurante en cuestión, el joven general creyó comprender la sutileza de semejante decisión.

En efecto: talladas en su fachada de piedra, unas letras grandes anunciaban que aquel era el *Auberge Nicolás Flamel*, «la casa más antigua de París». Allá donde mirara había un medallón o un signo en altorrelieve. Pequeñas figuras de ángeles y profetas emergían por todas partes confiriendo al conjunto un aspecto casi catedralicio.

Bonaparte apreció el curioso humor del conde. Si la memoria no le fallaba, el tal Flamel no fue sino un celebérrimo alquimista parisino del siglo xv, amén de impresor y copista reputado, del que se decía que había obtenido la piedra filosofal en compañía de su esposa, la bella y no menos famosa Pernelle. Saint-Germain, por supuesto, debía de conocer aquella historia al dedillo. Para los amantes de la «ciencia sagrada», iniciados en la piedra filosofal, esta era sinónimo de árbol de la vida o de elixir de la eterna juventud. Y Nicolás Flamel era un verdadero referente para todos ellos.

—¡Pero eso son bobadas, monsieur! ¡La piedra filosofal no existe mas que en los delirios de los locos!

La señora Nerval, una oronda mujerona del Aude, viuda del antiguo dueño del negocio, se rio de la ocurrencia de su nuevo huésped mientras le servía un magnífico *saumon roti et ses lentilles aux lard* y una espléndida jarra de cerveza.

—Muchos parisinos creen que la piedra existió realmente... —le objetó sin demasiada convicción, mientras invitaba a la cocinera a que se sentara a la mesa. Estaban solos. Era el día libre del servicio.

—¡Oh, vamos, ciudadano general! Con la Revolución todas esas supercherías quedaron atrás. Eso son cosas de curas.

—No, no me entienda mal, señora... Si yo no digo que crea en ellas. Os pregunto por curiosidad.

—Ya, claro —sonrió picarona—. Vos lo decís por el texto que habéis visto grabado en la fachada, ¿no es cierto?

Bonaparte asintió por cortesía. En realidad, la sección

frontal del restaurante estaba tan ennegrecida por el humo de las cocinas que ni se le había ocurrido pensar que hubiera algo que leer en ella además del nombre del local.

—Debéis saber que esta casa fue levantada por un mago, el Nicolás Flamel que da nombre a esta finca —prosiguió, dejando que su cliente probara el salmón a la plancha—. ¡Fue otro loco, creedme! Quizá hayáis oído hablar de él. Flamel fue un ricachón de los de antes, con el bolsillo forrado pero consumido por los remordimientos. ¡Ya no quedan de esos!

Bonaparte asintió mientras se relamía.

—El caso es que, para redimir el pecado de la riqueza, se entretuvo en levantar varias viviendas como esta por todo París. Las decoró todas con estatuas y símbolos a cual más extraños, pero esta es la única que queda en pie. La más sólida. Es de 1407. La fecha está sobre el dintel.

—¿Sobre el dintel? —tragó.

—Sí. No me puedo creer que no la hayáis visto, general.

—Pues no, señora.

—Es una especie de oración. En realidad, si alguien le quitara el «amén» y borrara lo del «padrenuestro» y el «avemaría», podría hasta hacerla pasar por un edicto de la Junta Revolucionaria...

Madame de Nerval se rio abiertamente de su propia ocurrencia ante la mirada sorprendida del oficial, que había decidido probar también un poco del vino de la casa.

—¿Os sabéis de memoria la frase del dintel?

—¡Por supuesto! —repuso—. «Nosotros, hombres y mujeres trabajadores, vivimos en la parte delantera de esta casa que fue hecha en el año de gracia de 1407. Cada uno tenemos la obligación de decir todos los días un padrenuestro y un avemaría pidiendo a Dios que por su gracia perdone a los pobres pecadores difuntos. Amén». Creo que no me he olvidado nada...

—Impresionante. La recitáis de carrerilla.

—Sí —confirmó orgullosa—. ¿Sabéis? Mi difunto marido halagaba más mi memoria que mi cocina.

—Apuesto a que sois capaz de recordar a casi todos vuestros clientes habituales.

Bonaparte acababa de ver la ocasión para cercar el terreno que le interesaba. Madame de Nerval asintió confiada.

—Y habréis conocido a muchos prohombres.

—¡Oh! ¡Ni os imagináis! He dado de comer a medio Directorio.

—Estoy seguro. ¿Y a nobles también?

—Naturalmente, general.

—En ese caso —sonrió—, seguro que recordáis haber visto por aquí a cierto conde de Saint-Germain...

—¡Saint-Germain! —El rostro de la posadera se iluminó como si de repente hubiera recordado a un familiar lejano—. ¡Pues claro! ¿Es también amigo vuestro, general?

—Desde luego —mintió.

—El conde venía mucho por aquí, sí. Se hizo muy amigo de mi marido y con frecuencia utilizaba nuestro restaurante como si fuera su salón de té. Le encantaba recibir a sus amistades con una de mis tartas de trufa. ¡Un honor!

—Me hago cargo, señora.

Madame de Nerval tomó entonces una botella de vino blanco del aparador más cercano y se sirvió un vaso después de ofrecerle sin éxito a su cliente.

—Sí, sí. —Dio un primer sorbo—. El pobre tenía su casa en obras y recurría a nosotros para que lo ayudáramos. Nunca tuvimos ningún problema con él ni con sus invitados. Y aunque la mayoría no decía sino tonterías, eran buena gente. El conde, ya lo conocéis, todo un caballero. Educado, galante... ¡Perfecto!

El tono de voz de la dueña del restaurante dejó entrever cierta nostalgia de los buenos tiempos. Bonaparte la animó a servirse otro trago, y ella no dudó en apurar un par más.

—Con la Revolución todo cambió, ¿verdad? Supongo que la clientela se hizo más... burda.

—Uf —suspiró—. Ni os imagináis.

—Y decidme, ¿qué clase de amigos venían a verlo?

—¿Al conde? ¡Oh, monsieur! —respondió cantarina—. De muchas clases. Los había ilustrados y humildes. Soldados y hombres de alcurnia. Hasta clérigos y obispos vimos desfilar por aquí.

—Y, claro, hablaban de política, supongo.

—No, no. Nada de eso. ¡No dejaban de hablar de Egipto! ¿Conocéis vos algo de Egipto, general?

Bonaparte asintió.

—He leído mucho sobre ese país. Pero son tantas las cosas que se dicen que no imagino cuál de sus infinitas maravillas podría interesarle al conde...

—¡Eso puedo decíroslo yo! —saltó la señora De Nerval—. Las pirámides. Era su tema favorito.

—¿Y ya está?

—Bueno... —admitió la mujer mientras se servía su cuarta copa—. No solo de ellas, claro. Un día se pasaron la noche entera cotorreando del viaje de un tal Paul Lucas a Turquía...

—Tenéis una memoria prodigiosa, madame. Vuestro difunto marido tenía razón.

—No creáis. Paul Lucas se llama también uno de mis sobrinos, por eso me acuerdo. Aunque también porque dijeron algo muy curioso en aquella tertulia. Recuerdo que hablaron de cómo ese Paul se encontró hace ochenta años con un derviche que le juró haber tratado con Nicolás Flamel en persona, en la India...

—¿Flamel? —saltó—. ¿Vivo? ¡Pero si levantó esta casa en 1407!

—Y *murió* diez años después, sí. ¿No os lo dije? ¡Estaban todos locos!

Pese a su aparente indiferencia, Bonaparte notó algo raro en su interlocutora. La cocinera había torcido el gesto al pronunciar el verbo *morir*. Como si este no terminara de resultarle apropiado.

—Pero eso es imposible.

—Eso creía yo, ciudadano general, pero mi difunto marido estaba convencido de que esa historia era cierta. De hecho, el tal Paul sabía que Flamel había dado órdenes de que lo enterraran en la iglesia de Santiago, muy cerca de aquí, y colocaran sobre su lápida una pequeña pirámide.

—¡Otra pirámide!

—Sí, sí... Pero ¿sabéis lo mejor?

Bonaparte sacudió la cabeza.

—Que Saint-Germain, al oír aquello, les explicó que en esa extravagancia de Flamel estaba el secreto de su regreso a la vida...

—¿Flamel volvió a la vida?

—Bueno... En la iglesia de Santiago aún se conserva su lápida. Pero ni rastro del cuerpo. ¿Vos qué creéis?

—¿Y cómo pudo Flamel...?

—¿Resucitar? Oh. —Dio un nuevo sorbo al vino—. Mi marido decía que porque conocía la magia egipcia. ¡Vamos, ciudadano general! Vos, que habéis leído tanto, ¿no oísteis hablar del famoso *Libro de las figuras jeroglíficas* de Flamel?

Bonaparte sacudió por segunda vez la cabeza.

—Tengo un ejemplar aquí mismo... —añadió la mujer.

—¿En serio?

—¡Pues claro! —Madame de Nerval trastabilló mientras dirigía sus pasos otra vez a la alacena del vino—. Flamel es el patrón de esta casa. Es lo mínimo que podíamos tener de él.

—¿Y... lo habéis leído?

—Lo he intentado, ciudadano general. Pero es un batiburrillo indigesto. Dice no-sé-qué del poder que emanan ciertas imágenes, y cómo a través de ellas, conociendo cómo leerlas, puede accederse a la sabiduría de los antepasados. Pero ¿cómo va a leerse una imagen? ¡Solo pueden leerse las letras!

—Eso mismo diría yo...

—Para mí el dichoso libro de Flamel es un galimatías, una *folie*. ¡Imaginaos! En esta misma mesa Saint-Germain dijo una vez que lo había comprendido. Que, en efecto, podían leerse las imágenes de los egipcios y, mediante magia, usarlas para devolver la vida a los difuntos que fueran limpios de corazón.

—¿Saint-Germain les habló de eso?

Los ojos del general se clavaron en la mirada húmeda y vagamente alcoholizada de madame de Nerval.

—¡Oh, sí! Se volvió como loco con el librito. Dijo que debería restaurarse en Francia la verdadera fe de los egipcios.

—¿La verdadera fe de los egipcios? ¿Y qué diablos es eso?

—¿El conde no os habló de ella? ¡Qué extraño! ¿Y tampoco de su obsesión por Marsilio Ficino?

—Jamás oí hablar de él, madame. —Se encogió de hombros—. ¿Quién es? ¿Otro viajero?

—¡*Oh la lá!*, mi ignorante soldado. —Rio cada vez más alegre—. Ficino fue un italiano de la misma época de Flamel. ¿Sabéis? Vivió en Florencia y, según nos explicó el conde, fue el responsable de reunir a todos los humanistas de su época bajo un mismo techo. La academia que fundó... ¡puso en marcha el Renacimiento, monsieur! La Mona Lisa. La Sixtina... Todo.

Bonaparte dio un respingo. Incrédulo, le costaba creer que aquella cocinera de aspecto desastrado manejara conceptos como aquellos. El vino la había hecho aún más locuaz y decidió aprovechar su suerte.

—Os veo muy cultivada, madame de Nerval. Explicadme, por favor, qué tiene que ver ese Ficino con la restauración de la religión egipcia y con nuestro común amigo el conde de Saint-Germain.

—¡Mucho, mi general! Ficino tradujo al latín importantes textos de origen arcano. Fue el primero en darse cuenta de que la religión egipcia contagió toda nuestra cultura. Como si fuera un resfriado... —Rio.

—Qué interesante...

—Bueno, quizá para los estudiosos como vos sí. A mí qué me importa que los egipcios usaran la cruz como símbolo de vida o que Osiris resucitara como Cristo... ¡Eso no sirve para nada!

Bonaparte se echó para atrás en su silla, llevándose las manos a la nuca.

—Eso depende. A lo mejor Flamel y él averiguaron lo que hizo Osiris para resucitar...

—¡Qué ocurrencias tenéis!

—¿Y Saint-Germain? ¿Qué fue de él?

—Bueno... Después de contarnos todas estas cosas dijo que iba a buscar más pruebas de que los egipcios eran el origen de todo. Era muy divertido oírlo hablar. Decía cosas extravagantes, como que esos cuentos en los que el príncipe resucita a su princesa de un beso eran ecos del mito de Isis y Osiris alterados por el tiempo. ¡Imagínese! Hasta lo del zapatito de cristal lo comparaba con el mito de Osiris tumbándose en un sarcófago que acababa encajándole como un guante. ¿Conocéis vos esa historia, general?

—Claro... —asintió—. Cenicienta.

—¡Eso es!

—¿Y el conde no se fue nunca a Egipto a ver pirámides?

Madame de Nerval abrió los ojos como platos.

—¡Desde luego! —exclamó—. Pero antes se dedicó a recorrer Francia en su busca. ¡Francia! ¡Qué loco!

—¿Y las encontró?

Bonaparte dejó de columpiarse. Madame de Nerval dejó caer sus gruesos codos sobre la mesa, y apoyando su barbilla en las manos, respondió con tono misterioso:

—¡Por supuesto, general! Saint-Germain siempre consigue lo que se propone.

—¿Estáis segura?

—Tan segura como que una vez se trajo a uno de los descendientes de los constructores de pirámides en Francia para que hablase ante sus amigos. Era egipcio. ¿Os imagináis? ¡Y hablaba mejor francés que vos y que yo!

Un extraño escalofrío recorrió a Bonaparte.

El joven militar guardó un instante de silencio. Una pregunta, solo una, se le había quedado atragantada al oír aquello:

—¿Y vos lo conocisteis?

—Pues claro. Se llamaba Nicodemo Buqtur, tataranieto, o qué sé yo, del que levantó una de esas pirámides ¡en Niza!

«¿Buqtur...?».

237

Gran Pirámide. Giza

«¿Buqtur?».

Aquel apellido árabe retumbó con fuerza en la memoria de Napoleón Bonaparte.

«¡No puede ser casualidad!».

Por desgracia, en aquella lejana tarde de 1795 difícilmente podía imaginar que cuatro años después conocería a otro hombre del mismo apellido. Aunque, bien mirado, quizá por eso el bebedizo de los sabios azules había devuelto esa visita a sus recuerdos.

Ahora, al reflexionar sobre el nombre de pila de aquel egipcio afincado en Francia, amigo de Saint-Germain, cayó en la cuenta de la fina ironía que escondía todo aquello. En el evangelio de Juan se cuenta la historia de otro Nicodemo. En él se explica que, junto a José de Arimatea, fue el único que se acercó al cadáver de Jesús y ayudó a embalsamarlo con aloe y mirra. En cierta manera, aquel primer Nicodemo fue el responsable de su purificación y de la preparación para su regreso a la vida.

¿Otra casualidad?

¿Y qué hacía ahora él, en Egipto, en manos de un asistente de idéntico apellido?

¿También era un capricho del azar?

Napoleón —antes incluso de que su mente regresara a Nazaret, al momento en el que despertó del misterioso bebedizo de la memoria— ya sabía que no.

Nazaret, primavera de 1799

El contacto con el agua helada lo devolvió a la realidad de golpe. Un estremecimiento le recorrió el cuerpo, recordándole que estaba tumbado sobre una esterilla, en una choza de adobe cercana al pozo de Miriam, en la antigua ciudad de Jesús. Cuando abrió los ojos vio cómo el beduino de los pómulos esculpidos, Tagar, lo zarandeaba sin miramiento. Su intención parecía buena: quería que su invitado recobrara lo antes posible el movimiento en piernas y brazos. La droga que le había suministrado había deprimido sus constantes vitales al mínimo y sabía que los primeros minutos eran decisivos para su recuperación.

Bonaparte tembló.

En cuanto pudo, alargó un brazo hacia Buqtur y le pidió con un gesto que le acercara su camisa.

El viejo sabio azul contempló la operación con el mismo interés con el que un padre vigila el primer gateo de su retoño. Balasán dijo que el extranjero parecía haber superado el juicio de Maat con éxito y, por primera vez, sintió que le sonreía de verdad.

Pero estaba aturdido y no prestó mucha atención a aquellas palabras. Todavía se sentía mareado, así que prefirió concentrar todas sus fuerzas en ponerse de pie. Estaba por creer que todo lo que acababa de «ver» había sido un mal sueño y, viéndose tan débil, buscó la ayuda de su intérprete.

—Elías —murmuró entre tiritonas—. Ayúdame.

El copto lo tomó por las axilas y lo arrastró hasta el exterior de la choza para que el sol lo entonase. Bonaparte agradeció el gesto. Se apoyó en la pared con el rostro levantado al cielo, reconfortado al comprobar que el calor volvía otra vez a filtrarse bajo su piel. En cuanto se sintió más repuesto le espetó la pregunta que llevaba un rato quemándole las entrañas:

—Tú eres un Buqtur, ¿verdad, Elías?

Su traductor asintió sin abrir la boca. Bonaparte había pronunciado su apellido con una delectación que le inquietó.

—Tú has pactado este encuentro con estos hombres del desierto... —continuó con un hilo de voz—. ¿Sabías lo que iban a hacerme?

—Señor —se puso muy serio, acomodándole la manta que le había echado por encima—, no habléis ahora. Debéis recuperar fuerzas. Habéis dormido mucho rato y no deberíais...

Bonaparte lo detuvo. Tenía los ojos encendidos.

—Respóndeme, por favor: ¿para quién trabajas?

Elías Buqtur se encogió de hombros.

—Solo os sirvo a vos, mi señor...

Aquello no sonó muy convincente. Bonaparte clavó entonces en él aquella mirada severa y el intérprete se sintió morir.

—No mientas, Elías... ¿A quién sirves? —insistió.

Buqtur esquivó los ojos de Bonaparte y de los sabios azules, que en ese momento habían salido a acompañarlos. Y con el rostro vuelto hacia la plaza respondió:

—Os sirvo a vos y también al Señor que está en los cielos y que todo lo ve.

El general hizo entonces una mueca de desagrado.

—En el sueño que estos hombres me han proporcionado —dijo señalando a Balasán— he descubierto cosas que te incumben.

—¿Cosas, señor? —Hizo ademán de no entender.

—Verdades que explicarían algunas de tus aptitudes. Por ejemplo: nunca te pregunté cómo aprendiste a hablar francés...

El intérprete sintió que el vértigo se descolgaba por la boca de su estómago mientras un rubor incontrolable le asomaba al rostro. ¿A qué venía aquello? Buqtur y Napoleón Bonaparte se habían conocido en julio del año anterior en las arenas de Abukir. El copto estaba ya allí cuando desembarcó, esperándolo a pie de playa, saludándolo en su idioma al frente de un pequeño comité de bienvenida y ofreciéndosele como guía e intérprete. El recién llegado —tal y como esperaba— no se inmutó. Consideró aquello un signo más de su buena estrella. Que un cristiano que hablaba árabe y francés a la perfección, que conocía la cultura y los entresijos del país, estuviera justo en ese momento en la playa no podía ser otra cosa sino una dádiva de la Providencia. Un buen augurio. Y, de hecho, en aquel primer día el copto ya se ganó su total confianza. Antes del ocaso lo había ayudado a parlamentar con los ulemas de la mezquita de Abukir, evitando un temprano derramamiento de sangre. Buqtur los convenció de que la imponente flota extranjera que había llegado a sus costas no les traería más que libertad y dicha. ¿Por qué, pues, un año más tarde le hacía semejante pregunta?

—En mi familia se habla vuestro idioma desde hace años, mi general —su respuesta sonó a excusa—. Somos un clan de comerciantes y tenemos barcos que zarpan a diario de Alejandría hacia Grecia, Italia y Francia para vender y cambiar mercancías. Aprendí francés con ellos, señor.

—Y dime —Bonaparte perseveró—: alguno de tus parientes ha llegado a vivir en Niza, ¿verdad?

Elías puso cara de no comprender, como si ni siquiera supiera a qué lugar se estaba refiriendo.

—Está bien, está bien. —Resopló, arrebujándose dentro de su camisa tratando de entrar en calor—. Te lo preguntaré de otro modo: ¿quién diablos es Nicodemo Buqtur?

El vértigo se transformó entonces en náusea. Por un momento, Elías sintió que le flaqueaban las fuerzas.

—Señor, ¿cómo sabéis vos...?

—¡Respóndeme! —alzó la voz, que retumbó en toda la plaza vacía—. ¿Quién es Nicodemo Buqtur?

—Es... —titubeó— el hermano mayor de mi padre.

—¡Háblame de él!

El intérprete, venido a menos, dudó otra vez qué decir. Bonaparte lo percibió. Aunque se encontrara aún bajo los últimos coletazos de la droga, a Elías le pareció que su señor estaba más lúcido que nunca. Le preguntaba por una persona que era imposible que conociera. ¡Imposible!

En la siguiente fracción de segundo decidió que sería mejor no mentirle.

—¿Qué queréis saber exactamente, general? —musitó.

—Lo que he visto en este viaje —dijo aferrando el frasco vacío de los sabios azules— me ha hecho plantearme una duda.

—Responderé a lo que deseéis, señor.

—Hasta que avistamos las costas de Egipto hace un año, casi nadie en mi flota sabía que mi objetivo era llegar hasta aquí. Y tú, sin embargo, me estabas esperando en Abukir...

Elías se estremeció.

—... ¿Por qué? —cerró su frase.

Los beduinos los miraban sin inmutarse desde el umbral de la choza, con los ojos muy abiertos, casi como si pudieran comprender todo lo que estaban hablando.

Entonces Buqtur, intimidado, intuyendo lo que su señor sospechaba, reaccionó:

—Todo tiene una explicación, señor —dijo—. Mi tío Nicodemo lleva años viviendo en Francia. Hace solo unos meses regresó a Egipto y nos habló de los preparativos de vuestra expedición. Y aunque el destino de vuestro ejército era entonces un secreto bien guardado, siempre hay quien comete indiscreciones. Una de las damas de compañía de Josefina, vuestra esposa, le reveló el destino último de la misión cuando le compró ropas de lino y velos para el desierto y le preguntó por el clima del Nilo...

—Continúa.

—Nicodemo, al igual que el resto de nuestra familia, llevaba toda la vida esperando algo así.

—¿Algo así? ¿Qué quieres decir? —resopló.

—Veréis, señor: Desde hace generaciones, estábamos seguros de que un hombre de un país del león* llegaría a Egipto para ayudarnos a restaurar nuestro antiguo esplendor. Se trata de una cuestión de justicia. De Maat, como decían los viejos sacerdotes. Si unos extranjeros arruinaron Egipto, otros extranjeros lo levantarían. Hititas, romanos, cristianos y musulmanes llevan siglos esquilmando nuestros graneros, ¿por qué no podrían los franceses, abanderados de un nuevo régimen, ser quienes restauraran la libertad y nos devolvieran la prosperidad? Nicodemo oyó hablar mucho de vos en París y durante un tiempo, en cuanto se empezó a rumorear que estaba armándose una gran flota para cruzar el Mediterráneo, se movió para obtener información.

* Francia, desde el punto de vista astrológico, es una nación del signo de Leo.

243

—¿Me espió?

—No os ofendáis, señor —le rogó Buqtur—. Mi tío goza de una buena posición en París. No le fue difícil. Es amigo de ciudadanos importantes y nobles.

«¡Como Saint-Germain!», pensó Bonaparte, sin decir nada.

—Por eso, en cuanto tuvimos certeza de vuestra expedición, hicimos todo lo posible por recibiros y estar a vuestro lado. Mandamos emisarios a los sabios azules y compartimos con ellos cuanto sabíamos de vos. Les facilitamos todos los datos que mi tío logró recoger; también vuestra carta astral.

—¡Mi carta astral! —Bonaparte se inquietó.

—Queríamos convencerlos de que erais el esperado, señor.

—¿El esperado?

—El elegido, el siguiente merecedor de la vida eterna...

Bonaparte, sorprendido por aquello, meditó esas palabras durante un instante. Llegó a una curiosa deducción:

—Entonces, ¿Bonaventure Guyon vendió mi carta astral a tu tío?

El intérprete asintió:

—Le pagó generosamente. Aunque no todo se hace por dinero...

—No lo dudo. —Torció el gesto—. ¿Y cómo supisteis que vendría a Nazaret?

—¡Oh! Eso ha sido cosa del destino, señor. Un signo más que no ha hecho sino facilitar este encuentro con los sabios azules.

El anciano Balasán, en pie junto a ellos, seguía sin perder detalle de su conversación, como si el francés en que hablaban no fuera problema para él.

—Te lo preguntaré por última vez, Elías, y te ruego me respondas en nombre de la fidelidad que me debes.

—Bonaparte, grave, dio la espalda al venerable anciano y se detuvo ante los negros ojos de su intérprete—: ¿A quién sirves?

La perilla finamente recortada del copto se encogió.

—Ya os lo he dicho, señor: solo os debo obediencia a vos. Pero mi alma también pertenece al clan —añadió.

—¿Al clan?

—Los Buqtur somos parte de una antiquísima familia egipcia, de raigambre milenaria. Formamos una hermandad que cree en un único Dios hacedor de todo. Creemos que más allá de estos ropajes de cristiano copto —dijo señalándose su blusón negro— hay un alma que anhela hablar con lo Supremo. La vieja fe del Equilibrio Supremo, del Maat que antes os mencioné, es la que nos alienta. Mi gente, señor, solo desea restaurar el orden religioso correcto en la tierra de nuestros antepasados y ha visto en vuestra llegada la primera oportunidad en siglos.

—¿Orden correcto?

—Así es, señor. Un orden que, una vez restablecido, despierte para siempre la esencia que nos hace inmortales. Si vos, por la gracia de estos sabios del desierto, recuperáis el don que practicaron faraones como Amenhotep o enviados como Jesús, os llevaréis de Egipto la gran verdad...

El joven Bonaparte sacudió la cabeza:

—«Gran verdad» suena grandilocuente.

—No lo es.

—¿Y de qué se trata?

—Que la muerte no existe, señor. Que somos mucho más que lo que vemos. Nos alienta una energía divina que jamás se destruye; solo cambia de estado. Los antiguos dioses nos crearon a su imagen, escondiendo en nosotros la esencia de su inmortalidad. La poseemos. Pero no sabemos cómo hacer que brote de nuestro interior y nos rejuvenezca. Ellos... —dijo señalando a los sabios azules—.

Ellos os ayudarán a dar ese paso. Y vos nos ayudaréis a nosotros.

Bonaparte contempló entonces a los dos beduinos. Ambos los vigilaban con un gesto que ni Elías ni él lograron descifrar. Parecían comprenderlo todo. Saberlo todo. Y sentir una inmensa piedad por ellos.

—Pregúntales entonces cuándo y dónde me van a entregar su secreto, Elías —ordenó Bonaparte sin ablandarse—. Si con él consigo devolver el orden a Egipto y me demuestran que la muerte no existe, pasaré por alto lo que me has ocultado de tu familia y de ti, y te colmaré de honores.

El copto obedeció al punto.

Balasán escuchó entonces, muy atento, la traducción de aquellas palabras y sonrió.

—Será justo antes de que el sultán Bunabart cumpla la edad del Sed —respondió—. En la Gran Pirámide. En la primera máquina de la vida eterna...

—¿La primera? —Bonaparte se encogió de hombros—. ¿Es que hay más?

El venerable Balasán balanceó la cabeza con un gesto gracioso.

—Eso —respondió— deberíais preguntárselo a la familia Buqtur. Ellos cuidaron de otra de esas máquinas en el país del que venís...

—¡Claro! —saltó mirándolo de reojo—. ¡La pirámide de Falicon!

Y Elías, que hasta ese momento había soportado una enorme tensión, se llevó las manos al rostro. ¿Cómo podía saber Bonaparte también de esa construcción?

Gran Pirámide, Giza

«¡Qué ironía!».

El lamento sorprendió al propio Napoleón Bonaparte.

«¡Qué imprevisible, qué burlón es a veces el destino!».

Había tenido que reunir una flota de más de trescientas embarcaciones, cruzar de lado a lado el Mediterráneo y desplegar entre Egipto y Tierra Santa a más de treinta mil hombres, para descubrir que la solución a su angustia vital —mortal, más bien— estaba a pocos kilómetros de Niza, casi enfrente de su isla natal.

El joven general, con la espalda entumecida por el contacto con el fondo del sarcófago, experimentó entonces un extraño alivio. Como si su cuerpo fuera haciéndose más y más ligero y nada pudiera alterar aquella serena y recién estrenada visión de los acontecimientos.

Lo que ignoraba —pero comenzaba a intuir— era que el irreversible proceso de «pesaje del alma», de su alma, estaba muy avanzado.

Quizá le quedaban aún cosas que ver. Acciones ajenas que comprender y sobre las que reflexionar. Pero estaba seguro de que el final de su «prueba de la pirámide» se acercaba.

Quería creer que pronto Toth calibraría su balanza y determinaría qué destino dar a su atribulado espíritu...

El Cairo.
Tarde del 11 de agosto de 1799

«¡Esto es una locura!».

La mirada azul de Nadia ben Rashid era acuosa y se perdía en la nada mientras la señora de rostro blanco que la había recibido en la casona del Viejo de la Montaña se apresuraba a prepararla para su extraña misión. Fue ella quien la había conducido a una estancia enorme donde, con la ayuda de un reducido séquito de muchachas, la despojaron de sus sucias ropas de viaje, la bañaron, untaron su piel con los mejores aceites y la perfumaron. Nadia, dócil, se dejó hacer. Sus pensamientos estaban muy lejos de allí. Había permanecido tanto tiempo en cautividad, al margen de la vida y de sentimientos como el amor que ahora, de repente, tener una misión en el «mundo exterior» le generaba emociones encontradas. Solo dos noches atrás su existencia era solitaria y temerosa. Todo lo que debía hacer era no perturbar a Omar y seguir guardando una discreta fidelidad a su familia. No disponía de nada que sintiera como realmente suyo; ningún reto u objetivo que vencer. Ahora, en cambio, todo eso había cambiado. De repente su horizonte ya no se limitaba a cumplir con tareas insignificantes, sino que se le había encomendado una de enorme alcance: debía encontrar y convencer al hombre más poderoso de la Tierra de que su vida estaba en peligro, y debía hacerlo siguiendo su propio instinto. Por si fuera poco, ella había presentido ya a aquel guerrero, casi creía conocerlo, y aunque el miedo y la incertidumbre se resistían a abandonarla, en su interior estaba creciendo un anhelo difícil de explicar. Por primera vez en su triste existencia se sentía llamada a hacer algo trascendental. De repente estaba segura de que ese momento llevaba siglos escrito en alguna parte. Que Nadia ben Rashid no era solo una hermosa esclava de provincias condenada al olvido.

La Perfecta suspiró.

Casi sin darse cuenta, el pequeño ejército de asistentas había terminado ya con su trabajo. Habían tomado bien las medidas de sus caderas, de la cintura y del busto, y el vestido de lino que habían confeccionado para ella lucía espléndido sobre su piel.

—¡Estás preciosa, Nadia! —aplaudió la señora pálida en cuanto concluyó la tarea.

Ensimismada, se miró entonces en el espejo sin saber qué decir. Casi no se reconocía. Su belleza era ahora tan serena que cortaba el aliento. El secreto estaba en las telas que modelaban su exquisita figura. Habían alisado sus cabellos dejándolos caer en cascada sobre sus hombros desnudos. Habían colocado dos sortijas de oro en su mano derecha, una pulsera de coral en la contraria, y sus ojos se habían realzado con kohl.

Cuando Alí la vio salir del cuarto donde la habían confinado, confirmó aquel diagnóstico.

—¡Pareces la mismísima diosa Isis! —exclamó.

Ella bajó la mirada entre complacida y preocupada. Eso era exactamente lo que el Viejo de la Montaña la había hecho comprender. Pensar en aquella misión, transformada en la sombra de la diosa de la vida y del amor, de repente le resultaba excitante y prohibido al tiempo.

—¿Tú crees que seré capaz de llegar a Bonaparte, tío

Alí? —preguntó con el resquemor profundo del que se asoma a un abismo sin fondo.

—No tienes nada de que preocuparte, Nadia —la tranquilizó, alargándole una pulsera más que acababa de recoger del suelo.

—Pero el venerable Balasán ha dicho que hay extranjeros entre sus filas que también buscan el secreto. Podrían interceptarnos y...

—¡Oh, Nadia! Aunque sus filas estén llenas de hijos de Set, en alguna parte está escrito que os encontraréis.

La Perfecta se estremeció al oír en boca de su tío sus propios pensamientos.

—*Inshallah* —musitó—. Ojalá.

—Entonces —gruñó él—, si tienes fe en tu destino, ¿qué te preocupa?

Ella, con los ojos brillantes, buscó su mirada:

—Si Bonaparte es el hombre que intuyo, tío, sabrá que la vida eterna es como Maat. Que puede serte propicia o adversa según cómo la afrontes.

—No sé qué quieres decir...

—Que tal vez Bonaparte ha pensado en los inconvenientes de la vida eterna y haya decidido que no la necesita. Y entonces... —su mirada se humedeció—, entonces nada de esto tendría sentido.

—¡Oh, vamos, Nadia! —resopló Alí—. Nadie en su sano juicio puede ver el único don exclusivo de los dioses como algo adverso.

—¿Sabes? —replicó ella sobreponiéndose—. Desde que me dijiste en Edfú cuál era el secreto que custodia nuestra familia, he pensado mucho en este asunto. Y ese don, como el de la belleza, acarrea consigo muchos problemas. Piénsalo. Puedes ser Amenhotep y ver cómo tu vida se prolonga más allá de lo humano, pero como solo tú lo disfrutas, enseguida te das cuenta de que ninguno de tus seres queridos lo posee y, en consecuencia, envejecen, mueren y te abandonan. ¿Para qué querría nadie la vida eterna si no puede compartirla con los suyos?

Alí sintió una punzada en el estómago. Su razonamiento estaba cargado de sentido común. Pero aun así, se apresuró a rebatirlo con algo que solo un Ben Rashid de su posición podría argumentar:

—No te falta razón —admitió—. Pero es justo ahí donde radica el propósito final de nuestra lucha. Si hoy logramos que el don quede del lado de los seguidores de Horus, podremos esforzarnos en extendérselo a toda la humanidad. Eso fue lo que trató de hacer Yeshua antes de ser traicionado. Quiso devolvernos a aquella Edad de Oro en la que vivimos ajenos a la muerte antes de ser expulsados del Paraíso... Y casi lo logró.

—¿Y si fracaso?

Alí la miró muy serio.

—No lo harás —sentenció—. El Viejo de la Montaña se aseguró bien de que conocieras a tu enemigo antes del combate final. Por eso te entregó a Omar. Quería que, llegado este momento, no tuvieras dudas de con quién alinearte. No tienes elección, Nadia. Estás con la luz. Y con ella venceremos.

La Perfecta levantó de nuevo sus ojos, que seguían humedecidos, y los posó otra vez sobre los de su tío. En ese momento no era la mujer fuerte, decidida, dispuesta para la batalla, que había salido de la habitación hacía solo un instante. Era una niña que tenía miedo.

—¿Y si Omar me encuentra? ¿Y si no logro llegar a donde está Bonaparte? ¿Y si no me recibe? —sollozó.

Entonces Alí la abrazó. Comprendía que estuviera asustada, pero debía transmitirle seguridad. Confianza en su destino. Y así, echándole una vieja chilaba por los hombros para cubrir su belleza hasta que llegara el momento de mostrarla, le susurró:

—No temas. Yo estoy aquí para protegerte. No dejaré que te pase nada malo.

—¿Lo prometes?

—Claro que sí —asintió.

Y diciendo aquello, con una sonrisa de oreja a oreja, exclamó:

—¡Y ahora, en marcha!

38

A primera hora de aquella tarde del domingo 11 de agosto, Omar Zalim había encontrado ya lo que buscaba. Situada en el centro de la ciudad, en el corazón de una barriada atestada de puestos de fruta y mezquitas, se levantaba una vieja casona de la que emanaba una fuerza que le impresionó. Era una vivienda de una sola planta, de paredes de adobe y con una pequeña puerta de acceso que, como muchas de su condición, ocultaba todo un laberinto de estancias y patios en su interior. Aquella portezuela apenas estaba protegida por una cortina de tela que parecía que fuera a caerse a pedazos.

Pero ese lugar —Omar lo supo nada más verlo— no era lo que parecía.

Elegido para no llamar la atención, el recinto se encontraba protegido por una energía superior que lo hacía invulnerable. Los faraones la llamaban *san ankhu*. Una membrana invisible, magnética, que había sido desplegada a su alrededor para repeler cuanto no le fuera afín. El nuevo instinto de Omar —ese que había adquirido frente a los escritos de la tumba del faraón Amenhotep, vivificados por el rito de sangre que lo había llevado hasta allí— le decía que en esa casa era donde sus enemigos escondían a Nadia ben Rashid. Y también que debía entrar cuanto antes y llevársela.

Pero ¿cómo?

¿Con qué magia iba él a neutralizar semejante coraza?

¿Acaso quien la había desplegado no demostraba un conocimiento de hechicería infinitamente superior al suyo?

La última duda lo dejó pensativo.

«¡Los sabios azules! —concluyó en un destello de suprema lucidez—. ¡Debo darme prisa!».

El aspecto externo de aquella finca era ruinoso y no mostraba nada que llamara la atención. No había verjas ni muros elevados. Tampoco puestos de vigilancia o ninguna otra medida de seguridad. No mostraba rótulos ni señales que indicaran la clase de actividad de la que vivían sus propietarios. Y, sin embargo, pese a su aparente desprotección, cada vez que Omar había intentado aproximarse —y lo había hecho en varias ocasiones durante la última hora—, había sentido que sus músculos se venían abajo, que su estómago se endurecía hasta la náusea y que la vena de su sien se le inflamaba causándole un terrible dolor de cabeza.

«Es un hechizo azul —se reafirmó—, y de los fuertes».

No obstante, lo que terminó por convencerlo de que Nadia estaba en el interior no fue aquella magia, sino los comentarios de los vecinos. Un curtidor que tenía el taller puerta con puerta con la casa había visto entrar esa misma mañana, bien temprano, a una joven muy hermosa acompañada de un matón de rasgos rudos.

«Es Alí», dedujo mientras un regusto amargo se le instalaba en la garganta.

El hijo del artesano, un niño de unos nueve años que tenía amigos que vivían en esa finca, le aseguró que sus familiares esperaban una visita importante y que incluso habían preparado la vivienda para recibirlos.

Todo, pues, encajaba con lo que su instinto le dictaba.

Convencido de que sería solo cuestión de tiempo que

la Perfecta decidiera abandonar su nueva madriguera, Omar montó guardia.

Cuando hacia las tres de esa tarde vio que por fin se descorría la mugrienta cortina de la fachada y de ella emergían dos personas, su corazón dio un vuelco. Desde la esquina en la que se había parapetado, escrutó con atención a la pareja. Le parecieron dos ancianos de avanzada edad. El caso es que se asomaron con recelo al exterior, y apoyándose el uno en el otro iniciaron un paseo titubeante calle arriba.

Omar dudó.

Sus dedos se crisparon sobre su fiel daga de Damasco, pero prefirió observar.

Los ancianos vestían unas chilabas sucias, desgastadas, llevaban las cabezas cubiertas y habían enfilado la calle Bayn-al-Qasrayn con tanta precariedad que aguardó a que una tercera persona saliera de la casa para auxiliarlos. Pero eso no ocurrió. Lo que, al fin, terminó por convencerlo de que no suponían amenaza alguna ni se trataba de sus fugitivos fue ver que varias personas se acercaron a saludarlos con afecto. Debían, pues, de ser sirvientes. Tal vez vecinos. Una de aquellas personas incluso los guio hasta el puesto de verduras más cercano.

Pero justo entonces Omar se dio cuenta de otra cosa.

La puerta de la vivienda se había quedado abierta. La cortina ya no ocultaba el acceso a un zaguán amplio que parecía dar a un patio interior luminoso... y sintió que el extraño nudo en el estómago que le había impedido acercarse hasta ese momento a su umbral ¡se había desvanecido!

Era su oportunidad.

«Ningún hechizo, por fuerte que sea, puede mantenerse indefinidamente contra el equilibrio de la naturaleza —pensó—. Así trabaja Maat». Y él estaba decidido a aprovechar la ocasión que se le brindaba.

Sin pensárselo, atravesó la puerta y el primer patio buscando alguna traza de la Perfecta.

Lo primero que le llamó la atención fue la soledad. Luego el silencio.

La casa era un lugar limpio, poblado de puertas sin cerradura y de escaleras. Husmear en cada rincón le iba a llevar un buen rato.

—¿Buscas algo, Zalim?

Una poderosa voz a sus espaldas le hizo arrinconar aquel pensamiento. El escarificado echó mano a la cintura, buscando su arma, pero cuando se giró para averiguar quién lo había reconocido estuvo a punto de dejarla caer de la impresión. Su interlocutor era un hombre mayor, de mirada ancestral, de un azul que parecía desgastado por los siglos y que lo contemplaba con firmeza desde el centro del patio.

—La que buscas ha partido ya hacia su destino —dijo sin dar muestra alguna de sorpresa.

Omar reconoció en él la fuente del *san ankhu* que hasta hacía un momento había protegido el lugar, y se reprochó con rabia haber dejado escapar a los dos ancianos.

—Sé quién eres, maldito seas... —respondió sabiéndose burlado.

Entonces el anciano, impertérrito, dijo:

—En ese caso, sabrás también por qué estoy aquí, ¿no es cierto, Omar Zalim?

La proximidad de aquel individuo le provocaba una singular desazón. Empezó a sentir pequeños calambres en las puntas de los dedos y dificultad para llenar sus pulmones. Sus cicatrices comenzaron a escocerle. Si hubiera podido apelar a todas sus fuerzas, habría salido de allí tras los dos fugitivos. Pero no pudo. Ya era tarde. Sabía con quién había tropezado.

—Los sabios azules solo regresáis cuando tenéis un

elegido al que confiar la ambrosía de los antiguos dioses —musitó con fastidio, sin bajar la vista de sus ojos, haciendo verdaderos esfuerzos por no tambalearse—. Es una lástima que os empeñéis en aliaros con los descendientes de Horus en vez de con nosotros, los hijos de Set.

—Sois la oscuridad —replicó.

Una súbita bofetada de calor le subió hasta las mejillas, nublándole la visión. Aquel anciano irradiaba más y más poder.

—La noche es el lugar de las estrellas, de los astrónomos, de los contadores de historias, de la cultura, de la magia —replicó jadeante—. ¿Por qué nunca habéis confiado en nosotros? El universo es una criatura nocturna. La humanidad también.

El venerable Balasán —pues él era quien tenía enfrente— cruzó los dedos de sus manos en actitud compasiva.

—Todavía no lo has entendido, ¿verdad, hijo? —sonrió—. Nosotros no tomamos partido por nadie. Cumplimos con un cometido que se nos confió hace siglos: ayudar a los que merecen la vida eterna a alcanzarla. Eso es todo.

—¿Y se la vais a dar antes a un extranjero que a los propios egipcios?

El Viejo de la Montaña sonrió de nuevo.

—Veo que estás bien informado, Omar.

—Se me mostró en las entrañas de una Ben Rashid, bajo los textos mortuorios de Amenhotep...

Omar dejó que aquella frase calase en su interlocutor, que ni por un instante perdió su mueca de suficiencia. El hechicero se descompuso.

—Apoyáis al bando equivocado —prosiguió en tono más urgente—. La estirpe de Nadia quiere solo para ella el legado de los dioses. Si la ayudáis, seréis cómplices de su pecado de avaricia. Pretenden romper el Maat. ¡Robárnoslo!

Pero Balasán siguió inalterable.

—Ni tú ni los tuyos podéis hacer nada para impedirlo —sonrió, duplicando la potencia de su energía protectora—. Da igual el mal que despliegues. Bunabart y ella están predestinados a encontrarse; sus destinos están trazados.

—¡Los destinos se rompen! —aulló, cayendo de rodillas.

—Estos no. La gran ceremonia Sed está otra vez en marcha y nada en este lado de la vida podría pararla.

Al escuchar aquello, una luz extraña relampagueó en los ojos de Omar.

—¿Y en el otro? —preguntó desde el suelo.

La pregunta desconcertó por primera vez a Balasán, que titubeó al hablar:

—No entiendo...

—Los sabios azules tenéis un curioso don. —Se creció el hechicero, consciente del efecto de sus palabras—. Podéis transitar entre el más allá y el más acá a voluntad. Domináis el ba y el ka. Las dos mitades del alma humana. La que permanece con el difunto y la que se reúne con el Creador. Gracias a ese poder conseguís manifestaros en un lado y en el otro de la vida...

—Ese es parte de nuestro conocimiento, sí —aceptó dubitativo.

—Pero, en el fondo —Omar se levantó con esfuerzo—, todos tenemos esa herramienta para hacerlo, ¡el ka!

—Así es. Aunque no la merezcas, tú también tienes uno —dijo Balasán, que por primera vez había perdido el control de la conversación.

—¡Exacto! Y si yo muriese ahora mismo, mi ka saldría de este cuerpo y entraría en la región de eternidad donde el espacio y el tiempo no importan. ¿Me equivoco?

—No. No te equivocas.

—Si yo muriese, Balasán, podría interferir desde mi

nuevo estado de existencia en vuestra ceremonia sagrada y hacer que Bonaparte fracasara. Lo que no puedo hacer ahora, en este lado de la vida..., podré hacerlo en el otro, ¿no?

La mirada de Balasán se afiló.

—No lo harás —dijo imperativo.

—¿Por qué no? —Se tambaleó—. Conozco los hechizos. He entrado en las antiguas tumbas y recitado los ensalmos del más allá. He estudiado los pasadizos del inframundo...

—¡No lo harás! —repitió.

Omar Zalim dejó que una mueca siniestra iluminase sus facciones:

—En esta partida, venerable, hay que jugar fuerte. El secreto de la vida eterna no puede caer en manos impuras. Es Maat. Y Maat, lo sabes muy bien, nos afecta a todos.

El anciano de ciento diez años se estremeció.

Nada pudo hacer para impedir que Omar Zalim levantase con sus dos manos la daga que aún sostenía y que, con un gesto brusco, se la clavase de un golpe en el centro del pecho. Los ojos del hechicero se vidriaron al momento. Los de Balasán se incendiaron ante semejante escena. Su sangre empezó a verterse a borbotones sobre el enlosado, empapándole la ropa.

—Te veré al otro lado, Viejo de la Montaña. —Omar ahogó su último estertor, doblándose de nuevo sobre las rodillas—. Y os venceré... ¡a todos!

Cuartel de Azbakiya, El Cairo.
Ocaso del 11 de agosto de 1799

—Deseamos hablar con el general Bonaparte —oyó decir al egipcio rasurado y de aspecto recio que se había colocado a pocos pasos de su visera. Iba acompañado por una mujer con el rostro cubierto que no dijo ni palabra.

El soldado apostado junto al portón del destacamento receló. Casi ningún musulmán pronunciaba bien el nombre de su superior, y mucho menos sabía enunciar su rango militar con corrección. Ese era el primero al que veía hacerlo y su aspecto desastrado y avejentado, casi de disfraz, no le gustó.

—¿Quién desea verlo? —preguntó marcial.

—Alí ben Rashid y su sobrina Nadia. Acabamos de llegar del Alto Egipto solo para entrevistarnos con él. Se trata de un asunto de la máxima importancia.

—¿De qué importancia exactamente? —interrogó desconfiado.

—¡De vital importancia! —replicó Alí muy severo—. Decidle que los sabios azules nos envían para advertirlo de un peligro que le incumbe.

—¿De veras? —Una leve sonrisa se dibujó en el hasta entonces impasible rostro del soldado—. ¿Y quiénes son esos?

—¡Mencionádselos! Haced lo que os he dicho si no queréis tener problemas.

El soldado frunció el ceño. No estaba acostumbrado a

que un civil le dijera lo que tenía que hacer. Sin embargo, había algo en la actitud de aquel hombre que le convenció de que su apremio era legítimo.

—Muy bien. Esperad aquí —dijo.

Y antes de desaparecer tras la puerta añadió:

—Pero si lo que me habéis dicho no es cierto, vos y vuestro acompañante vais a tener problemas muy serios. ¿Lo habéis comprendido?

Alí le respondió con una sonrisa enorme.

Hacía menos de veinticuatro horas que Bonaparte había regresado de las playas de Abukir. Eufórico pero agotado saboreaba en soledad el triunfo de su última campaña contra las tropas otomanas. Siempre lo hacía así. En el diván de su despacho-dormitorio, en el tercer piso del palacio de Azbakiya, imaginaba ahora qué nombre dar a su nueva victoria. Aquello era un asunto serio para él. Leyendo a los clásicos había descubierto que el acto de bautizar lo asemejaba a Dios como ningún otro. A fin de cuentas, había leído en el Génesis que el Ser Supremo solo otorgaba su verdadero carácter a lo creado cuando le ponía nombre. Y él quería imponer el suyo a cada una de sus gestas. La «batalla de las pirámides» o la «batalla del Monte Tabor» estaban ya en sus notas y en los informes que había despachado hacia París. Pero ¿cómo llamaría a la última?

Necesitaba reflexionar.

A su memoria acudía una y otra vez la escena más memorable de los combates en Abukir. La había protagonizado el general Joachim Murat a pocos metros de él, en medio de una de las últimas cargas de la caballería mameluca. Murat, en un sorprendente acto de valor, había cargado contra sus enemigos sable en ristre, seccionando de un tajo la mano izquierda al lugarteniente de Djezzar. ¡Qué momento! La estupefacción y el horror de aquel guerrero pronto se contagió a sus hombres, que vieron con espanto a su *bajá* humillado como un vulgar ladrón. Lo que maravillaba a Bonaparte es que un solo tajo pudiera decidir el curso de una batalla. Un tajo idéntico al dictado por la ley islámica para quienes pretenden quedarse con lo que no les pertenece. Y es que, a raíz de aquel mandoble, los otomanos comenzaron a huir en desbandada, avergonzados, prefiriendo morir ahogados en las playas de Abukir que mutilados por las escuadras francesas.

¡Qué enseñanza!

Bonaparte había comprendido que dominar el complejo universo de los símbolos, de la «palabra primordial», era hacerse con el poder de los mismísimos dioses. Nadie había racionalizado ese hallazgo como él. Incluso el general Kléber, su hombre más inteligente, se había dejado llevar por la hazaña de Murat sin comprender en el fondo por qué había causado semejante conmoción entre sus adversarios. «¡Sois grande como el mundo! ¿Lo veis?», le gritó él sobreexcitado, sacudiéndole por las charreteras, en medio del campo de batalla.

Pero Bonaparte no se embriagó de euforia. Al contrario. Había observado al detalle lo ocurrido, sorprendido de que Kléber, cabeza visible de una fraternidad masónica, experto en simbología, no se hubiera percatado de aquello. La ceguera de su mano derecha le confirmaba por enésima vez que había sido una decisión inteligente no aceptar su invitación a formar parte del Taller que él presidía.

Ser el único de su ejército con semejante capacidad de interpretación simbólica no le causaba malestar alguno. Poseerla lo convertía en un oficial superior. Y lo seguiría siendo en tanto apreciara y supiera manejar el modo de percibir el mundo de quienes lo rodeaban.

Jean-Baptiste Kléber era, pese a todo, el que mejores

dotes de observación tenía. Y no era solo por su corpulencia y buena vista, sino también por sus conocimientos de historia, psicología, geografía y su perspicacia para ver señales de la Providencia donde los demás apenas percibían casualidades. En su campaña de Palestina le dio una última prueba de esa capacidad. «¡Nazaret os ha traído la suerte que merecéis!», lo zarandeó el día que lo salvó de Djezzar, embargado por la emoción de la victoria. «Jesús venció aquí a la muerte. Vos a nuestros enemigos. ¡Estáis bendecido como Él!».

La forma en la que dijo aquello fue extraña, casi profética, y le causó cierta turbación. Aunque después, tras encontrarse con los sabios azules, lo olvidó por completo.

Bonaparte, repuesto de los combates, limpio y afeitado, había recordado ahora aquel gesto con renovada inquietud. ¿Y si Jean-Baptiste Kléber tenía razón? ¿Y si la suerte, la baraka, estaba ya con él? ¿No habría llegado al fin el momento de lanzarse con ella a la conquista de Europa? ¿Del mundo? ¿Acaso sus victorias no lo estaban convirtiendo en un mito viviente, en un nuevo Alejandro? ¿Y no sería un broche perfecto a sus ambiciones que antes de dar ese paso remachara su reputación superando la prueba de la que le hablaron los sabios azules?

Justo en ese momento, la puerta de su despacho se abrió.

—Con su permiso, mi general.

Un capitán de servicio le sacó de sus cavilaciones.

—Pasad, oficial —dijo de mala gana—. ¿Qué sucede?

—Acaba de llegar un despacho urgente del general Desaix desde el Alto Nilo, señor.

—¿Y de qué se trata?

—Parece importante, señor —dijo como excusándose—. Dos de los miembros de la Comisión Científica, los ingenieros De Villiers y Prosper Jollois, aseguran que se está fraguando un complot contra vos.

Napoleón Bonaparte no pareció inmutarse, haciendo un gesto con la cabeza para que continuara.

—La verdad —añadió el capitán— es que su advertencia es un poco... extraña. Dan detalles muy concretos. No parece un rumor. Temen que vuestra excelencia pueda caer en manos de una secta local y que, por su culpa, perdamos el control del país. Dicen...

—¿Aún dicen más?

—Aseguran que vuestra vida está en serio peligro, señor. Que quienes dirigen ese culto son unos asesinos despiadados.

Bonaparte observó al oficial con gesto incrédulo.

—¿De veras? —preguntó con cierta sorna.

—Sí, mi señor.

—¿Y vos, capitán, creéis verosímil toda esa sarta de avisos?

El oficial tragó saliva, perdiendo el color del rostro.

—¿Estáis pidiendo mi opinión, señor?

—Así es.

El dragón titubeó nervioso.

—¡Pues claro que no, capitán! —La estrepitosa carcajada de su general devolvió la calma al mensajero—. Parece mentira que mis propios hombres se dejen embaucar por esas cosas. ¡Una secta local! ¡Memeces, capitán! ¡Eso es como creer en los encantadores de serpientes! Este pueblo es muy dado a la imaginación. ¿Qué se creen? ¿Qué van a *mesmerizarme* unos beduinos fanáticos? Ni os molestéis en redactar una respuesta a ese informe, capitán.

—Eh... Hay otro asunto del que debo informaros, señor.

Bonaparte calló.

—Dos egipcios se han identificado hace un rato en la

puerta principal de palacio solicitando audiencia con vuestra excelencia.

Y se puso serio de nuevo.

—¿Dos egipcios? ¿Queréis decir dos ciudadanos de a pie, capitán?

—Eso parece.

—¿Y qué quieren?

—Vienen a avisaros... —dudó— de un peligro.

—¿También ellos?

El oficial asintió con gesto preocupado.

—Tal vez se trate de algo serio, señor —dijo inquieto por la confluencia de mensajes.

—¿Y por qué no facilitan esa información a la guardia? Es ella la que se ocupa de mi seguridad.

El capitán dudó un instante si insistir o no:

—No quieren hablar más que con vos, señor —dijo al fin—. Nos pidieron que os mencionáramos que son enviados de los... sabios azules. ¿Os dice algo eso, señor?

El general se levantó del diván, plantándose justo bajo la mirada del oficial:

—¿Han mencionado ese término? ¿Sabios azules? ¿Estáis seguro?

—Sí, señor.

—Está bien, capitán —asintió dándose la vuelta y cogiéndose las manos por la espalda—. Los recibiré. Hacedlos subir dentro de media hora. Necesito terminar mi meditación. Ah... Y dad la orden de que me traigan el mejor vino que tengamos en bodega. Hemos derrotado a los otomanos y tengo mucho que celebrar.

41

Justo antes de recibir a los egipcios en su despacho, algo vino a enturbiar el momento de tranquilidad que se había regalado Bonaparte. En realidad estaba a punto de descubrir que estaba siendo visitado por una especie de premonición. Lo percibió cuando un sutil aroma comenzó a inundar su estancia compitiendo con los vapores del magnífico caldo borgoñón que acababa de descorchar. Aquel súbito perfume le confundió. El general estaba solo y la fragancia no procedía de ningún lugar que identificara. Tampoco parecía un defecto de fermentación del magnífico Gevrey-Chambertin que le habían servido. Era una esencia dulzona, suave, pero lo bastante intensa como para que decidiera asomarse a la ventana en busca de su procedencia. Fue inútil. Afuera no había nadie. Aquel, por otra parte, no le pareció un efluvio normal. Le resultó familiar. Cercano. Casi íntimo.

¿Dónde lo había percibido antes?

De repente, gracias a una veloz asociación de ideas, Bonaparte cayó en la cuenta de que hacía demasiado tiempo que no estaba con una mujer. Su esposa Josefina se encontraba muy lejos, en París, y sus últimas cartas no reflejaban sino desencanto por su prolongada ausencia. Él —demasiado orgulloso para serle infiel— no había tenido tiempo ni humor para flirteos desde que desembarcó en Egipto. Pero ahora aquel bálsamo le había hecho caer en la cuenta de esa carencia. Pronto iba a cumplir treinta años y poco a poco, casi sin darse cuenta, había renunciado a una de las grandes dádivas de la vida.

Algo aturdido, se quedó un instante reflexionando sobre aquello. ¿Qué sentido tenía conquistar mundos si al final del camino no tenías con quien compartirlos? ¿Para qué servía la vida sino para mezclarla y agitarla con otras?

Entonces una segunda oleada de aquel perfume le hizo recordar dónde había sentido aquel estremecimiento por última vez.

Bonaparte sonrió.

Había sido en sueños.

En Nazaret.

Después de la batalla del monte Tabor.

Durante una siesta en la que una diosa sensual le había susurrado algo que ahora resonaba en su cabeza con una fuerza inesperada. Parecía un mensaje pensado para responder a sus últimas dudas:

«Solo el amor habrá de salvarte».

«¿Salvarme? Pero ¿de qué?», objetó. «¿Del complot?».

Bonaparte sacudió la cabeza, desechando la idea por ridícula.

Justo en ese momento, la voz del capitán de la guardia le arrancó de sus cavilaciones. No lo había escuchado entrar. Ni tampoco a los dos dragones armados que lo acompañaban.

—Lo siento, señor. —Se cuadró el oficial, a pocos pasos de él—. Los egipcios que han solicitado veros esperan afuera. ¿Les digo que entren?

Él se recompuso enseguida.

—Ah, sí. Es cierto... Hacedlos pasar.

Pero el señor de Egipto no estaba ni remotamente preparado para lo que estaba a punto de ofrecérsele.

268

Un hombre corpulento, cubierto por una galabeya parda y raída, entró en las estancias del general seguido por una mujer cuya presencia le intrigó en el acto. Ambos iban escoltados. El varón, de unos cuarenta años y con una anchura de espaldas que inspiraba respeto, lo saludó con una reverencia dejándole ver enseguida a su acompañante. Tal vez fue la actitud sumisa de esta, casi temerosa, lo que lo atrajo. O quizá fue su altura o la elegancia de su silueta, apenas perceptible bajo la túnica que la cubría. Lo cierto es que la visitante llevaba el rostro cubierto por un velo y emanaba ¡el mismo perfume que llevaba un rato percibiendo en su despacho!

Bonaparte dio un respingo.

«¿Cómo es posible?», se preguntó al tiempo que notaba cómo su pulso se aceleraba.

—Acercaos —ordenó a la dama, ignorando deliberadamente la presencia del varón.

Ella dio un par de pasos al frente, hasta llegar a su escritorio.

—Decidme, ¿cómo os llamáis?

—Nadia ben Rashid, mi general —respondió.

Su turbación al escuchar aquella suave voz hablando en perfecto francés aumentó. No era ya solo el perfume lo que le resultaba familiar en ella, también su timbre aterciopelado y envolvente.

Alí le pidió entonces permiso, también en correcto francés, para quitarse el turbante y ayudar a Nadia a desprenderse de las ropas de viaje. El general se lo concedió ante la atenta mirada de sus dragones.

Al ser desvelada, la presencia de la muchacha lo inundó todo. Una joven esbelta, majestuosa, apareció bajo los trapos cubierta con un vestido de lino que se ajustaba con suavidad a su figura. Irradiaba algo especial, una curiosa mezcla de serenidad, elegancia e inocencia que lo cautivó.

Pero la luz de la estancia —atestada de mapas, libros y piezas arqueológicas enviadas por sus sabios desde todos los rincones del país— no era suficiente para apreciar bien sus delicadas facciones.

—Acercaos a la ventana —le ordenó con suavidad, tratando de no asustarla.

La muchacha accedió.

Napoleón se quedó mudo de asombro. La dorada luz que caía sobre Azbakiya descubrió el rostro armónico y de piel bronceada de una jovencita de no más de dieciocho años cuyo cabello negro enmarcaba unos pómulos perfectos y un cuello largo y fino. Sin embargo, fue cuando ella elevó sus ojos hacia los del militar y sus miradas se encontraron cuando este se estremeció de veras.

«¡Por todos los diablos! ¡Es ella!».

Una certeza casi sobrenatural recorrió en ese momento la mente de Bonaparte. Aquella mirada aguamarina, aquella nariz minúscula y perfecta, sus labios... ¡eran los de la diosa con la que había soñado en Nazaret!

«Soy Isis. Siempre he estado aquí —le dijo entonces—. Vengo a curar tus heridas. Solo el amor habrá de sanarte».

Bonaparte trató de disimular su profunda sorpresa.

«¡Existe! —se dijo—. ¡Es real!».

Y algo torpe, sabiendo que no era propio de él desear a una perfecta desconocida, balbució:

—¿Venís de fiesta, mademoiselle?

Un ligero rubor emergió del fondo de aquellas mejillas perfectas:

—Lo es venir a ver al nuevo señor de esta tierra —respondió—. Espero que no os ofenda que hayamos insistido en encontrarnos con vos.

—De donde yo vengo, las damas no visitan a los soldados en sus aposentos.

—Soy consciente de lo inadecuado de esta situación

—bajó su mirada—, pero las circunstancias que nos traen aquí son poco usuales.

Bonaparte escuchó embobado sus excusas.

—Señor —añadió Nadia con un tono de voz que le aceleró todavía más el pulso—: hemos insistido en veros porque debemos advertiros de algo importante.

—¿Advertirme? —interrogó. Casi había olvidado la razón de aquella visita—. ¿De qué?

—Estáis rodeado de traidores, mi señor.

Tan impresionado estaba por el fuego que emanaba aquella criatura que ni siquiera tuvo en cuenta lo que, en otras circunstancias, hubiera sido una imperdonable insolencia.

—Mucho me temo que eso no es nuevo, mademoiselle Ben Rashid —musitó con amabilidad—. Hoy mismo he recibido una carta desde Luxor hablándome en términos parecidos. Cada cierto tiempo esa clase de amenazas se repite, pero un líder debe aprender a convivir con ellas.

Alí y Nadia se miraron estupefactos.

—¿De Luxor? —preguntó ella.

—Dos de mis mejores científicos creen que una especie de secta desea mi muerte.

—¿Y desoís sus advertencias, señor?

La sincera preocupación de la muchacha conmovió a Bonaparte.

—No, no. En absoluto. Aunque los traidores son, a menudo, un mal necesario para los gobernantes. Nadie es ajeno a las envidias en mi posición.

—¡Pero debéis cuidar vuestras espaldas, señor! —dijo Nadia inquieta—. Los tenéis más cerca de lo que creéis.

Bonaparte recordó que no estaban solos. El capitán de la guardia y su escolta seguían allí, unos pasos por detrás de donde tenía lugar aquella conversación, y se vio obligado a rectificar el tono de sus palabras.

—Eso es una acusación muy seria viniendo de alguien ajeno a este puesto de mando, mademoiselle —dijo mucho más serio—. No os conozco. Y si me he dignado a recibiros es porque la guardia me ha asegurado que os envían los sabios azules. ¿Me equivoco?

—No os equivocáis, señor —respondió Nadia, sin perder un ápice de su encanto—. Son ellos quienes nos han hablado de la existencia de esos traidores.

Los ojos de Bonaparte relampaguearon. En su mente comenzaban a cruzarse curiosas señales de alarma. ¿Podía fiarse de aquella sorprendente criatura? ¿Le decía la verdad? ¿O quizá era víctima de un ardid brillante? Había algo, al menos, en lo que nadie podía engañarlo: él había soñado con aquella mujer justo antes de encontrarse con los sabios azules en Nazaret. Era un vínculo sutil, pero vínculo al fin y al cabo. Allí fue donde el anciano Balasán le hizo comprender que toda su vida estaba predestinada para llegar a Egipto y el que le prometió que le revelaría los secretos de la vida eterna antes de cumplir los treinta años. «La edad del Sed», le dijo el patriarca. Ahora intuía que existía una relación entre ambos hechos..., pero necesitaba saber de qué clase.

—Decidme —se acercó a Nadia, oliendo de nuevo aquel embriagador perfume—: ¿qué sabéis de los sabios azules? Necesitaría verlos de nuevo.

—¿Para qué, señor?

La inesperada pregunta deslizada por Alí le sorprendió. Bonaparte se giró hacia el gigante, que había permanecido mudo hasta ese momento, dejando atrás a Nadia. El fuego de la determinación también ardía en sus ojos.

—Tengo mis propias razones. Y permitidme deciros que no son de vuestra incumbencia —le replicó molesto.

Alí no se inmutó.

—Sí lo son, señor —respondió muy serio—. Mi familia

ayuda desde hace siglos a esa hermandad de sabios. Estos solo bajan de las montañas una vez cada dos mil años, y siempre para elegir a un mortal digno de recibir su conocimiento.

—¡Yo ya he visto a los sabios azules! —replicó más irritado todavía.

El anhelo que sentía Bonaparte un segundo antes había mutado de repente en ferocidad.

—Lo sabemos —aceptó Alí sin alterarse—. Y sin duda volveréis a verlos, señor, aunque quizá no donde ni como esperáis.

—Parecéis muy seguro. —Frunció el ceño, intrigado por aquella respuesta.

—Hace mucho tiempo, general, nuestra familia fue honrada con su confianza. De hecho, nos han enviado ellos para preparar vuestra sagrada iniciación.

Bonaparte entornó los ojos y volvió a contemplar, esta vez con recelo, a la muchacha.

—Mi iniciación...

En silencio, comenzó a pasear por la estancia.

La sola posibilidad de que la belleza que había llamado a su puerta pudiera formar parte de un ardid enemigo lo hacía hervir de furia. Debía recordarse que estaban en guerra, que en suelo egipcio había muchas personas que lo odiaban profundamente. No debía, pues, permitirse bajar la guardia bajo ninguna circunstancia.

—Decidme entonces —habló al fin, dirigiéndose a Alí—, ¿cómo sé que no pertenecéis a esa secta de Luxor de la que me advertían mis hombres? ¿Por qué razón debo fiarme de vosotros?

Nadia, que los miraba sin atreverse a interrumpirlos, se adelantó a responder:

—Si fuéramos esos fanáticos, señor, ¿de veras creéis que nos presentaríamos así ante vos? No traemos armas.

Miradnos. Solo os ofrecemos un mensaje de advertencia y un conocimiento que compartir.

La muchacha parecía sincera. Aun así él receló.

—¿Qué clase de conocimiento?

La Perfecta percibió que la mirada del general volvía a tornarse enigmática. Sus rostros se habían quedado a unos centímetros el uno del otro y podía sentir con claridad la corriente que había comenzado a circular entre ellos. Era una extraña mezcla de recelo y deseo que, de repente, comprendía muy bien. «¡Dios! —pensó—, ¡él siente lo mismo!». En una fracción de segundo Nadia reconoció aquella mirada perturbadora. Había estado fantaseando con esos labios durante su viaje a El Cairo. «¡Balasán tenía razón! —se turbó—. ¡Él es el guerrero!».

—¿Y bien? —la sacó Bonaparte de sus cavilaciones—. ¿Qué clase de conocimiento me ofrecéis?

Nadia se recompuso:

—Hablo de un conocimiento iniciático, señor.

—Parece interesante —susurró.

—Y lo es. Pero, como quizá sabréis, ninguna iniciación debe darse ante terceros —añadió ella, dando un paso atrás, echando un vistazo a la guardia encargada de velar por la seguridad de su interlocutor.

—¿Queréis que nos dejen a solas?

La pregunta le sorprendió incluso a él mismo. En un segundo calibró los riesgos de esa acción, pero no vio ninguno que no fuera capaz de dominar.

Ella asintió con timidez.

—Me parece bien —sonrió Bonaparte.

Y diciendo aquello, se volvió hacia su oficial de guardia y ordenó que sus dragones y él escoltaran a Alí fuera de allí hasta nueva orden.

A Nadia se le hizo un nudo en la garganta en cuanto vio que la puerta se cerraba tras el último soldado, pero intuyó que el momento para el que había sido preparada había llegado ya. Lo notó en lo aguda que se había vuelto su percepción en los últimos minutos. Desde que reconoció a Napoleón Bonaparte como el hombre de sus visiones acosado por las sombras, todo su cuerpo parecía capaz de interpretar sus reacciones. Ahora lo tenía frente a ella, atravesándola con una mirada entre insolente y curiosa, preguntándose qué clase de conocimiento le tendría reservado. Casi podía leer su mente y empatizar con sus dudas. Pero, incertidumbres aparte, estaba creciendo también entre ellos una inexplicable familiaridad. Como si, en efecto, se reconocieran de otro lugar, o quién sabe incluso si de otro tiempo.

—¿No me teméis? —le preguntó el general. El tono aterciopelado de su voz le provocó un escalofrío.

La Perfecta luchó por controlar la marea de sentimientos encontrados que la azotaba. Claro que lo temía. Cómo no iba a temer a un hombre con su poder. A un extranjero armado del que había oído decir tantas barbaridades. Pero, a la vez, algo le estaba haciendo creer que él no era así. Que estaba tan desorientado como ella en esa situación. Que estaba en su destino llegar juntos a buen puerto.

—No parecéis la clase de hombre que haría daño a una mujer —le respondió, ahogando sus certezas.

Él la miró muy serio.

—Podría deteneros ahora mismo por conspiración. ¿No habéis pensado en ello?

La Perfecta abrió los ojos sorprendida.

—No..., la verdad —sonrió tímida, mientras Bonaparte se acercaba todavía más. Podía percibir el combate entre el anhelo y la corrección que se libraba en su interior.

—Alguien debería haberos enseñado a no ser tan confiada.

Bonaparte dijo aquello tomándola por la muñeca. Sus

dedos quemaban, pero Nadia estaba decidida a no mostrarle temor alguno.

—Y alguien debería haberos enseñado modales, monsieur —replicó sin soltarse—. He venido para preveniros de un peligro. No creo que una celda sea mi mejor recompensa.

—Ah, ¿no? Y decidme, ¿qué recompensa esperáis?

—Sería suficiente algo de cortesía.

Bonaparte soltó en el acto a Nadia, borrando el último atisbo de desconfianza de su rostro.

—Perdonadme, mademoiselle. Tenéis razón. Parece que he olvidado mis modales.

Pero entonces, como arrastrado por un impulso ingobernable, acarició ligeramente su mejilla. El roce les hizo temblar a ambos, haciéndoles olvidar de repente lo diferentes que eran.

—No deberíais quedaros aquí —dijo él sin demasiado convencimiento—. Ahora sois vos la que estáis en peligro.

—Aún no he entregado lo que os he prometido —protestó ella igual de apática.

—Ah, ¿no? ¿Qué es?

—¿Ya no lo recordáis? La iniciación...

42

Elías Buqtur acudió extrañado a abrir la puerta de su dormitorio, situado en el tercer piso de un descuidado inmueble adosado al cuartel de Azbakiya. El general Bonaparte le había dado el día libre y él había pasado la jornada en Jan el Jalili bebiendo té con menta con algunos amigos y deambulando por sus animadas callejuelas. Lo que en modo alguno esperaba era que llamaran a su habitación a las nueve y media de la noche, al poco de tumbarse a descansar.

—Traemos un mensaje urgente para vos.

Dos dragones de infantería, mosquete al hombro, le tendieron un sobre blanco sellado con lacre. Siguiendo órdenes, aguardaron a que lo abriera ante ellos.

—¿Qué es? —masculló, clavando su mirada en el indescifrable cuño grabado en el centro del lacre.

—Son instrucciones, señor —le aclaró, marcial, el más alto de los soldados—. Debéis vestiros y acompañarnos enseguida.

Abrumado por lo que intuía que podía contener, con el corazón acelerado y rompiendo a sudar, Elías Buqtur rogó que le concedieran unos minutos para acicalarse. Se llevó el sobre y terminó de abrirlo en el baño, bajo la luz de una vela.

Un naipe, diferente a cuantos había visto en toda su vida, cayó de su interior.

XX. *La résurrection*

Nada más verlo, Buqtur se despejó de golpe. Solo Jean-Baptiste Kléber podía haberle enviado un mensaje como aquel y un mohín de preocupación se le instaló definitivamente en el rostro. El general únicamente recurría a esa clase de artificios para comunicarse con los miembros del Taller en situaciones de extrema importancia.

El Taller.

Cuánto había sufrido por mantener en secreto su relación con él.

Y un nuevo torrente de pesadumbres lo asaltó.

Su tío Nicodemo Buqtur lo había reclutado para ingresar en su cúpula rectora hacía poco más de un año. Le dijo que ser aceptado en una cofradía secreta como aquella equivalía a formar parte de la élite egipcia que dirigiría el país tras la invasión francesa. Nicodemo, a su vez, había sido iniciado en sus misterios en París y gracias al Taller había tenido un acceso fácil a las castas dominantes francesas e incluso al mismísimo conde de Saint-Germain. No mentía. Se trataba de una institución de apariencia inocua, una suerte de masonería muy cómoda en tiempos sin sobresaltos... pero tremendamente eficaz y despiadada cuando sus miembros se ponían en marcha para obtener algo. Generalmente, poder.

¿Qué querría, pues, decirle el Gran Maestre Kléber

con aquella carta? ¿Lo estaba «resucitando» —como daba a entender el naipe— para alguna misión?

La visión de un ángel llamando a la vida a tres momias inoculó en el copto una extraña sensación de apremio. Tres difuntos envueltos en sus vendas parecían emerger de un mismo sarcófago, firmes, como obedeciendo una orden misteriosa que los impelía a la acción.

¿Era eso lo que se esperaba de él?

¿Que finalmente cumpliera con la misión para la que lo habían alistado?

El Taller utilizaba a menudo el lenguaje simbólico para comunicarse. En sus reuniones todo se pasaba por el tamiz de la metáfora, de la imagen o del gesto. Su hierofante, el general Kléber, había tratado por todos los medios de reclutar a Napoleón para su causa, pero el «pequeño cabo» siempre declinó su ingreso. Consideraba que aquellas reuniones estaban muy por debajo de su genio y que solo le harían perder el tiempo. El alsaciano nunca le perdonó su orgullo.

¿Quizá lo llamaba Kléber para iniciar su venganza?

¿Iba a ser él su instrumento?

¿Tendría el valor suficiente para traicionar a su señor?

Tras lavarse la cara, Elías se enfundó unos pantalones de campaña, una blusa de algodón claro y lo disfrazó todo bajo una galabeya oscura. Prefería estar preparado para cualquier eventualidad. Incluso huir si fuera preciso.

Los dragones lo escoltaron hasta un pequeño edificio situado a tres manzanas escasas del palacio-cuartel de Bonaparte. El copto conocía bien el lugar. Había sido citado allí en otras ocasiones. Solo las continuas ausencias de Bonaparte, al que siempre acompañaba en sus viajes fuera de El Cairo, lo habían obligado a espaciar sus comparecencias más de lo deseado.

Los soldados se detuvieron en el umbral de una puerta de madera coronada por un friso rectangular que atravesó sin decir palabra. Sus goznes separaban el mundo exterior del *Het Nub*, o «Salón de Oro», donde se tomaban todas las decisiones importantes. Aquel era un habitáculo hermoso, proporcionado e iluminado por una veintena de pebeteros en los que ardía aceite aromático. Con aquella luz apenas podían verse las estrellas de cinco puntas que decoraban su espléndido techo azul celeste.

Al penetrar en aquella penumbra, a Buqtur el Salón de Oro le pareció inhóspito por primera vez.

Una orden en voz alta le confirmó que lo esperaban:

—¡Adelantaos, por favor, hermano Elías! ¡Pasad!

Se trataba de una voz familiar.

Gaspard Monge, un matemático cascarrabias con cara de caballo, exministro de la Marina y presidente del Instituto de Egipto fundado meses atrás por el propio Bonaparte, serenó sus ánimos al llamarlo por su nombre de pila. Monge dio un paso al frente, allá donde Buqtur pudiera verlo.

Monsieur Monge siempre había sido cordial con él. Durante sus primeros meses en Egipto, animado por su tío Nicodemo, el «buen Gaspard» —como lo llamaban todos— le había llenado la cabeza con maravillosas descripciones de Francia. «Solo las pirámides glorifican más tu nación que la mía —se lamentaba con falsa resignación—. En el resto, mi país es insuperable».

Buqtur, pues, avanzó hacia el centro de la sala aferrándose a aquellos recuerdos.

Al encontrarse frente a él, el sabio retomó su tono elevado, como si agazapados en las sombras hubiera más hermanos pendientes de su conversación:

—Bien, Elías. Llegasteis ayer de otro de vuestros viajes acompañando a nuestro general Bonaparte, ¿no es cierto?

Distinguió entonces a monsieur Jerôme, secretario

del Taller, sentado en un extremo de la sala frente a un enorme cuaderno de actas. Se parapetaba tras una mesita de roble sobre la que apoyaba el tintero y una pequeña colección de plumas y lápices. A su vera, las siluetas pardas de otras seis personas, todas en pie, se hicieron visibles a medida que sus ojos se acostumbraban a aquella luz.

—¿Qué... qué es esto? —protestó al intuir el alcance de la reunión.

—Por favor, *frater* Elías, respondednos y todo irá bien: ¿Estuvisteis hasta ayer con Bonaparte, sí o no?

Elías asintió.

—¿Y le oísteis decir en algún momento que pensara abandonar en secreto Egipto?

La insólita pregunta, formulada por otra de aquellas sombras, alta como una torre, sin duda la del general Kléber, lo paralizó.

—No, hermano... —respondió alarmado—. ¿Cómo podéis siquiera sospechar que nuestro general pudiera abandonar a su ejército después de sus últimos triunfos?

Kléber, que en ningún momento dejó atrás la penumbra, extendió su largo brazo hacia otro de los presentes, dándole la palabra.

—Hermano Murat: explicádselo vos, por favor —ordenó.

Una nueva silueta, también alta y robusta, se adelantó hasta el centro del suelo ajedrezado del Taller. Era Joachin Murat, el héroe que había consumado el milagro de hacer huir a los turcos apenas unos días antes, sin perder ni a uno solo de sus escuadrones. Buqtur sonrió nervioso al reconocerlo. El militar parecía restablecido de los combates.

—Tenemos razones para creer que el general Bonaparte piensa dejarnos en breve, *frater* Elías —apostilló con un tono que sonó apesadumbrado—. Cuando él me pidió que lo acompañara a las playas del Delta, durante nuestra última y victoriosa campaña, murmuró que pronto abandonaría el país. Que Francia lo necesitaba más que nosotros. Y hemos sabido que, en secreto, ya ha dado las órdenes precisas para que se aprovisionen y armen dos fragatas en el puerto de Alejandría... ¿Imagináis lo que eso significaría?

El copto no respondió.

—¡Yo os lo diré! —prosiguió Murat—: Que el plan de iniciar a Bonaparte en nuestra venerable Logia de Menfis y de prepararlo para recibir la fórmula que en Nazaret le prometieron los sabios azules ante vuestra presencia podría fracasar por completo.

—Pero... ¡no es posible! —protestó él—. Mañana es el día elegido. Ellos lo fijaron así.

Al oír aquello, otra de las sombras que atendían a la reunión dio un paso adelante, dejando que la luz también la iluminara.

—Hermano Elías —intervino—. Vos sois el único de nosotros que habéis visto de cerca el rostro de los azules. Y gracias a vos y a vuestros contactos, el general Bonaparte se entrevistó con ellos en Nazaret hace unos meses.

El intérprete asintió.

—Sois copto de origen y de religión. ¿No es cierto?

—Sí, monsieur.

—¿Y tenéis idea de por qué los azules han elegido *precisamente* el día de mañana para iniciar a Bonaparte?

Elías Buqtur no identificó esta vez a quien lo interrogaba. Debía de ser nuevo en el Taller. Se trataba de un anciano de aspecto severo, también francés, piel llena de manchas y ademanes torpes, que no había visto jamás por allí.

—No tenéis por qué responder —añadió en tono presuntuoso—. Sabemos que todo se debe a una cuestión astrológica. Mañana, al amanecer, las estrellas de Leo ascenderán por el «lugar de la resurrección» en el Este, y el pájaro Bennu, que los antiguos egipcios identificaban como la constelación del Fénix, marcará el Sur. ¿Sabéis vos qué significa semejante conjunción?

El copto sacudió la cabeza.

—Lo único que sé —replicó ajeno a aquella jerigonza— es que Bonaparte cumplirá treinta años en unos días, y ese es el tiempo de un «ciclo Sed», el momento exacto para practicar el rito de inmortalidad.

—¿Y tenéis idea de en qué consistirá?

—Es una fórmula que apela al Maat —precisó Buqtur—. Los sabios azules saben que la muerte debe equilibrarse con su oponente, para neutralizarla.

—¿Su oponente? ¿Y qué se opone a la muerte, hermano Elías?

—Deberían saberlo —Buqtur sonrió—: el amor.

Un murmullo se extendió por toda la sala.

—No sé de qué se extrañan, hermanos. Está en toda la tradición egipcia —dijo Elías paseando su mirada entre las sombras—. Isis resucitó a Osiris porque lo amaba. Sin esa fuerza suprema no habría buscado el cuerpo de su amado ni hubiera podido devolverlo a la vida.

—Si estáis en lo cierto, entonces mucho me temo que el Taller no tiene nada que hacer... —apostilló aún más desanimado el general Murat—. Bonaparte no se ama más que a sí mismo. No ha nacido quien sea capaz de exprimir esa energía de su alma.

Elías Buqtur miró al veterano guerrero de hito en hito.

—En eso os equivocáis —lo corrigió—. Los sabios azules no habrían fijado la fecha de su iniciación para mañana si no tuvieran ya dispuesta a su propia encarnación de Isis. A una portadora de amor que sepa combatir la muerte que Bonaparte lleva consigo. Esa gente, creedme, no deja nada al azar.

Otro murmullo atronó la sala. Las sombras comenzaron a deliberar entre susurros, como si su observación las hubiera hecho caer en la cuenta de algo. Murat se unió al grupo, pero enseguida regresó de él para agarrar al copto por los hombros.

—Tenéis razón, hermano —le dijo.

Elías vaciló.

—¡Los sabios azules tienen lista a su Isis!

—¿Có... cómo lo sabéis? —ahora el sorprendido era él.

—Esta misma tarde, dos egipcios han solicitado audiencia con el general Bonaparte. Nuestros informantes en Azbakiya los han oído decir que traían noticias sobre el paradero de los sabios azules. Eran un hombre y una mujer muy hermosa, y de inmediato han sido recibidos por él. El varón dejó el cuartel hace una hora. Ella, en este momento, sigue aún con Bonaparte. ¿Sabéis lo que eso significa?

La perilla bien recortada de Elías Buqtur se retrajo, como si se hubiera asustado.

—Un hombre y una mujer... —masculló—. ¿Sabemos quiénes son?

—Oh, sí. Desde luego. El Taller los conoce —intervino el gran hierofante, Kléber.

El gesto interrogativo del copto, pálido y ansioso, lo animó a proseguir. Lo hizo adelantándose hasta el centro de la sala, dando vueltas alrededor del intérprete.

—Los Buqtur sois una familia muy especial. Cuando nos conocimos en París, tu tío Nicodemo me contó que tenéis una misión suprema que pasáis de padres a hijos: cuidáis del Maat, de la armonía de Egipto. Y para hacerlo, mantenéis un combate secular con otro viejo clan.

«¡Los Ben Rashid!».

Elías notó cómo los músculos de la mandíbula se le tensaban.

—El caso —prosiguió Kléber— es que ese clan ha enviado a dos de sus miembros a la ciudad. Son ellos los que están con Bonaparte. Y uno, como os ha dicho el hermano Murat, es una hermosa mujer. Vuestra Isis.

—Nadia ben Rashid.

Kléber se detuvo:

—¿La conocéis?

—No puede ser otra. Describídmela.

El hierofante lo hizo ante los cada vez más preocupados gestos de asentimiento de Buqtur. Su retrato fue el de una joven de mirada penetrante, silenciosa, custodiada por un enorme guardaespaldas que en ningún momento se separaba de ella.

—Entonces el varón tiene que ser su tío Alí ben Rashid, Gran Maestre. Pero si ella está aquí —tragó saliva, acariciándose nervioso el mentón— quiere decir que el hombre al que yo he encomendado su tutela ha fracasado.

—¿Teníais a un hombre vigilando a esa mujer?

—Desde hace nueve años, Gran Maestre. De hecho, desde mucho antes de que el Taller llegase a Egipto —respondió—. Como bien os ha explicado mi tío, libramos una larga batalla con los Ben Rashid por el dominio del Maat. Esa mujer es la heredera directa de una saga de mujeres nacidas de la mismísima Isis y la teníamos bajo la tutela de un brujo de Luxor a la espera de que llegase el Osiris designado por la Providencia.

—Bonaparte.

—Exacto. Pero si los azules la han liberado ya, mucho me temo que fracasemos en detener lo que va a ocurrir...

—¿Y ese brujo? —se enervó Kléber—. ¿No puede él hacer nada?

—¿Omar...?

El rostro de Elías se ensombreció preocupado. Hacía años que no lo había visto. Sencillamente, no había sido necesario. Pero ahora todo había cambiado. El universo entero parecía estar precipitándose sobre su cabeza.

—... Si ese hombre no ha muerto, señor, luchará hasta el último momento por hacerse con el secreto de la vida eterna. Podéis estar seguro.

—¿Y si ha muerto? —torció el gesto el Gran Maestre.

—Si ha muerto... —titubeó, sopesando por primera vez aquella eventualidad—, en ese caso deberé tomar yo toda la iniciativa.

—Comprendo.

—Dejadme detener a esa mujer antes de que incline la balanza hacia el lado que no conviene —añadió Elías, de repente presuroso—. Dadme permiso para regresar al cuartel y desbaratar sus planes, Gran Maestre.

El hierofante escuchó muy serio aquellas palabras antes de responder, pero aceptó la propuesta. También él tenía la preocupación dibujada en el rostro.

—Entonces, nos veremos en la pirámide, señor —se despidió el copto—. La prueba que espera a nuestro general está a las puertas.

—¿Sabéis cuándo va a tener lugar exactamente, hermano?

—Ya, Gran Maestre. ¡Ya!

43

Meseta de Giza.
Madrugada del 12 de agosto de 1799

Balasán trepó hasta la cima del conjunto rocoso de Maadi arrastrando su pierna izquierda con dificultad. Aunque superior en fuerzas a cualquier humano de su edad, la artrosis se estaba adueñando poco a poco de sus extremidades inferiores y sabía que pronto se quedaría inválido, postrado en algún camastro, lejos de sus momentos de gloria al frente de los «guardianes azules».

Desde esa atalaya se le ofrecía un espectáculo magnífico. Los setenta y tres metros de envergadura de la Esfinge de Giza descansaban casi a sus pies, bañados por la luz plateada de la luna. Eran la señal inequívoca de que se encontraba en la sagrada «Tierra de los Muertos». En el lugar en el que, al fin, pondría en marcha la última parte de su misión.

—Dios es grande —murmuró emocionado.

El venerable maestro había plantado los pies solo a unos cientos de metros al sur de las pirámides de Giza, muy cerca del cementerio árabe de Al-Ahram. Había pedido a Tagar, su fiel asistente, que lo dejara un momento a solas. Necesitaba acercarse a ese lugar en meditación. Con la vista puesta en el mar de estrellas que lo cubría. Debía prepararse para lo que, inevitablemente, estaba a punto de suceder en menos de veinticuatro horas.

Casi todo estaba listo.

Maat pronto revivificaría aquel lugar.

Los antiguos dioses volverían a dar una oportunidad al género humano.

Balasán llevaba merodeando por Giza desde el ocaso. Había visto ponerse el sol sentado en los amplios lomos de la Esfinge, comprobando que el cielo había completado correctamente su ciclo cósmico por detrás de las pirámides. El león de piedra tallado por los remotos habitantes de Egipto siempre tenía los ojos puestos en el orto. Las moles de Keops, Kefrén y Micerinos en el ocaso. Y aunque los siglos habían desdibujado hacía tiempo sus pupilas añiles, todavía cumplía la función de vigilante para la que fue esculpido: la Esfinge era serena y fiera a la vez, diseñada para no inmutarse por nada ni por nadie. Aquella madrugada, además, Balasán había percibido una emoción particular en la espalda del coloso. Fue como si se conmoviera al ver cómo las ocho estrellas de la constelación del León relucían sobre Giza. León arriba, león abajo. Así en el cielo como en la tierra. Así en la luz como en las sombras, pensó.

Ahora era noche cerrada y quedaba ya poco para que todo se precipitara. Echó un último vistazo al monumento y bajó tan aprisa como pudo a su improvisado campamento. Solo debía revisar una última cosa.

La jaima principal se encontraba cerca de los riscos de Maadi, apartada de las rutas de las patrullas francesas. Balasán se descolgó con precaución por el sinuoso sendero que nacía a pocos pasos de ella. Después atravesó el campamento y penetró en su interior dejando que las lonas se cerrasen casi por completo. Estaba impaciente por compartir su último acto de magia con el inesperado invitado que el destino le había regalado. Este lo aguardaba allí mismo, tumbado, sin mover ni un músculo. Rodeado de lamparillas de aceite.

—Has tenido suerte, Zalim —sonrió al cadáver de

Omar que yacía vendado sobre las alfombras—. Mucha suerte.

El cuerpo, naturalmente, no reaccionó.

Después de quitarse la vida ante sus ojos, el Viejo de la Montaña había comprendido que, quizá, no era un revés que el Mal estuviera presente en la ceremonia que iba a tener lugar. En unas horas, utilizando el mismo bebedizo que compartiera con Bonaparte en Nazaret, su ka se despegaría de su anciano cuerpo para darle la opción de la vida eterna a Bonaparte. Pero alguien debería ofrecerle también el sendero contrario. «Es lo justo. Es Maat». Y ese oferente iba a ser Zalim.

Sudoroso y cansado por el esfuerzo de trepar el Maadi, Balasán se inclinó ante el fardo fúnebre para susurrarle algo al oído:

—El momento que esperábamos tú, yo, los Buqtur y los Ben Rashid ha llegado —le anunció—. Las estrellas se han alineado. Los signos son propicios...

—¿Qué creéis que pasará hoy, maestro?

El bello discípulo Tagar lo sacó de su confidencia. Había entrado en la jaima sin que él se hubiera dado cuenta y su pregunta, bisbiseada con delicadeza, lo obligó a incorporarse.

—A estas horas, todo está ya en manos de Nadia, Tagar —respondió sacudiéndose la ropa.

El *ángel de la sonrisa* se acercó para ayudarlo a levantarse.

—Confiáis demasiado en esa mujer, maestro.

—El universo funciona así —resopló girándose hacia él—. Nadia, sin saberlo, ha sido educada para este momento. Debe transmitir vida a Bunabart. Hacerle sentir lo que no creía que existiera. Hoy le dará a conocer el amor.

—¿El amor, maestro?

—El amor es la entrada a la muerte y el umbral a la vida que anhela.

—No entiendo eso, maestro.

Balasán le acarició la cabellera, en un gesto cariñoso.

—Piénsalo, Tagar. ¿Acaso uno no muere a lo que antes fue cuando se enamora? ¿No es el amor una barrera entre el yo que fuimos y el que seremos? El amor te hace ver lo miserable que era tu existencia antes de conocerlo y te empuja a conservar el nuevo yo que nace con él, por encima de todo. Si Nadia es capaz de mostrarle ese don a Bunabart, descubrirá que su vida ya no va a volver a ser la misma. Que hoy su entera existencia va a cambiar para siempre. Si logra enamorarlo, el hombre que entre en la pirámide será diferente. Inmortal.

—¿Y podrá hacer eso Nadia sola?

—¿Sola? —Sonrió Balasán—. ¿Quién ha dicho que vaya a hacerlo sola?

—¡La habéis enviado a reunirse con el Sultán de Occidente...!

El viejo maestro azul entendió la preocupación de su discípulo. Tagar aún era muy joven. Todavía no había desarrollado las capacidades psíquicas propias de un sabio azul. Ignoraba algunas nociones elementales como que para que una iniciación fuera efectiva había que actuar tanto sobre el cuerpo como sobre el alma del candidato. La parte más delicada consistía, precisamente, en liberar la esencia suprema del neófito —su ka— de las ataduras de la materia, y solo entonces actuar sobre ella. «Esa es la misión de Nadia. Hoy lo comprenderá», se dijo. Y sabiendo que aquella iba a ser la gran lección de su vida, pidió a Tagar que lo acompañara en la última parte de su plan.

—Cierra los ojos conmigo —le dijo—. Une tus manos a las mías y respóndeme a esto, Tagar: ¿cuál es el principal atributo del amor?

El *ángel de la sonrisa* hizo lo que le pidió su maestro y meditó la respuesta con cuidado. Al fin, respondió:

—Su principal atributo es el poder que tiene para unir. El amor une lo que antes estaba separado.

—Y produce vínculos entre lo creado, confiriendo equilibrio, Maat. ¿No es cierto? —completó sin abrir los ojos—. Ahora, Tagar, sabiendo que existe un vínculo poderoso entre nuestra misión y la de Nadia ben Rashid, concéntrate en ella. Visualízala. Encuéntrala en tu corazón y, juntos, podremos guiarla.

—¿Nosotros?

—Tú haz lo que te digo.

Tagar apretó los párpados con fuerza. Enseguida sintió cómo el *sotpu sa* de los antiguos constructores de Giza, su fluido sagrado, comenzaba a recorrer todas y cada una de sus células. Balasán todavía era una criatura poderosa. Su mente se vació de imágenes. Se concentró en el vacío. Tagar y su maestro acompasaron el ritmo de su respiración y ambos notaron cómo sus manos se confundían. Una agradable sensación de mareo, como si estuvieran navegando por el Nilo, comenzó a mecerlos. Y entonces, confortablemente instalados en esa sensación, Tagar abrió la boca:

—Ya la veo, maestro —susurró con asombro—. Es Nadia. ¡Y está desnuda...!

—Muy bien —asintió, visualizando aquella misma imagen, hermosa y evocadora—. Ahora nuestra magia la ayudará a completar su misión.

44

Cuartel de Azbakiya, El Cairo.
Madrugada del 12 de agosto de 1799

Bonaparte jamás había visto una mujer como Nadia ben Rashid.

Aunque apenas había probado el vino, ahora se sentía completamente embriagado ante su arrebatadora belleza. Acariciarle la mejilla le había despertado un apetito que creía perdido. Y contra lo que le dictaba su sentido común, dominado por una súbita mezcla de excitación y sorpresa, la atrajo hacia sí rodeándola con sus brazos. Enseguida percibió el delicioso calor de su cuerpo, el olor a loto que impregnaba su piel y la confundida expresión de sus grandes ojos azules.

—Dios mío —murmuró—. Sois una auténtica diosa.

La Perfecta notó otra vez que un nudo se le instalaba en la garganta. Su respiración se volvió entrecortada. Nunca antes había estado tan cerca de un hombre ni sabía muy bien qué era lo que debía hacer. No obstante, había algo en esa situación que la hechizaba. La mirada oscura de su recién descubierto guerrero era tierna y cálida. No presagiaba nada malo. Y empezaba a notar que todo su ser reaccionaba ante él.

—Soy de carne y hueso, monsieur —respondió tomándole la mano que había posado sobre su mejilla—. ¿Lo veis?

Él asintió, murmurando algo para tranquilizarla.

—No quiero asustaros...

—Y no lo hacéis. Es solo que yo nunca antes...

La mirada de Bonaparte se iluminó al escucharla decir aquello.

Entonces, llevado por la confusión que le provocaba contemplar a alguien que ya había presentido en sueños, posó sus labios sobre los de ella. Aquel fue un beso meditado, cálido y lento, de una delicadeza tan infinita que hubiera deseado que no acabara nunca.

Nadia tembló.

—Pero... ¿no soy yo quien ha de iniciaros, monsieur? —protestó sin convicción, con la boca entreabierta, esperando más.

—Quizá más tarde... —susurró antes de inclinarse de nuevo sobre ella.

Bonaparte se dejó llevar por otra ola de deseo.

Su segundo beso fue más profundo, más largo e intenso que el primero. La Perfecta creyó fundirse en sus brazos. De repente notó que un volcán despertaba en su interior. El magma le había humedecido las entrañas mientras un calor súbito la estremecía de pies a cabeza. Asustada por su propia reacción quiso apartarse de él pero no pudo. El general había levantado la cabeza y la contemplaba con una sonrisa que la desarmó.

Los labios de Bonaparte se desplazaron entonces, con suavidad, hasta llegar a su cuello, y aturdida por aquel torrente de nuevas sensaciones casi no se dio cuenta de que sus manos descendían ya por sus hombros y se dirigían hasta las suaves curvas de sus pechos. Al notar que acariciaba uno de ellos por encima del lino, dejó escapar un gemido. Su guerrero avanzaba cauteloso, conquistando cada vez más territorio. Y ella no se sintió con fuerzas para detenerlo.

—Nadia ben Rashid... —le murmuró al oído—. Os deseo.

Al oír su declaración de guerra, el corazón le dio un vuelco. En un segundo se había acelerado tanto que lo notaba golpeándole las sienes.

Las manos ansiosas del general no se detuvieron. Se abrieron paso por su vestido hasta que lograron aflojarlo. Sin saber muy bien de qué modo, notó cómo sus senos se desbordaron atrayendo toda la atención de su amante. Hubo un instante de vergüenza. De hondo pudor. Pero todo se esfumó en cuanto sintió la húmeda boca de Bonaparte sobre uno de ellos.

—Nadia...

—Señor...

—¡Iniciadme!

La cabeza empezó a darle vueltas. La respuesta a las atrevidas caricias del general saturó sus sentidos. Los millones de conexiones neuronales de su cerebro parecieron concentrarse solo en el placer de aquel instante. Algo estalló en su interior. Y de repente la muchacha perdió la noción de dónde estaba. Se agitó. Se estremeció. Y al fin se puso rígida, estrellando las palmas de sus manos contra el poderoso pecho de Bonaparte.

Él se dio cuenta enseguida de que algo no iba bien. «Más despacio», se reprochó mientras la liberaba de su abrazo. Lo que entonces no pudo prever era que, de pronto, Nadia comenzara a moverse ante él como ida. La Perfecta había entrecerrado sus deslumbrantes ojos azules y ahora, con el cabello suelto, trazaba figuras en el aire al son de una música que solo ella escuchaba. Una especie de trance profundo la empujó a moverse como un cisne entre los muebles y enseres del despacho. Por un momento el general temió que su acompañante hubiera enloquecido. Sin embargo, sus movimientos no eran los de una demente; tenían el inconfundible sello de lo armónico.

«¿Qué es esto? —se preguntó—. ¿Una danza amorosa?».

Napoleón Bonaparte ignoraba que Nadia había dejado de ser dueña de sí misma. Le había bastado escuchar la orden de su guerrero («¡Iniciadme!») para ser poseída por una energía exótica, felina, que liberó de golpe toda la sensualidad que su hermoso cuerpo encerraba.

«Soy hija de Isis. Hablo su lenguaje. Lo bailo».

Ese mensaje la martilleó recordándole cuánto había aprendido de su abuelo Gabriel y de los Ben Rashid. De algún modo misterioso, todo su saber parecía estar confluyendo en ese preciso instante.

Ahora era una fuerza sobrenatural la que la empujaba. La guiaba. La hacía volar ante el rostro atónito del señor de Egipto.

—¿Os encontráis bien?

Frente a ella estaba un hombre que nunca había contemplado a una diosa. Napoleón Bonaparte estaba tan asombrado que no se atrevió a moverse. La recorrió con la mirada, fascinado e intimidado a la vez. Enseguida se dio cuenta de que era el único asistente a un espectáculo que quizá no volviera a ofrecérsele jamás. Ninguna de las mujeres que había conocido se le había mostrado así. Quizá por eso comprendió enseguida que los movimientos de Nadia no buscaban solo excitarlo. Tenía la impresión de que estaban desvelándole algo atávico, casi sagrado, que lo sobrecogió. Impactado, cuando vio que se acercaba a él no movió ni un músculo. Ya no era la niña hermosa que le había traído un mensaje; ahora estaba frente a una dama segura de sí misma, poderosa y profunda. Bonaparte notó cómo su cuerpo volvía a tensarse mientras ella lo tomaba de una mano y lo arrastraba hacia el lecho. Aquella mujer era un sueño: los senos pequeños y duros que habían quedado al descubierto coronaban un torso delicado que desembocaba en un vientre de estatua griega que iba liberándose del lino. Sus hombros suaves, su pelo liso y sus piernas infinitas lo enloquecieron.

¿De dónde había salido aquella criatura?

¿Cómo es que nadie le había hablado antes de ella?

—¿Sabíais, señor, que el deseo es la más poderosa y antigua de las energías? —le susurró mientras abría su camisa y comenzaba a acariciarlo—. Funciona como un imán. Si sus polos están a la distancia adecuada, la fuerza que generan es inmensa. Puede mover el universo. Pero si por accidente se tocan, toda esa tensión desaparece. Se funden. Mueren...

Bonaparte seguía sin saber qué decir. No entendía qué estaba sucediendo.

Cuando Nadia terminó de desabotonarle la prenda supo que ya no habría vuelta atrás. Su sensación era abrumadora. Cerró los ojos notando cómo su cabeza se llenaba de ideas escandalosas, consciente de que una energía femenina y primordial había tomado el control de sus actos. Ahora era Isis.

—Aún no me habéis dicho dónde están los sabios azules... —gimió Bonaparte, impresionado al sentir sus primeras caricias.

La Perfecta estaba atónita consigo misma. Era la primera vez que tenía a un hombre medio desnudo a su lado y pese a que debería estar paralizada por el miedo, se sentía inmune al peligro.

—No, mi señor. No os lo he dicho —respondió, acortando aún más las distancias con él.

—Ni tampoco qué sabéis de ellos... —balbució.

—Tampoco.

—Ni me habéis explicado por qué os preocupáis tanto por mi seguridad —añadió este con los ojos muy abiertos.

Nadia volvió a negar con la cabeza enredando sus dedos en los largos y oscuros cabellos de Bonaparte.

—En la antigüedad, cuando los dioses nos gobernaban, las reinas verdaderas solo se unían con ellos. Escogían bien con quién yacer —susurró sin ser del todo dueña de aquellas palabras.

—Me halagáis. Debéis de creer que soy un dios...

Una intensa impresión comenzó a tomar forma en la parte inferior de su cuerpo. Bonaparte se estremeció, deshaciéndose de sus botas y calzas con lentitud.

—Quizá hoy lleguéis a serlo —suspiró, invitando a su guerrero a que se tumbara bocabajo en la cama—. Quizá, incluso, descubráis que provenís de los hijos de aquellos dioses y merezcáis el don que tantas veces nos prometieron: la inmortalidad.

—No sé de qué me habláis.

Las manos de Nadia habían descendido hasta sus sienes y comenzado a masajearlas con suavidad.

—Os hablo, señor, de que el deseo está en el umbral de la muerte y de la inmortalidad. Me han enviado para ayudaros a cruzarlo.

—¿Es esta vuestra iniciación? —suspiró.

—¿Os place? —sonrió ella.

Pero Bonaparte ya no escuchaba. La boca de la Perfecta había comenzado a besar su nuca, sus hombros, su espalda, liberando una oleada de placer que casi le hace perder el sentido. Durante unos momentos creyó oírla cantar; la sintió ligera como el viento, volando sobre él, desprendiéndose de su vestido, sobrecogiéndose cuando su melena acarició sinuosa el dorso de su cuerpo bronceado.

—Está bien... Iniciadme en vuestros secretos y yo lo haré en los míos —dijo entonces, girándose y atrayéndola con meditado apremio hacia él.

—No tan deprisa, señor. Mi iniciación conlleva una ceremonia... —Un suspiro interrumpió la frase de Nadia.

—Esta me gusta —asintió.

—... Y una enseñanza.

—Me estáis enseñando mucho... —convino, acariciando su abdomen y rozando con contenido descaro el centro de su feminidad.

Ella lo detuvo poniéndole su índice en la boca.

—Sssh.

—Dejadme tocaros... —protestó.

Nadia seguía sorprendida ante su propia determinación. Jamás se había sentido tan mujer, tan segura de que estaba encarnando la energía de las antiguas diosas. Sabía qué debía hacer y cuándo. Por eso, etérea, gravitó justo por encima de la virilidad de su amante dejándole sentir por primera vez el calor que brotaba de su interior. En ese momento la Perfecta se sintió especial. Húmeda. Anhelante. Pero lo que quiera que fuese que la dominaba la obligó a someter su instinto.

—Escuchad antes lo que he de deciros —prosiguió sin llegar a tocar el cuerpo de Bonaparte—. Hubo un tiempo en el que la diosa Isis se unió al dios Osiris para gobernar Egipto juntos. Él murió asesinado, pero Isis lo devolvió a la vida con la magia que ahora os estoy mostrando. ¿La sentís? Fue el amor lo que lo salvó.

Bonaparte escuchó aquellas palabras como si fueran un eco lejano y familiar. Había oído aquello en otro lugar, pero su atención estaba demasiado turbada por la palpitante belleza de aquel cuerpo como para recordarlo.

—¿El amor le dio la vida? —la pregunta salió débil de la garganta del guerrero.

—Su amado solo vivió hasta alcanzar el placer supremo... Dicen, mi señor, que después nació a una nueva existencia en el mundo de los dioses. El deseo le hizo inmortal.

—*La petite morte*—bisbiseó, con los ojos entrecerrados de placer—. En vuestros labios la palabra *amor* parece una dulce amenaza.

—No, no lo es —reaccionó.

Bonaparte volvió a intentar conquistar el prometedor territorio de placeres que aquella muchacha le ofrecía. Quería desoír su relato, acallar su razón y perderse entre las caderas firmes y acogedoras que rozaban su vientre, pero a la vez tenía la poderosa intuición de que esa diosa aún iba a resistírsele un poco más.

—¿Por qué me contáis todo esto? —dijo forzando unas cuerdas vocales que no deseaban hablar.

—Es un aviso para los que, como vos, desean seguir el sendero del dios.

—¿Un aviso?

—Sí. Egipto os dará lo que le habéis pedido, pero antes deberéis pasar por la misma prueba de Osiris...

—Contáis bien los mitos, mademoiselle —sonrió—, pero de Egipto solo os quiero a vos.

Nadia sintió cómo, de repente, toda la corpulencia del guerrero se volcaba sobre ella. Sintió que, juntos, sus cuerpos eran capaces de entenderse. Por instinto irguió sus caderas pero cuando Bonaparte creyó llegado el tiempo de fundirlos, Nadia —o la energía que la poseía— le hizo saber que todavía no era el momento.

—Aún no he terminado... —le susurró al oído con voz sinuosa.

—¡Dios! ¿Todavía queréis decirme algo más?

—Vais a cumplir treinta años... Es la edad del Sed. ¿Sabéis qué es?

Bonaparte se quedó mirándola sin saber muy bien qué decir.

—Los sabios azules me lo explicaron —admitió de mala gana—. Es un antiguo ritual al que los faraones se sometían cada tres décadas.

—Que son, justo, las que vos cumpliréis dentro de tres días.

—Cierto. Pero no quiero hablar más de eso —protestó—. No ahora.

—¡Debéis escucharme, señor! —se tensó.

Él la desoyó. Se deslizó bajo su cuerpo hasta notar su parte más tierna y vibrante. La Perfecta deseaba profundizar en aquella sensación. Que no solo sus senos rozaran el pecho de Napoleón y sus vientres se unieran. Sin embargo, antes de permitirle tomar posesión de su inocencia, ella debía concluir su sagrada tarea. Por eso estaba allí.

—¡No lo entendéis! —gimió—. Hay un Sed esperando por vos. Esta noche...

—Esta noche debo ir a Giza... —la acalló.

—¡Lo sé! ¡Por eso debo contaros esto!

Bonaparte intuyó que había llegado su momento. Empezó a besar el cuello de Nadia por debajo del nacimiento de su melena. El placer que sentía empezaba a ser demasiado profundo y perturbaba la cristalina claridad con que estaba dirigiéndose a su guerrero. Su conexión con la fuerza de la diosa amenazaba con desvanecerse.

—Nadie ha sabido nunca qué ocurre durante esos ritos, señor —soltó atropellada—. En la antigüedad lo único que el pueblo veía era al faraón adentrarse por los corredores de su pirámide y salir de ella rejuvenecido. Y ese milagro... —la Perfecta tragó saliva, tratando de no perder el hilo de sus palabras— tiene mucho que ver con la energía sexual.

—Humm... Eso es perfecto —ronroneó él. Con los ojos entornados había vuelto a acariciar los excitados senos de la muchacha.

—Seguís sin entenderlo —lo contuvo—. ¡Me enviaron aquí para despertar esa energía en vos! ¡La necesitaréis para vuestra ceremonia!

—Y la habéis despertado. ¡Ahora dejadme complaceros!

—¡No! ¡Es solo un minuto, por favor! —Su resistencia excitó aún más a Bonaparte—. ¿No lo entendéis? Esta noche os llevarán a un rito en la pirámide para entregaros la vida eterna, y para recibirla ¡deberéis morir primero! ¡Debéis saberlo!

—Y qué importa eso ahora...

—Los antiguos egipcios creían que quien muere vive para siempre. Y, al contrario: quien se aferra a la vida muere eternamente. Eso os salvará.

—¿No habéis dicho vos antes que amar es morir? —gruñó, buscando cómo terminar con aquello.

—Lo es.

—Pues entonces —sonrió— dejad que muramos juntos...

Nadia ya no pudo resistirse más. Comprendiendo que el mensaje de la diosa había llegado ya a su destinatario, abrió su cuerpo al guerrero de sus visiones. Nunca había estado más segura de querer traspasar ese umbral. Esa velada le sería mostrado al fin el misterio que comparten un hombre y una mujer. Era —así lo entendió— el pago que Maat le daba por haber cumplido con su misión. Dulcemente, con la mirada del hombre que acababa de liberar de las garras del mal clavada en ella, Nadia sintió cómo su cuerpo se entregaba al más profundo abrazo que hubiera podido imaginar. No hubo dolor. Solo fuego. Nadia se sintió invadida, inundada por una tensión intensa y estremecedora. En ese instante ambos confirmaron que sus pieles se conocían, que de algún modo aquella no era la primera vez que se tocaban. Que sus corazones ya se habían desbocado juntos más veces. Quizá en la noche de los tiempos, cuando sus espíritus llevaban otros nombres y habitaban otras naciones. Bonaparte tuvo la sensación de que, en medio de aquella frenética danza, su amante susurraba palabras de poder. Arcanas. Ignoraba que ella se las había escuchado antes al sabio que la había convertido en diosa y que eran la garantía ancestral del equilibrio del universo.

¡Providencia!

¡Destino!

¡Fuerza Mayor!

¡Karma!

¡Plan Supremo!

¡Designio!

¡Futuro!

Fue un momento eterno y extraño.

Justo después, el trance de la bella Nadia se rompió. Ya era tarde para retenerlo. Su cuerpo se aferraba ahora desesperado al de aquel nuevo Osiris, liberando una energía visceral y salvaje que no había experimentado jamás. Una fuerza que, durante aquellos minutos de arrobamiento, los hizo sentirse muy lejos de la muerte. Inmortales.

E incapaces de controlarse, al fin se dejaron arrastrar por un ardor que los llevó a desfallecer a la vez.

«Desfallecer», se repitió ella sin saber de dónde procedía aquella idea.

«Fallecer», pensó él sin atreverse a decir nada.

45

Cuartel de Azbakiya, El Cairo.
Primera hora de la mañana, 12 de agosto de 1799

Al verlo llegar tan azorado, ninguno de los soldados de guardia lo detuvo. Elías Buqtur subió de tres en tres los escalones que lo separaban de las estancias de Bonaparte, y ante la puerta misma de su dormitorio intercambió algunas impresiones con el capitán de servicio.

—El general ha pasado mala noche —dijo este nada más verlo.

—¿Mala noche?

El gesto de sincera preocupación del intérprete gustó al dragón.

—Sí, señor Buqtur. Tuvo pesadillas. Algo debió de sentarle mal porque ha estado levantándose toda la madrugada y sufriendo mareos constantes. Al menos ahora ya no tiene fiebre.

El copto interrogó al capitán con gesto preocupado:

—¿Hay alguien con él, atendiéndolo?

—Estuvo casi toda la noche con una mujer, señor. Ella se encargó de todo. El general nos ordenó que la obedeciéramos. Pidió paños húmedos y agua caliente, y lo cuidó hasta hace una hora más o menos, que lo dejó durmiendo y se marchó con un familiar.

—¿Una mujer?

—Y muy hermosa, por cierto —sonrió el capitán con cierta picardía.

—¿Sabéis cómo se llamaba?

—Por supuesto, señor —dijo consultando un registro de visitas—. Aquí está. Nadia ben Rashid.

Fue como si Buqtur hubiera recibido una coz en el estómago. Sus peores temores acababan de confirmarse. La peor enemiga de lo que él representaba había pasado la noche con Napoleón Bonaparte, a solas, teniéndolo en sus brazos durante más tiempo del que quería imaginar. Los controles de la logia con la que se había aliado en secreto, el Taller, habían fallado. Omar Zalim había incumplido su única misión. Y todo, a escasas horas del triunfo.

Elías intentó disimular el efecto de aquella revelación y preguntó al capitán de guardia si sería procedente despertar al general. Había un asunto de la máxima importancia que debía despachar con él.

—Pasad si queréis. No creo que duerma —dijo.

Bonaparte, en efecto, estaba incorporado en su cama. Llevaba una toalla anudada alrededor de la cabeza y sus ojos reflejaban un agotamiento extremo.

—¡Buqtur! —exclamó nada más verlo cruzar la puerta—. Creí que te había dado el día libre.

—Eso fue ayer, señor.

—¿Ayer? ¿Tanto tiempo he pasado en la cama?

—Y muy bien acompañado, según tengo entendido —apostilló cínico su intérprete.

—No lo recuerdo bien, Elías. He pasado una noche de perros. Como si algo dentro de mí luchara por dejar mi cuerpo... Mi cabeza ha estado dando vueltas y vueltas. Creía que me iba a morir. Por suerte, una mujer me ayudó.

—Eso me han dicho. —Se mordió el labio—. ¿Qué sabéis de ella, general?

—Prácticamente nada.

—Corréis riesgos innecesarios. ¿Os dais cuenta?

—No me amonestes. Ahora no.

—Claro, señor —aceptó.

—Esa mujer se presentó ante mí diciendo que conocía a los sabios azules, así que decidí interrogarla. Poco más.

—Pues qué coincidencia, señor —dijo sibilino—. Precisamente de ellos quería hablaros.

—Ah, ¿sí?

Bonaparte se despabiló como pudo, abandonando su lecho en dirección a una bañera que ya humeaba.

—Esta tarde deberíamos emprender camino hacia Giza —lo persiguió Buqtur—. Es la fecha que los sabios azules fijaron en Nazaret para entregaros su secreto. Lo recordáis, ¿verdad?

—Lo tengo más que presente, Elías —gruñó.

—Si no tenéis inconveniente, señor, yo mismo podría ir preparando una pequeña expedición para llegar a las pirámides antes del ocaso.

—Pareces impaciente...

—Solo soy puntual, señor. Faltan *exactamente* tres días para vuestro trigésimo cumpleaños. En Nazaret los sabios azules os citaron hoy en la Gran Pirámide para haceros entrega de la fórmula de la vida. Es el día de la revelación, señor.

—El Sed..., sí —murmuró.

Buqtur se acarició la perilla al escucharlo. Le sorprendió que aún tuviera ese término en la cabeza.

—Celebro que lo recordéis.

«¿Y cómo no hacerlo?».

Bonaparte había estado en aquella reunión con el sabio Balasán y su ayudante, y había escuchado tan perfectamente como él su inaplazable convocatoria. Pero es que una bella egipcia se había colado en su dormitorio la noche anterior solo para recordárselo. «¿Casualidad?». Es cierto que tal vez la fecha podría haberle sorprendido en el Delta, o combatiendo a los últimos mamelucos en mitad del desierto, pero no. Se encontraba en El Cairo, a pocas horas de las pirámides, algo maltrecho tal vez, pero con tiempo suficiente para acercarse a ellas.

—Está bien —dijo—. Ordenaré a Kléber que prepare la escolta. Saldremos a mediodía.

—Una idea excelente, señor. El general Kléber es una magnífica elección.

—Pues sea.

Y diciendo aquello, se quitó su bata de seda y, desnudo, se sumergió en su baño aromático.

Meseta de Giza.
Tarde del 12 de agosto de 1799

El viaje hasta Giza se hizo en una enorme barcaza con la bandera tricolor de la República ondeando en el palo mayor. Al subir a bordo, el general Napoleón Bonaparte ahogó un quejido. Llevaba ya un año en Egipto y no podía por menos que lamentar lo vanos que habían sido sus esfuerzos por implantar aquella enseña entre los egipcios. Estos habían decidido repudiar todo lo que viniera de Europa, incluyendo las festividades paganas ideadas en París, sus símbolos o sus pomposos desfiles civiles.

Sobre la cubierta de su transporte le aguardaban el general Kléber, una escolta de veinticinco hombres con sus mosquetes cargados, su intérprete Elías Buqtur, el capitán de la embarcación y cuatro asnos con sus alforjas bien provistas de agua y víveres.

Nada más levar anclas, el capitán les informó de que atravesarían El Cairo navegando por los antiguos canales de regadío del Nilo hasta alcanzar Giza. El desbordamiento anual de sus aguas permitía en esas fechas una experiencia única: parte de la ciudad se convertía en una especie de Venecia, inundando casas, mezquitas, calles y almacenes. Y nadie parecía enojarse por ello. Para los egipcios el desbordamiento llevaba siglos siendo señal de bendición y de fertilidad. El país se garantizaba así otro año de cosechas y riqueza.

—Si me lo permitís, señor, debo haceros una pregunta —interrumpió Jean-Baptiste Kléber, que había esperado a que el responsable del barco terminara con sus ceremoniosas explicaciones. Ambos hombres caminaron hacia popa, alejándose del grupo en busca de un lugar discreto en el que conversar.

—Os escucho, general.

Kléber, entonces, estalló:

—¿Estáis seguro de lo que vais a hacer?

—¿A qué os referís?

—Señor, habéis aceptado someteros a un ritual mágico cuyo alcance desconocemos. Vamos a cruzar una zona poco vigilada, y no quisiera que nos viéramos envueltos en una emboscada. Por otra parte... —el gigante alsaciano titubeó— sabéis tan bien como yo que la hechicería de este pueblo es muy poderosa.

—No debéis preocuparos por eso —lo tranquilizó Bonaparte—. Voy protegido.

—¿Protegido? ¿Os referís a protegido mágicamente?

Él asintió rememorando la cálida «ceremonia» de Nadia.

—¿Acaso os extraña? —dijo—. ¿Precisamente a vos, general?

Kléber calló.

—¿No formáis parte, general, de la misma logia masónica en la que mi padre y mi hermano mayor, José, fueron iniciados? ¿No os contáis entre los que creen en el poder de la magia y confiáis en ellos incluso vuestra seguridad personal? No creáis que he olvidado vuestra pasión por los símbolos mágicos o por el tarot... Vamos —masculló Bonaparte—, no podéis asustaros por una prueba de valor dentro de un viejo monumento.

El general sintió que sus mejillas se acaloraban.

—Sí. Tenéis razón.

—Lo que me espera en la pirámide debe de ser una

suerte de iniciación, muy parecida a las de vuestra logia. Ya sabéis, un rito en el que morir para resucitar después.

Kléber simuló sorpresa.

—¿Qué queréis decir con eso?

—Hablo en símbolos, general. Quien muere, Jean-Baptiste, vive para siempre —susurró en confidencia—. Quien se aferra a esta vida muere eternamente.

—No... No os comprendo, señor. Estáis muy metafísico esta tarde.

—Fue lo que anoche vino a decirme un ángel a mi dormitorio, querido amigo —sonrió—. Tampoco es que yo alcance a comprenderlo del todo. Pero quizá hoy...

—Permitidme que desconfíe de ángeles como ese, señor —lo atajó Kléber, seco, mientras perdía su mirada en la espuma que formaba la quilla de la barcaza en su avance—. Conozco los rituales europeos de iniciación, pero no los egipcios. En Francia, señor, son célebres las historias de personajes que alcanzaron la inmortalidad, como Nicolás Flamel o el conde de Saint-Germain...

—Todos y cada uno de esos relatos me son familiares, Kléber.

—... Pues de ellos nunca se dijo que hubieran tenido que morir para vivir.

Bonaparte escrutó severo a su hombre antes de corregirlo.

—No debe de haber tanta diferencia entre sus ritos y los nuestros. En París, querido amigo, se rumoreó que Saint-Germain acudía a una pirámide de la Costa Azul para regenerarse. Tal vez moría y renacía allí. En una pirámide. ¿Sabéis? Tengo la impresión de que hoy me será mostrado algo parecido. Quizá acceda a la antigua ciencia de la vida y pueda enseñárosla...

La mirada del joven Bonaparte relampagueó al decir aquello.

—¿Y si descubrir esa ciencia implicara que tuvierais que quedaros en Egipto?

Bonaparte dio un respingo. Hubo algo en el tono de aquella pregunta que no le gustó:

—¿Qué insinuáis, Kléber? Estoy en Egipto por mi voluntad. Si debo permanecer aquí, lo haré. Si tuviera que abandonar esta tierra, también lo haría.

El gigante no preguntó más. Los dos permanecieron en silencio durante un buen rato, sin que tampoco Elías o ninguno de los miembros de la tripulación se atrevieran a molestarlos.

El joven Bonaparte volvió a hundir sus pensamientos en la extraña noche que había pasado con Nadia. Casi todos sus recuerdos se reducían a colores, olores y un sabor dulzón y espeso que aún tenía en la boca. Y, si acaso, a la extraña sensación de haber «muerto» a su lado. Jamás le había ocurrido una cosa así. Nunca había estado en la cama con una mujer sin haber despertado con sensación de triunfo. Y, pese a la íntima angustia que ahora lo invadía, otro anhelo lo corroía: ¿tendría ocasión de verla otra vez?

El resto de la navegación fue plácida y se desarrolló sin contratiempos. Llegaron a Giza sobre las siete y media de la tarde, justo a tiempo de ver cómo el disco solar caía por detrás de la pirámide más pequeña del lugar.

—¡Bienvenidos a Rostau! —exclamó Elías nada más poner pie en arena, a apenas ochocientos metros de la meseta sobre la que se alzaban las pirámides.

—¿Bienvenidos a... qué?

—A Rostau, mi señor —respondió ufano a Bonaparte—. Así llamaban los antiguos egipcios a este lugar. Significa 'el reino de Osiris' o 'lugar de la eternidad'. ¿Sabía que creían que esto era una especie de copia terrestre a escala del Más Allá a donde van las almas de los muertos?

—¿Copia terrestre?

—Los egipcios, señor, pensaban que su tierra nació como un reflejo del paraíso. Cada edificio, cada ciudad o pueblo que ellos levantaron junto al Nilo fue para imitar algo que ya existía en ese reino del más allá. El río, por ejemplo, era un eco de la Vía Láctea. Y estas pirámides el reflejo de ciertas estrellas del firmamento nocturno.

Bonaparte echó un vistazo a la meseta y le extrañó no ver a nadie en toda aquella inmensa extensión de arena dorada. Por un instante le vinieron a la memoria las imágenes de la Nazaret vacía en la que aparecieron como por ensalmo, sin cabalgaduras ni equipaje, los sabios azules. Pero allí no estaban ellos ni tenían tampoco dónde esconderse de su mirada.

«Prometieron que vendrían», pensó.

Al llegar al lugar de desembarco, sus hombres colocaron un raquítico puente de tablas cerca de la proa de la barcaza. Media hora más tarde el grupo y las monturas habían alcanzado la base de la Gran Pirámide y seguían sin ver a nadie en los alrededores. La colosal Esfinge, enterrada hasta el pecho, había quedado atrás con su sempiterna mirada clavada en el este. Tampoco allí habían visto un alma.

Tras rodear la mayor y más perfecta de aquellas montañas artificiales y alcanzar su cara norte, Elías Buqtur ordenó que el convoy se detuviera.

—En verdad es una obra de titanes —resopló mirando a Bonaparte.

—Se entra por este lado, ¿no?

Buqtur sonrió. Su señor tenía buena memoria. Había visitado por primera y única vez aquel lugar hacía ya casi un año, justo tras derrotar a los mamelucos en la que él mismo bautizaría como Batalla de las Pirámides. Entonces no entró en ella. No lo consideró necesario. Ahora, en cambio, parecía tener prisa por hacerlo.

—Los únicos accesos están en esta cara del monumento, en efecto: uno, el original, se encuentra a la altura de la decimoquinta hilera de bloques. Allí —dijo Buqtur señalando una especie de dintel a dos aguas, anómalo entre tanta hilera horizontal de piedras—. El otro fue abierto por el califa Al Mamún para saquear sus tesoros. Lo veréis un poco más abajo, en la quinta hilera.

—Parece una grieta.

—Y lo es, señor.

Kléber localizó también aquellos dos huecos en la colosal pared caliza del monumento y envió una avanzadilla para que los exploraran y se aseguraran de que no había nadie oculto en su interior.

Hacia las ocho de la tarde, con el sol muy bajo y la meseta teñida de tonos naranjas, Bonaparte, Kléber y Buqtur tomaron la decisión de entrar. Habían esperado un tiempo prudencial por si se aproximaba algún comité de sabios azules como en Nazaret, pero al parecer a nadie salvo a ellos parecía interesarle pisar Giza en aquella jornada de agosto. Bonaparte y su fiel intérprete no se dieron por vencidos y forzando su entusiasmo animaron al gigante alsaciano a que tomara algunas antorchas y los acompañara con tres de sus hombres hasta el vientre del monumento.

Jean-Baptiste Kléber aceptó encantado.

El grupo se aproximó a la brecha abierta por Al Mamún con cierta precaución. Tenía la altura aproximada de un hombre y la anchura justa para que entraran de uno en uno. A la luz del ocaso, sus bordes irregulares parecían dientes de una boca deformada, dispuestos a devorarlos.

—Esta entrada es muy diferente a la original —les explicó Buqtur al encender las antorchas, ya dentro del monumento—. La otra da a un corredor descendente de ciento ochenta metros de largo y apenas metro y medio de alto que lleva a una sala subterránea sin interés. Esta, la abertura de Al Mamún, nos llevará en cambio a las cámaras importantes. Estuvieron ocultas hasta que ese árabe las descubrió hace setecientos años.

Una estampida de murciélagos detuvo su explicación. Aquel lugar olía a ácido. Y a cerrado. ¿Cuánto hacía que nadie transitaba por allí? Uno de los dragones de Kléber se persignó temeroso.

—¿Vamos? —preguntó Buqtur, comprobando que los militares seguían tras él. Pese a su mayor corpulencia, el intérprete hacía gala de una agilidad envidiable.

—¡Claro! —asintió Bonaparte.

—El corredor que vamos a ascender tiene un ángulo de veintiséis grados de inclinación —comentó entonces al alcanzar el final del pasillo de Al Mamún. El eco de sus palabras se perdía estructura adentro, en la tiniebla más absoluta—. Como pueden ver, están hechos de roca pulida. Deben cuidar de no resbalarse.

Bonaparte adelantó su antorcha por el hueco que se abría ante ellos. Un camino oscuro como la boca del lobo, cuadrado y estrecho como una chimenea, ascendía hacia el infinito, perdiéndose pirámide adentro. Sintió un estremecimiento extraño, mitad temor mitad excitación, que lo empujó a ponerse en cuclillas y adaptarse a las escuetas dimensiones del canal.

—¿Cuántas veces has estado aquí ya, Elías? —le preguntó.

—Muchas, señor. Mi familia se ha encargado desde hace generaciones de recorrer estas salas. La primera vez que vine con mi padre tenía solo diez años.

—Y pasaste miedo, supongo.

—Miedo, no. Terror.

Bonaparte y los dragones sonrieron.

Los seis hombres comenzaron el lento ascenso por esa

especie de alcantarilla practicada en la pirámide, aferrándose a las paredes para no deslizarse hacia abajo.

—¿Y tienes idea de por qué han fallado a su cita los sabios azules? —preguntó a quemarropa a Elías, nada más comenzar a subir.

—Tal vez nos esperen arriba, señor. ¡Ánimo!

El eco de Buqtur trepó a toda velocidad por aquel infecto pasadizo inclinado, indicando que aún les quedaba un buen tramo por vencer. La sensación de claustrofobia se iba cerniendo sobre ellos a cada paso. Kléber, que cerraba la marcha, maldecía en voz baja a los antiguos arquitectos de aquella especie de ratonera. Allí sus casi dos metros de altura eran una pesadilla. Elías, mientras tanto, continuaba parloteando sin cesar, tal vez intentando mitigar la opresiva sensación de saberse sepultado bajo tres millones de piedras:

—¿Sabéis, señor? Algunos creen que la pirámide imitaba el recorrido que las almas deben hacer en su camino hacia el más allá. Dicen que dejaban al faraón solo aquí dentro para que recorriera a oscuras estos pasajes y fuera acostumbrándose a lo que le esperaría al morir...

—¿Solo?

—Sí, mi señor.

El sobrecogido Bonaparte apretó el ritmo de ascensión como queriendo desoír aquel último comentario. Realmente parecía que se los hubiera tragado la muerte.

Cuando menos se lo esperaban, el corredor desembocó en un suelo horizontal, liso, hecho de losas enormes, donde pudieron al fin ponerse de pie. Fue la llama de las teas la que les indicó que el techo había desaparecido y que, al fin, podían erguirse.

—¿Dónde estamos? —preguntó Bonaparte.

—¡En el corazón de la pirámide, señor!

Buqtur se sacudió el polvo de su camisola negra y animó a la comitiva a juntar sus antorchas. Cuando la luz aumentó de intensidad todos levantaron la mirada.

—¡Diablos del infierno...! —exclamó Kléber—. ¡Esto es inmenso!

En efecto. Frente a ellos, como por arte de magia, se alzaba una bóveda de casi nueve metros de altura, a dos aguas. Una segunda rampa ascendía bajo ese cielo hacia alguna estancia superior, mientras que, justo a sus pies, se abría un nuevo pasillo —esta vez horizontal— que se perdía en la negrura. Kléber dejó a un dragón apostado en aquel cruce de pasillos y esperó las nuevas indicaciones de su guía.

—El lugar más sagrado está allá arriba —Elías lo sacó de dudas—. ¿Subimos?

—¿Aún más?

—Vamos, señores —sonrió—. El gordo soy yo. No dejen que la pirámide los venza, por favor.

A ambos generales la galería se les antojó el núcleo de un enorme mecanismo de relojería. No contenía ni un adorno, ni un jeroglífico sobre sus paredes; nada. Por un momento se sintieron como insectos dentro de la torre de un reloj, incapaces de comprender lo que estaban viendo. Cada poco surgía un pequeño nicho de uso inextricable o una grieta que prometía sorpresas. Y gravitando sobre ellos, como los voladizos de un tejado, siete cornisas de gran longitud atravesaban de parte a parte el lugar esperando el encaje con alguna rueda dentada invisible.

—¡Subamos, pues!

Bonaparte parecía extasiado. Las tripas de la pirámide lo habían hechizado.

—¿Qué hay allá arriba, Elías? —preguntó ya a media rampa, custodiado por sus dragones.

—La cámara real, mi señor.

—¿La cámara real?

—Sí. La que alberga el sarcófago del faraón.

—¿Estuvo enterrado alguien aquí dentro?

—En realidad nadie lo sabe, señor. —Jadeó, tratando de alcanzarlo—. Nunca se encontró momia alguna ahí dentro. Ni siquiera cuando Al Mamún profanó la pirámide y entró en ella por primera vez.

—¡Suban todos! ¡Tienen que ver esto!

El gigante Kléber había resbalado un par de veces antes de descubrir cómo debía colocar sus botas sobre aquella superficie para no caerse. Pero, una vez entrenado, había trepado como un gato hasta la cumbre y los conminaba a seguirlo.

—¡Es una cámara magnífica! ¡Venid, general!

En verdad, aquel lugar era mucho más impresionante que todo lo que habían dejado atrás. Bonaparte resopló al verlo bajo la luz de su antorcha. Aunque tenía las paredes oscuras, los gránulos de mica y feldespato de las paredes relumbraban allí como diamantes. El recinto tendría unos diez metros de largo por cinco de ancho y se había construido con grandes losas alineadas meticulosamente sobre suelo, paredes y techo. Al fondo de la estancia, un sarcófago del mismo material, roto por una de sus esquinas y sin tapa, aguardaba en silencio, desocupado.

—Este es lugar de iniciación —murmuró Elías—. La logia de celebración del rito Sed.

—... Y vacío —añadió Bonaparte decepcionado.

—Sí. Vacío, mi señor.

—¿Por qué nadie nos espera, Elías? ¿Hemos llegado tarde?

El copto, todavía sofocado por el esfuerzo de la ascensión, respondió en cuanto recuperó el fuelle:

—No lo creo, mi señor —dijo.

—¿Y entonces? ¿Dónde están los sabios azules? ¿No

iban a entregarnos aquí el secreto que nos prometieron en Nazaret?

Buqtur resopló un par de veces más antes de recuperarse. Al contrario que los extranjeros, a su rostro no asomaba ni rastro de inquietud.

—En realidad, señor, eso es porque el único convocado sois vos —dijo mirando a los hombres armados que los acompañaban.

—¿Qué quieres decir?

—Que quizá no ocurra nada si no os dejamos aquí solo, señor.

—¿Solo?

—Los sabios azules dejaron claro que os esperaban a vos. Tal vez mientras sigamos estando todos aquí no aparezcan. Tal vez... —dudó— no sean ellos sino la propia pirámide la que os hable.

—No me gustan tus conjeturas, Elías.

Buqtur frunció el ceño:

—Ignoradlas, entonces. Pero nosotros —añadió mirando a Kléber— sobramos en la ceremonia que ha de venir.

—¿Ceremonia? —se alteró Bonaparte—. Y si no son los sabios azules, ¿quién la oficiará? ¿Y dónde?

—No debéis preocuparos tanto, señor. Para que eso suceda primero deben pasar otras cosas.

—Ah, ¿sí?

—Señor —le anunció Buqtur en un francés exquisito—: antes de que la pirámide os revele su lección, deberéis vaciar aquí vuestra alma.

—¿Y eso qué significa?

—Enseguida lo sabréis —sonrió—. Es un proceso que se logra con dolor. ¿Resistiréis?

—Lo haré —asintió Bonaparte.

—¿En soledad?

—No tengo miedo.

Elías lo abrazó.

—Esta prueba siempre ha transcurrido así, señor. Es la ley. Así la vencieron César o Alejandro el macedonio. Y ambos, como bien sabéis, llegaron a convertirse en señores de Egipto. Y así, hoy, lo haréis también vos si todavía anheláis alcanzar ese honor y gobernar nuestra tierra.

Bonaparte abrió sus ojos marrones con expresión de anhelo:

—Entonces, ¿dónde me esperarás, Elías?

—Afuera, mi señor.

—¿Y vos también, Jean-Baptiste? —dijo mirando al gigante, que no perdía de vista al intérprete.

—También, mi general.

No dijeron más.

Ni una palabra.

Y durante unos instantes, mientras vio cómo se apagaban las antorchas de sus escoltas más allá de los pasadizos que lo habían llevado hasta allí, Napoleón Bonaparte tuvo la certeza de que —de un modo u otro— le había llegado la hora.

47

La roca de Maadi, al sur de las pirámides, impidió a Tagar adivinar qué estaba sucediendo al otro lado de la de Keops. Los franceses —según los cálculos de su maestro— debían haber llegado justo antes del anochecer.

El atento *ángel de la sonrisa* parecía preocupado. Había acompañado a su maestro hasta el momento en el que Nadia ben Rashid había cumplido con su misión, *des-falleciendo* a Bonaparte. Sabía, por tanto, que ahora le tocaba equilibrar aquel acto con el de la muerte y completar así la iniciación del elegido. La balanza de Maat dependía de ello.

Hacia las nueve de la noche el cuerpo estrellado de Nut —la diosa egipcia de la bóveda celeste— cubría ya las pirámides. El Viejo de la Montaña había pasado sus últimas horas salmodiando ante el cadáver de Omar Zalim. Le había explicado que lo que pretendía con aquella ceremonia era retener el ka del Hijo de Set para que pudiera acompañar al suyo a su última misión.

—Pero, maestro, ¿resistiréis ese trance? —le preguntó.

Balasán lo atravesó con aquellos ojos azules que parecían iluminarse en los momentos más importantes. Y sin perder ni un ápice de la serenidad ganada con los rezos le explicó que la ingestión del bebedizo despegaría el ka de su cuerpo y lo dirigiría al encuentro con el extranjero.

—No temas por mí, Tagar —susurró—. Preocúpate

solo de arropar mi cuerpo mientras cumplo con mi misión.

Aquel era, en realidad, un momento hermoso para ambos. Desde hacía diecisiete siglos nadie había recibido aquella instrucción celestial de manos de su estirpe. Ningún humano había merecido el honor de recibir la ayuda de los dioses para alcanzar la vida eterna durante la existencia terrenal. Y esta vez todo se estaba desarrollando en paz.

Tagar, su joven compañero, sin embargo, estaba inquieto. Para que el ceremonial Sed funcionara y los kas de los dos cuerpos inertes que tenía frente a sí hicieran lo que estaba escrito, Napoleón Bonaparte debía estar muerto.

La cuestión era: ¿lo estaría ya?

☥

Nunca antes se había dejado llevar solo por el instinto. Ni siquiera sabía si sería capaz de suspender su juicio y participar en lo que, sin duda, parecía una etapa más en la «prueba de la pirámide» a la que se había dejado llevar. Pero el general ya no tenía nada que perder.

Y decidido, extendió sus manos en busca del tacto liso y gélido del granito.

Tras localizar el perfil del tanque justo donde lo recordaba, se encaramó a uno de sus extremos y se tumbó cuan largo era en su interior. Estaba dispuesto a aguardar a que los acontecimientos se sucedieran sin su intervención y a resolver aquella embarazosa situación por la más pasiva de las vías.

«¿Qué quiso decir Elías con que vaciara aquí mi alma para dejármela pesar?», se preguntó mientras apoyaba su espalda contra el fondo del tanque.

Respiró hondo.

Lo hizo una, dos, tres veces.

Cerró los ojos.

Puso la mente en blanco.

Estiró piernas y brazos hasta lograr acomodarlos y olvidarse de ellos.

Y cerró los ojos.

Fue entonces cuando Napoleón Bonaparte hizo un descubrimiento terrible: aquel ataúd tenía exactamente sus medidas...

48

Gran Pirámide, meseta de Giza.
12 de agosto de 1799

Tuvo que pensárselo dos veces. No era lógico que con apenas metro sesenta de altura llenara un tanque que era cuarenta centímetros mayor que él. La paradoja, de hecho, lo entretuvo durante un buen rato. En posición de firmes intentó estirar su cuerpo todo lo que pudo hasta comprobar que, en efecto, no podía expandirse más. Por alguna razón lo ocupaba por entero. Era, pues, como si todo su ser se hubiera inflado hasta llenar aquella estructura de piedra.

«¿Pero cómo es posible?».

Bonaparte dudó.

A oscuras, incapaz de ver nada, sepultado bajo la impenetrable epidermis pétrea de la pirámide, no conseguía hacerse a la idea de si algo estaba mutando o no en su organismo. Se sentía extrañamente grande y liviano, como si sus extremidades se hubieran redimensionado al tiempo que sus constantes vitales se iban adormeciendo.

Pronto descubrió que la mente era lo único que tenía despierto. Estaba consciente. Razonaba a la perfección. Pero el resto había dejado de funcionarle poco a poco.

No respiraba.

No sentía el tacto del granito.

Su cuerpo desobedecía cualquier otra orden.

Y entonces, sin avisar, llegó algo que echó a perder el escaso autocontrol que le quedaba.

Primero fue un estallido de luz.

Un punto blanco, muy intenso, apareció en mitad de su campo de visión y se precipitó sobre él a gran velocidad, ocupándolo todo en una fracción de segundo. Le causó un terrible dolor. Bonaparte tuvo la sensación de que aquello había surgido de dentro de su propio cuerpo. Sus pupilas se dilataron de golpe, abrasándose bajo aquella fuerza arrolladora, y al instante se le crisparon todos los dedos. «¡Dios!», quiso gritar. Pero no pudo. Su lengua había desaparecido. Sencillamente no estaba donde siempre. Y sus oídos habían dejado de percibir el tenue zumbido del silencio.

Durante un tiempo impreciso aguardó a que el dolor se apagara.

«¿Qué me pasa?».

Y justo cuando creyó que empezaba a recuperarse, una segunda descarga lo fulminó del todo.

Fue una réplica exacta de la anterior. Poderosa y terrible. Abrasadora.

Aquello volvió a explotarle dentro del cráneo dejándolo exhausto y desesperado.

«¿¡Qué me pasa...!?», se angustió.

El horror se había instalado en él.

Y a continuación llegó la nada.

El vacío.

El silencio.

Nunca supo cuánto tardó en restablecerse de aquel nuevo impacto. Pero, como si tratara de justificarlo, Bonaparte se aferró a la idea de que aquello, por fuerza, debía de formar parte de la «prueba de la pirámide».

«Es un proceso que se logra con dolor», recordó que le había advertido Buqtur. Y una idea perturbadora se instaló en su mente:

«¿Y si me estuvieran avisando de algo?».

El general se concentró entonces en la oscuridad que gravitaba sobre él. No sabía si tenía los ojos abiertos o cerrados, pero, aun así, hizo un esfuerzo titánico por romper la tiniebla.

Gracias a ese empeño sucedió algo... revelador.

La oscuridad que hasta ese momento había dominado el recinto empezó a transformarse en una luz verdosa.

Fue como si hubiera estado ciego toda su vida y ahora viera por primera vez. De repente fue capaz de admirar de nuevo las enormes losas que techaban la estancia. Desde el interior de su sarcófago distinguió sus juntas, sus minúsculas grietas y hasta el brillo de sus impurezas con una nitidez que nunca había experimentado antes. Sin embargo, por mucho que se esforzó no acertó a identificar dónde estaba la fuente de aquel fulgor. La luz presentaba la misma intensidad mirara donde mirara, como si fuera la propia piedra la que lo emitiera.

Entonces —contra todos sus temores— logró incorporarse. Su repentina agilidad lo llenó de júbilo. Y echando un vistazo a su alrededor comprobó que toda la sala estaba bañada por la misma luminosidad.

No era una alucinación.

Aquellas dos misteriosas descargas habían obrado un extraño milagro en su maltrecho cuerpo. Podía moverse aunque no sintiera sus extremidades. Podía hablar aunque no encontrara su boca. Incluso veía aunque no supiera tener los ojos abiertos.

«¡Qué extraño...! —barruntó, recordando de repente las desesperadas advertencias de Nadia en su lecho—. ¿Y si estoy muerto?».

—¡Vuestra intuición es acertada, Sultán de Occidente!

El impresionado Bonaparte dio un respingo.

Una voz grave pero amable, de varón de garganta áspera, había hablado a su espalda.

—¡Volveos! —lo instó—. ¡Miradnos!

Cuando se giró hacia el lugar de donde procedía la orden descubrió dos siluetas verdes, muy brillantes, que habían entrado sabe Dios cómo en el interior de la cámara. Su aspecto era extraño, irreal, como si no estuvieran verdaderamente allí, sino que fueran un remoto reflejo, una imagen perdida en la superficie de un estanque.

—¡No os asustéis! —volvió a hablar—. Somos los encargados de guiaros en este nuevo plano de vuestra existencia.

Sin saber qué decir, Bonaparte trató de adivinar dónde había escuchado antes aquel peculiar timbre de voz. Dónde se había sentido envuelto por aquellas palabras firmes y esclarecedoras. En qué lugar se habían dirigido a él por primera vez como Sultán de Occidente. Pero lo que más le llamó la atención fue comprobar que aquel hombre le hablaba sin mover los labios, como si fuera capaz de colocar esas palabras dentro de su cabeza.

La silueta despejó sus dudas al instante:

—Soy el Viejo de la Montaña, querido Bunabart. O aún mejor —precisó—, soy el verdadero Balasán. ¡Su ka! La esencia eterna de aquel que prometió mostraros el don de los dioses.

«¿Pero cómo podéis...?».

—¿... hablar vuestro idioma? ¿Leer vuestra mente? ¿Hablaros sin abrir la boca? —se adelantó a todas sus dudas—. Estáis en el umbral del Amenti, Bunabart. Del más allá de los antiguos. Aquí no sufrimos las limitaciones de nuestros cuerpos. Nuestras mentes no necesitan articular sonidos para comunicarse.

El general contempló con asombro aquellas dos figuras. Al contrario de lo que había estimado al descubrirlas, no eran iguales. La segunda, muda, lo escrutaba con una mirada tensa. Tenebrosa. Como si aguardara el momento propicio para abalanzarse sobre él. De algún modo sintió que también deseaba hablarle. Que pretendía advertirle de algo. Pero Balasán debió de percibir la extraña corriente que se había abierto entre ellos porque enseguida se aprestó a interrumpir su flujo.

—¿Todavía deseáis la inmortalidad, Bunabart? —dijo.

«Sin duda».

—Recordáis que los faraones debían superar ciertas pruebas antes de llegar a ella, ¿verdad?

Bonaparte no respondió.

—Lo hacían nada más morir.

«¿Le estaba hablando de una prueba *post mortem*?», se inquietó.

El brillo del ka de Balasán aumentó, como si hiciera acopio de nuevas fuerzas antes de responder.

—Esta pirámide reproduce a escala los laberintos a los que se enfrenta el alma humana cuando viaja al Más Allá —le dijo—. Como os enseñé en Nazaret, fue el dios Toth quien entregó a los primeros reyes de Egipto los planos de esta prodigiosa «máquina de la inmortalidad». Y lo hizo para que la construyeran en piedra y sirviera a los humanos de lugar de preparación, de iniciación, para el viaje que vos acabáis de emprender.

«¿Viaje? ¿Qué viaje?».

—El viaje hacia la eternidad, naturalmente.

El ka del anciano Balasán percibió el estremecimiento de su interlocutor.

«Entonces, ¿estoy muerto?».

—Lo estáis, Bunabart.

«¿Y vos?».

Sus cejas se arquearon.

—Digamos que los sabios azules sabemos cómo movernos entre los dos mundos —sentenció—. Por eso somos buenos guías de almas.

El silencio que siguió a aquella frase se hizo eterno. Las tres sombras se miraron sin decir nada. Por un momento sus cuerpos irradiaron algo más de aquella luz mortecina mientras se afanaban en encontrar la palabra con la que retomar la conversación. ¿Pero cómo explicarle a un guerrero que había perecido sin desenvainar su espada siquiera? ¿Cómo hacerle entender que su muerte era, en realidad, una bendición?

Entonces Bonaparte estalló:

«¡No necesito un guía, maldita sea! Me prometisteis la inmortalidad, Balasán..., ¡y me habéis matado!».

Su cólera hizo chispear a las dos siluetas.

—Sin pasar por la muerte no se puede encontrar el camino de la vida eterna —le replicó—. Si estuvierais vivo no habría ceremonia Sed. No estaríais aquí.

Y a continuación el mismo ka se aprestó a serenarlo:

—Vamos, tenemos mucho que hacer.

«¿Qué hacen los muertos?» —preguntó amargo.

Pero Balasán ignoró su ironía.

—Veamos qué habéis aprendido de la antigua religión egipcia. ¿Recordáis cómo acabó Set con su hermano Osiris?

Bonaparte, más aterrado que lleno de ira, sacudió la cabeza incapaz de responder.

—Set lo invitó a una fiesta junto a otros setenta y dos huéspedes —explicó tranquilo el ka de Balasán—. El momento más importante de aquella celebración fue cuando les presentó un rico sarcófago que había tallado con sus propias manos. ¿Recordáis? Era una maravilla. Y Set, orgulloso de su obra, apremió a sus invitados a que lo probaran. Que se tumbaran en él y vieran los exquisitos acabados de sus textos e inscripciones. Para animarlos, prometió que aquel cuyo cuerpo coincidiera exactamente con las medidas del cofre recibiría aquel tesoro como regalo.

«Sí... Lo recuerdo. También me lo explicasteis en Nazaret», refunfuñó sin mover tampoco sus labios.

—Entonces recordaréis cómo, uno por uno, aquellos setenta y dos se tendieron en el arcón sin que a ninguno le quedara ajustado. Cuando le llegó el turno a Osiris, todo cambió. Nada más acostarse en su interior descubrió que aquella caja tenía sus medidas.

«Y Set lo aprovechó para sepultarlo en vida y arrojarlo al Nilo —barruntó en tono de reproche—. No hay nada tan terrible como la traición».

—Vos sois hoy un reflejo perfecto de aquel Osiris, Bunabart. Os habéis tumbado en el sarcófago de un viejo dios y habéis comprobado que tenía vuestras medidas. Y lo habéis hecho de la mano de unos traidores...

—¡No son traidores! ¡Son servidores leales de Set! ¡Han cumplido con su misión!

Otra voz, más seca y terrible que la de Balasán, se cruzó en su cabeza. Bonaparte supo al instante que procedía de la segunda silueta.

«¿Y tú quién eres?», titubeó, clavando su mirada en su desconcertante y tenebrosa energía.

—¡No creáis todo lo que os dice el Viejo de la Montaña! —fue cuanto respondió.

La orden de aquella criatura vino acompañada de un extraño dolor. Por alguna razón, mientras los ojos del segundo ka resplandecían como el oro, los músculos de Bonaparte comenzaron a arder inyectándole un dolor profundo e insoportable. A cada nueva sílaba que pronunciaba, más se intensificaba aquel sufrimiento. Por un instante tuvo la sensación de que el ka se lo estaba provocando deliberadamente, como si toda su función fuera la de hacerle daño.

—Eso que sentís —añadió en tono sádico— es el rescoldo de vuestra antigua vida. El dolor es el último lazo que os une a ella. Si me hacéis caso, os devolveré al mundo del que venís. Si no, os quedaréis para siempre en esta existencia lúgubre e incorpórea.

El ardor creció hasta lo insoportable.

«¡Basta! —chilló—. ¡Callaos, por favor!».

El ka del anciano Balasán se agitó, interponiéndose entre ambos.

—Es Omar Zalim, un hijo de Set —dijo—. Ha venido para equilibrar la balanza de tu juicio final. Solo tú decidirás a quién escuchar. A la luz o a la sombra. A la vida eterna o a la falsa vida.

Aquellas palabras cayeron sobre Bonaparte como un bálsamo benefactor. Un agua invisible que apagó el terrible ardor de su cuerpo y le devolvió la serenidad.

—Esto es lo que ahora debéis saber —prosiguió—. Habéis muerto. Habéis dejado de existir como otrora hizo Osiris. En este momento no sois más que la esencia del ser que un día fuisteis. ¿Os habéis preguntado por qué si no habríais de ver en la oscuridad? ¿Por qué si no habríais de tener esa sensación de revisión de la vida por la que habéis pasado en las últimas horas? ¿O es que tumbado en ese sarcófago no se os han mostrado los momentos más importantes de vuestra búsqueda de la vida eterna? Eso, querido Sultán de Occidente, solo se ofrece a los muertos.

Bonaparte tardó un instante en reaccionar. Estaba profundamente turbado.

«¿Y así nos morimos? ¿Sin más? ¿Sin apenas darnos cuenta?». Una oleada de angustia se instaló en su invisible garganta.

—No debería preocuparos tanto —lo consoló Balasán—. A fin de cuentas, el Creador ha dado a los hombres un alma inmortal. Esa es vuestra verdadera naturaleza. Lo único que habéis dejado atrás es vuestro cuerpo. Un armazón de materia perecedera que solo produce decepción, creedme.

El general retembló.

—¡No lo escuchéis! —gritó el otro ka, resucitando aquellos insoportables ardores—. Os prometerá una inmortalidad sin cuerpo. Una vida eterna en el espíritu. Y lo que vos queréis es la resurrección de Osiris. La de Jesús. La del regreso a la vida.

La invisible boca de Bonaparte se abrió para tragar aire. El fuego era intenso. Le hacía daño.

—¿Y qué tiene de malo la vida eterna? —replicó el ka del Viejo de la Montaña—. Vivir de verdad no es más que desprenderse de un cuerpo gastado. La verdadera vida es la muerte, la verdadera muerte es la vida. El Creador os asignó uno para que apreciarais la materia que también creó, pero lo hizo por un tiempo limitado. Sois una parte de Él. De su esencia. Y, como tal, en vuestro destino está retornar a Él. Los humanos no comprendéis que vuestro origen y vuestro fin es convertiros en Dios mismo. Os integraréis en una conciencia tan grande como el universo, lleno de infinita sabiduría y amor. Os expandiréis.

«Pero ¡tan pronto!». Una ola de pánico lo recorrió de arriba abajo—. ¿Por qué he de morir tan pronto? ¿Por qué así, sin honor ni batalla?

—Vinisteis a por la vida eterna... y ya la tenéis —añadió el ka de Balasán—. ¿Qué más queréis?

—¡Regresar al mundo con ella! —bramó el otro ka en su nombre.

Aquellas palabras lo desarmaron.

De repente comprendió que aceptar lo que el Viejo de la Montaña le ofrecía era continuar su camino por los pasillos del más allá prefigurados en aquella pirámide. Avanzar por ellos y no mirar atrás. Dejar inconclusos sus proyectos, su campaña militar en Egipto, su anhelo por cambiar la historia de Francia, Nadia...

—Oh, sí, Nadia —sonrió el espectro de Balasán, leyendo su mente una vez más—. También ella ha ayudado a cerrar vuestro ciclo osiriano.

Bonaparte puso cara de no comprender.

—Así es. Como hiciera Isis en la noche de la humanidad, también ella os ha extraído el don de la vida después de muerto.

«¿De qué habláis?».

—Todo estaba escrito. Nadia os sacó de vuestra muerte cotidiana, esa que llamáis vida, y os hizo VIVIR en el momento de unirse a vos. Y después os ha enviado aquí, a lo que creéis que es la muerte, pero que en realidad es el umbral de la auténtica vida.

Bonaparte dio un nuevo respingo. El ka se compadeció.

—Todo estaba escrito —repitió—. Pero aún os queda una última decisión. Si tras este vaciado y pesaje de vuestra alma que habéis experimentado decidierais recorrer los pasadizos del más allá, vuestra esencia permanecería en la Tierra a través del vientre de Nadia. Esa y no otra será vuestra inmortalidad física. No hay más. Vuestro fruto será como el halcón Horus, el hijo de esos dioses que hicieron el amor después de muertos.

«¿Si decidiera? —se escamó—. ¿Qué quiere decir eso? ¿Acaso tengo otra opción?».

—El muerto que ha sido pesado por Maat y ha sido hallado puro, que ha demostrado una búsqueda sincera de la vida eterna, puede dirigirse adonde quiera —musitó el ka de Balasán—. O bien regresa a la tierra de la que viene, o bien viaja a las doce regiones del mundo inferior, o bien se dirige hacia las estrellas y se convierte en una de ellas. Es lo que dice nuestro *Libro de los Muertos*.

«Entonces, ¿puedo elegir mi camino? —preguntó—. ¿Aún puedo volver?».

El general había asumido ya que era un ka. Que su cuerpo había quedado atrás sin remedio. Y que su conciencia residía ahora en su esencia primordial. Pero las últimas palabras del anciano le hicieron dar un paso atrás.

—¿Lo veis? ¿Os dais cuenta del engaño? —se conmovió el ka de Omar Zalim, agitándose en las tinieblas, desesperado—. Los sabios azules llevan siglos hurtando así la vida eterna a los humanos. ¡No caigáis en su trampa! ¡Exigid lo que os pertenece! ¡Volved de la muerte!

El pecho de Napoleón Bonaparte estuvo a punto de reventar de dolor de nuevo. Tuvo que agazaparse otra vez en el sarcófago para recomponerse, pero en cuanto la voz ardiente de Zalim calló, logró sobreponerse. Un millón de sensaciones encontradas comenzaron a girar en ese momento por su cabeza. La advertencia de Nadia. La insistencia de Buqtur por llevarlo hasta allí. Las turbadoras imágenes sobre su destino. Los pronósticos del astrólogo parisino. Su persecución del inmortal perdido, el conde de Saint- Germain. Todo, absolutamente todo, se comprimió en un suspiro en los pliegues de su conciencia hasta implosionar en una certeza.

«¿A cuántos hombres se les ha dado a elegir su camino, maestro?», preguntó a Balasán, levantándose del sarcófago decidido a resolver aquello.

—A muy pocos —respondió.

«Y supongo que la mayoría eligieron el sendero que vos proponéis, ¿verdad?».

—El camino de los sabios. Así es.

Bonaparte clavó su mirada de ultratumba en el anciano como si le reservara una sorpresa. Después, sereno, miró la negrura de Omar.

«Pues creo que yo no soy uno de ellos, maestro —dijo.

El reflejo del sabio azul retembló—. He tomado una decisión, maestro Balasán. Y no es la que me sugerís. Deseo regresar».

Los dos kas contemplaron mudos a su interlocutor.

Solo el Viejo de la Montaña, al fin, tomó la palabra.

—¿Decidís, pues, resucitar a la carne tal y como lo hicieron Osiris o Jesús antes que vos? ¿Regresar al mundo del sufrimiento, a la cárcel de la materia?

«Sí. Ese es mi deseo».

—En ese caso —bajó la mirada apenado—, vuestra voluntad será cumplida.

«¿Volveré a la vida, a mi cuerpo?».

—Volveréis a la muerte, Bunabart.

«¡Mi destino está ahí!».

—Quizá. Pero debéis saber que cuando llegue vuestra nueva hora, os esperará otro nuevo juicio en este lado. Otro pesaje del alma. Y entonces, con una vida cargada de faltas, no tendréis la misma facilidad para ascender hacia la luz.

«Asumo ese riesgo. Quiero volver», insistió.

—¿Y la vida eterna? ¿Se la entregaréis antes de devolverlo? —se agitó el ka de Omar Zalim a su lado.

El Viejo de la Montaña se volvió por primera vez hacia aquella energía que se había pegado a él, alimentada por un deseo de venganza ancestral. Lo escrutó y mirándolo como quien se compadece del ignorante, sentenció:

«Este hombre ha muerto en la pirámide y regresará ahora a la vida. ¿Qué más prueba necesita de su inmortalidad?».

EPÍLOGO

I

El 13 de agosto de 1799, hacia las seis y media de la mañana, Napoleón Bonaparte emergió por sus propios medios del vientre de la Gran Pirámide de Giza. El reencuentro con el general Kléber fue emocionante. Ambos hombres se abrazaron felices por haber superado la «prueba de la pirámide». Kléber, no obstante, ignoraba que se encontraba ante un resucitado. Nervioso, había ascendido a toda prisa hasta el boquete de acceso al monumento abierto por Al Mamún con la intención de socorrerlo, y allí mismo, ante la patrulla militar que los había escoltado, le formuló una pregunta que durante muchos años repetirían en privado:

—Mi general, ¿qué os ha sucedido?

El joven estratega, turbado por lo que acababa de vivir, respondió lo mismo que diría una y otra vez hasta su exilio y muerte en la isla de Santa Elena, veintidós años más tarde:

—Aunque os lo contara, no me ibais a creer.

II

Solo diez días después de este episodio, y tal y como los miembros del Taller se temían, Bonaparte abandonó en secreto Egipto. Lo hizo custodiado por una escolta de dos barcos, las fragatas La Muiron y Carrère, con las que burló el bloqueo naval de Egipto desplegado por la flota británica. Una vez más tuvo la suerte de cara. No solo el almirante Nelson no acabó con él, sino que sus enemigos, que habían destruido su escuadra y mantenían a sus tropas aisladas en el país del Nilo, nunca se apercibieron de su fuga.

De esta manera tan poco honrosa Bonaparte dejó atrás a cuantos lucharon cerca de él por hacerse con la fórmula de la vida. Los hallazgos en la tumba de Amenhotep III fueron archivados y enviados años más tarde a París a la espera de que otro estudioso, Jean-François Champollion, terminara de traducir la escritura de los antiguos egipcios. Elías Buqtur acabó sus días en la Costa Azul francesa, expulsado del Taller y dedicado en cuerpo y alma a poner en marcha la «máquina de la inmortalidad» de la pirámide de Falicon. Fracasó. En cuanto a la bella Nadia, desapareció de la faz de la Tierra.

Lo que mejor conocemos es lo que le ocurrió al joven Bonaparte tras su «prueba de la pirámide». Después de su huida de Egipto se refugió en Ajaccio, su ciudad natal, a donde llegó el 28 de septiembre de aquel mismo año de 1799. Once días más tarde desembarcó en Fréjus, en suelo continental francés, a apenas un centenar de kilómetros de Niza y de la pirámide de Falicon.

En realidad, el prometedor general era ya otro hombre. Un soldado bien distinto del que había abandonado Francia más de un año antes. Y es que, desde aquel amanecer del 13 de agosto, Bonaparte no volvería a tener miedo a la muerte... jamás. Quizá por eso se convirtió en uno de los estrategas más temerarios y con mejor baraka de la Historia.

¿Qué iba a temer ya?

En Egipto había descubierto que la muerte —cuando

le llegara— no sería su final. Se había convertido, pues, en un verdadero inmortal.

III

Ya solo queda por dilucidar una última cuestión.

Dado que la histórica iniciación de Napoleón Bonaparte en la Gran Pirámide fue un acto íntimo y rodeado de sombras, a los historiadores todavía les resulta muy difícil calibrar hasta qué punto tuvo influencia en su trayectoria posterior. Y los comprendo. Si existe una asignatura pendiente para quienes estudian el pasado esa es la de valorar las razones psicológicas que han movido los actos de sus protagonistas.

En este caso, no obstante, Bonaparte nos dejó al menos dos pistas muy visibles de esa influencia.

La primera llegó al poco de su regreso a Francia, tras el golpe de Estado que lo llevó a dominar Europa. Implacable en su idea de manipular en su beneficio los símbolos que lo rodeaban, decidió añadir dos detalles nuevos, muy significativos, al escudo de París. En un documento fechado en enero de 1811, adjunto a la llamada *Carta de Napoleón*, se indica que a la tradicional barca sobre el Sena que luce el blasón de la ciudad se debía incluir, en adelante, una estatua de la diosa Isis. La efigie iría en su proa, marcando el rumbo de la ciudad, y sobre ella se grabaría una estrella de cinco puntas idéntica a las que adornan los techos de los antiguos templos egipcios. Bonaparte había establecido una comisión de sabios dirigida por Louis Petit-Radelin para que confirmara la leyenda de que la primera diosa de la ciudad —y aun incluso su nombre— estaba vinculada a la Isis egipcia. Probablemente gracias a las conclusiones de ese estudio, la reforma del escudo no terminó ahí, sino que Bonaparte añadió, además, el perfil de tres abejas doradas, símbolo del gobierno solar divino de los antiguos faraones. Abejas —por cierto— que volverían a aparecer de nuevo en sus retratos oficiales más importantes.

Escudo de París diseñado por Napoleón Bonaparte

Aquí ya no caben especulaciones: el «pequeño cabo» importó de Egipto sus símbolos más sagrados, se blindó con ellos y hasta los incorporó al nuevo blasón de su capital. ¿Fue este el tributo a su iniciación piramidal del verano de 1799? Es más que probable. Eso explicaría también que, convertido ya en dueño y señor de Francia, nombrara ministro de Bellas Artes a Dominique Vivant Denon, uno de los más destacados sabios de su expedición al Nilo y autor de la monumental obra *Description de l'Égypte*, en cuya dedicatoria volveremos a encontrar la abeja y la estrella de cinco puntas en torno a una gran «N». A principios del siglo XIX Bonaparte se había transformado ya en el Napoleón que conoce la Historia y decidió convertir París en su particular Tebas.

Y fue justo allí donde nos dejó la segunda pista.

Hasta 1806, seis de las quince nuevas fuentes que ordenó construir en la ciudad fueron de inspiración egipcia. Napoleón hizo así de París un reflejo *físico* de lo que había visto al cumplir su Sed. Es más, llegó incluso a instaurar una religión de inspiración faraónica de la que hoy casi nadie habla y que fracasó por completo.

¿Qué fue, pues, lo que tanta huella le dejó de Egipto? ¿Sus batallas? ¿Sus monumentos? ¿O acaso su hoy olvidada iniciación en la Gran Pirámide?

Yo, desde luego, tengo clara mi respuesta.

AGRADECIMIENTOS

—

Esta novela ha pasado por muchas y muy sabias manos antes de ver la luz. Y a algunas de ellas deseo expresarles mi particular gratitud. Las primeras fueron las de mi *editor princeps,* José María Calvín, que por caprichos del destino hoy tutela mis obras en Brasil. Después vinieron las de mi agente Antonia Kerrigan, que, como en el mito de la Esfinge, me formuló las preguntas justas que iban a definir mi carrera literaria. Pero no puedo olvidar tampoco a la primera y más crítica lectora de este manuscrito, Eva Pastor, cuyo fino instinto ha sido decisivo para definir el universo de Nadia ben Rashid.

Mención especial merecen Antonio Piñero, Nacho Ares y Robert Bauval, expertos en historia bíblica y Egipto respectivamente, que supervisaron o iluminaron con sus trabajos ciertos aspectos de la trama. También Julio Antonio López, historiador y astrólogo, que me ayudó a interpretar la carta astral de Napoleón Bonaparte. Clara Tahoces, experta en sueños, de quien tanto he aprendido. José Gabriel Astudillo y Lola Barreda, presidente y secretaria general de la Asociación Española de Pintores y Escultores, por su apoyo gráfico. O David Zurdo y David Gombau, siempre prestos a socorrerme en los problemas que asaltan a diario a un escritor. Si algún error he cometido al manejar su información o sus sugerencias, yo soy el único responsable.

Por último, deseo dejar prueba de mi gratitud a Raquel

Gisbert y Puri Plaza, mis editoras en Editorial Planeta, por el cuidado que han puesto en revisar una y otra vez esta novela. Gracias a sus dotes de observación me enfrenté a un texto que había sido escrito doce años atrás, lo despedacé como hizo Set con Osiris, y tras insuflarle de nuevo la fuerza de la palabra volví a darle vida... espero, esta vez, que eterna.

NOTA FINAL DEL AUTOR
—

Quizá alguno de mis lectores más fieles lo recuerde.

Una novela parecida a esta vio la luz por primera vez en la primavera de 2002 bajo el título de *El secreto egipcio de Napoleón*. Fue traducida a ocho idiomas y reeditada en numerosas ocasiones, pero con todo y con eso siempre tuve la impresión de que le había tocado ser la cenicienta de mi producción literaria. Nació entre *Las puertas templarias* y *La cena secreta,* y aunque es cierto que ambas alcanzaron mayores glorias, con esta aprendí a utilizar la ficción como herramienta interpretativa de ciertos pasajes oscuros de la Historia.

Pero no fue esa su única enseñanza.

Al igual que sucede con los hijos, a menudo los libros nos regalan todo un universo de lecciones. Unos y otros se convierten en el espejo de lo que somos y nos devuelven el más acertado reflejo de nuestra alma que pudiéramos imaginar. El regreso ahora de esta aventura a las librerías —toda una *resurrección osiriana,* por cierto— no solo me ha obligado a revisarla desde una óptica narrativa, sino que en el camino me ha reencontrado con quien fui, con lo que creí y sentí hace algún tiempo, poniéndome en el brete de redactar esta aclaración y hacer pública una pequeña historia que ha permanecido oculta hasta ahora y que dará al lector su sentido final.

Primero de todo, debo confesar que en la época en la

que trabajé en este manuscrito yo atravesaba un momento vital decisivo: había tomado la determinación de convertirme en escritor a tiempo completo y pretendía que mis obras, además de entretener, promovieran también la reflexión sobre las grandes incógnitas que nos rodean. Aquella no fue, como podrá suponer el lector, una decisión fácil. Acababa de cumplir treinta años; tenía un futuro prometedor en el periodismo y mucho que perder en un territorio tan incierto como el de la narrativa. Sin embargo, contra lo que hubiera dispuesto una lógica sana, hubo una circunstancia que inclinó la balanza para que emprendiera mi reto con ganas. Y es que aquel narrador primerizo, solitario, sin padrinos, había empezado a convivir con una obsesión malsana. Con una idea tan sobrevenida como estremecedora: por primera vez pensé en serio en la muerte. En mi muerte. Y vi en la literatura una herramienta eficaz para combatirla.

Me explicaré.

En aquellos días caí en la cuenta de algo que terminaría convirtiéndose en una de mis pocas certezas personales. Que el gran desafío al que nos enfrentamos tanto colectiva como individualmente no es —ni de lejos— descubrir si estamos solos en el universo, si existe una cura contra el cáncer o si un día lograremos acabar con las guerras, las desigualdades o el hambre en el planeta. Nuestro gran lance era algo tan ancestral como la vida misma. Y tan misterioso como ella. De algún modo se trata de la preocupación que nos convirtió en humanos, la misma que nos llevó a enterrar a nuestros seres queridos, a inventar el arte o las religiones, e incluso a levantar eso que ahora llamamos cultura. Nuestra especie se organizó para tratar de explicársela, tal y como demuestran los primeros escritos y los monumentos más antiguos de la humanidad, todos ellos enfocados al «sueño de la inmortalidad». Por eso me resultaba irritante que las dudas primordiales que rodean a la muerte llevaran milenios sin despejarse: ¿A dónde vamos después de cerrar los ojos? ¿Qué queda de nosotros cuando desaparecemos de este mundo? ¿Tenemos alguna remota posibilidad de escapar a ese destino?

Reflexionémoslo por un momento.

No existe un solo avance científico, una medicina, una fe o un sabio que haya sido capaz de arañar siquiera el velo que nos separa de la muerte. Aunque es el porvenir cierto que nos aguarda, el humano moderno prefiere mirar hacia otro lado sin pensar siquiera en vencerla. Nadie —nos dicen— ha salido victorioso de semejante batalla. Se trata —insisten— de una cruzada perdida desde el momento mismo del nacimiento.

Pero... ¿Y si no fuera así?

¿Y si existiera una alternativa?

En los intensos días de escritura de esta obra hice mía una «verdad» que iba contra ese axioma. Interioricé, en un acto que fue más allá de lo sensato, que la vida no es ese viaje a ninguna parte que tanto escuece a los materialistas. Es, cierto, un viaje hacia la muerte. Pero esta no debería entenderse sino como un paso evolutivo, liberador, en nuestra experiencia humana. Un trance obligatorio para librarnos de lo perecedero y quedarnos solo con lo esencial.

Con el alma.

No era una deducción original. Al contrario: a principios del siglo XXI este joven escritor estaba merodeando una «idea madre» atávica. Platón fue el primer filósofo que defendió que cuando la muerte consume al hombre, esta solo extingue su parte mortal. Creía que justo entonces se libera el principio imperecedero que nos habita y se nos empuja hacia nuestro verdadero destino.

Así pues, movido por conceptos de semejante calado,

me propuse explorar *la gran cuestión* en clave novelesca. Busqué un espacio de libertad para reflexionar lejos de los corsés que nos impone nuestra lógica, y en la literatura encontré el campo perfecto para mi «experimento».

Desde el primer día el manuscrito de esta obra estuvo encabezado por un *working title* que resumía mi propósito a la perfección: *La pirámide inmortal*. Egipto —como habrá comprobado el lector si me ha seguido hasta aquí— se había convertido en mi gran fuente de inspiración. Tenía sentido. Sus tres mil años de historia, iniciados mucho antes que la Grecia de los filósofos, estuvieron consagrados por entero a la muerte. Y por eso quise que la principal protagonista de esta novela fuera la Gran Pirámide de Giza, el monumento más colosal de aquel pueblo, ideado para vencer al tiempo y, con él, superar a cualquier vida humana.

Por supuesto, sabía que novelas sobre la Gran Pirámide se habían publicado por decenas. Necesitaba un enfoque diferente. Original. Y fue así que decidí acompañar mi relato de un secundario de lujo: un joven general Bonaparte que, por increíble que parezca, en 1799 tuvo una experiencia en ella cuyo alcance —tan iluminador como una epifanía— llevaba más de dos siglos escamoteando el análisis de sus biógrafos.

¡Era el «conductor» que necesitaba!

Pero entonces, con título, escenario y protagonista decididos y la primera versión de la obra redactada, me ocurrió algo que no estaba en mi guion.

Justo al regreso de mi enésimo viaje a Egipto, mientras pasaba unos días de descanso en la Costa del Sol española para repasar este manuscrito, sufrí un accidente ocular que a punto estuvo de dejarme ciego. De repente, por prescripción médica, me vi postrado en un sofá, en una habitación que me era ajena, en penumbra, con la cabeza mirando al techo, inmovilizado, sin la más remota posibilidad de leer o de escribir. Y en semejante circunstancia caí en la cuenta de algo que me afectó profundamente: mi situación no era muy diferente a la que había hecho vivir al joven Bonaparte en las primeras páginas de esta obra. De hecho, me recordó a la que yo mismo había tenido unos años antes en la propia pirámide de Giza, donde pasé una noche —ilegal por completo— dentro del monumento, y de donde saqué la inspiración para este relato.

Así pues, con todas esas sensaciones gravitando sobre mí, alguien cercano se fijó en el subtítulo que había añadido al borrador *(El secreto egipcio de Napoleón)* y, tras leerlo, me sugirió que lo elevara a principal.

«¿Y por qué no?», pensé.

La idea me pareció interesante. Llegaba en el momento oportuno. De hecho, me pareció una señal de la Providencia. Y por esa razón, con ese título se publicó por primera vez en marzo de 2002.

Visto en retrospectiva, creo que malinterpreté al destino. A la ligera, coloqué a Bonaparte —en 1799 nadie lo llamaba aún Napoleón— por encima del propósito supremo de la narración, que no era otro que reflexionar sobre la muerte y la inmortalidad, y condené a un segundo plano al coloso pétreo que la había inspirado. Por eso, una década más tarde, habiendo vencido a las tinieblas personales de aquellos días y tras encontrar al editor perfecto para la *resurrección* de este trabajo, he decidido devolverle el encabezamiento que nunca debió perder, revisar a fondo su contenido y enviarlo de nuevo a imprenta.

La pirámide inmortal es menos oscura que *El secreto egipcio de Napoleón*. Sigue siendo, quizá, la más esotérica de mis novelas, pero ahora reaparece con menos personajes que la original y con una línea argumental más clara, dentro de lo que permitía la estructura de múltiples capas del «vaciado de alma» de Bonaparte.

Confío, pues, en que la decisión de cambiar su título y reelaborarla la sitúe en su justo lugar y haya hecho que el lector participe del verdadero alcance de esta intensa y trascendente aventura.

Ultramort, Girona.
Verano de 2013

OTRAS OBRAS DE JAVIER SIERRA
PUBLICADAS POR EDITORIAL PLANETA

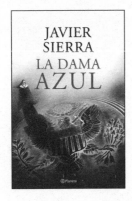

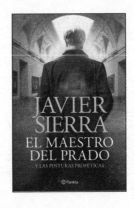